Wolfgang Mayerhofer

Werbemitteltests – mit dem Schwerpunkt auf der Darstellung moderner Verfahren der Laborforschung

EMPIRISCHE MARKETINGFORSCHUNG
Hrsg.: von o.Univ.Prof.Dr. Günter Schweiger

Band 7

Band 1
Gertraud Schrattenecker
Die Beurteilung von Urlaubsländern durch Reisekonsumenten
1984, 325 Seiten, kart., öS 273,–
ISBN 3-85428-029-7

Band 2
Berthold Schwanzer
Die Bedeutung der Architektur für die Corporate Identity eines Unternehmens
Eine empirische Untersuchung von Geschäften und Bankfilialen
1985, 195 Seiten, kart., öS 273,–
ISBN 3-85428-084-X

Band 3
Helmut Kurz
Die Genauigkeit von Umfrageergebnissen
Eine empirische Analyse
1987, 147 Seiten, kart., öS 234,–
ISBN 3-85428-084-X

Band 4
Michael Praschl
Anti-Rauchwerbung-Werbung
Für Nichtrauchen auf der Basis der Motivforschung und deren kommunikative Umsetzung
1987, 142 Seiten, kart., öS 273,–
ISBN 3-85428-106-4

Band 5
Junichi Yoshida
Produktinnovation in Japan
– Ein Weg zum ganzheitlichen Produktmarketing
1989, 228 Seiten, kart., öS 320,–
ISBN 3-85428-116-1

Band 6
Gerhard Knor
Werbung in Tageszeitungen und Fachzeitschriften –
Ein empirischer Wirkungsvergleich dargestellt am Beispiel EDV
1988, 157 Seiten, kart., öS 187,20
ISBN 3-85428-122-6

Werbemitteltests –

mit dem Schwerpunkt auf der Darstellung moderner Verfahren der Laborforschung

Wolfgang Mayerhofer

W I E N   1 9 9 0
S E R V I C E - F A C H V E R L A G

ISBN 3-85428-173-0

Umschlaggestaltung: Top Line
Druck: Druckerei Signale, 7423 Pinkafeld
Printed in Austria 1990

VORWORT DES HERAUSGEBERS

Gemäß dem Motto: "Kreative Werbung muß durch kreative Meßmethoden und Testansätze auf ihre Wirkung überprüft werden" liegt der Schwerpunkt der vorliegenden Arbeit auf der **Darstellung** der Vorteile moderner, innovativer und leistungsfähiger **Verfahren** der Werbewirkungsmessung, mit der Möglichkeit, Meßdaten 'online', also zum Zeitpunkt des Anfalls dieser Daten, zu verarbeiten.

Neben einer fundierten theoretischen Begründung für den Einsatz apparativer Verfahren im Werbemitteltest, werden ihre Vorteile auch anhand von empirischen Befunden aufgezeigt.

Der vorliegende Band stellt den ersten Teil einer Dissertation zur Erlangung des akademischen Grades

Doktor der Sozial- und Wirtschaftwissenschaften

dar.

Die Dissertation wurde mit dem **TREND-Preis** für die beste wissenschaftliche Arbeit des Jahres 1989 im Fachbereich Werbung und Marktforschung an der Wirtschaftsuniversität Wien ausgezeichnet.

Günter Schweiger

INHALTSVERZEICHNIS:

Seite

Seite

Verzeichnis der Abkürzungen:

DA....Diplomarbeit
DISS..Dissertation
HA....Hausarbeit

ACR...Association for Consumer Research
AMA...American Marketing Association
ULG...Universitätslehrgang für Werbung und Verkauf
WuM...(Ordinariat für) Werbewissenschaft und Marktforschung
WUW...Wirtschaftsuniversität Wien
WWG...Werbewissenschaftliche Gesellschaft

108f.....Seite 108 und die folgende Seite
108ff....Seite 108 und mehrere nachfolgende Seiten
ggf......gegebenenfalls
i.A......in Arbeit
insbes...insbesondere
i.V......in Vorbereitung
m.a.W....mit anderen Worten
m.E......meines Erachtens
o.J......ohne Jahresangabe
o.V......ohne Verfasser
u.a......unter anderem
u.U......unter Umständen
vgl......vergleiche
zB.......zum Beispiel

DBW.............Die Betriebswirtschaft
JAR.............Journal of Advertising Research
JdAuVf..........Jahrbuch der Absatz- und Verbrauchsforschung
JCR.............Journal of Consumer Research
JoM.............Journal of Marketing
JoMR............Journal of Marketing Research
JoMRS...........Journal of the Market Research Society
Marketing - ZfP..Marketing - Zeitschrift für Forschung u. Praxis
W&P.............Werbeforschung und Praxis (vormals: WWG Information)
w&v.............werben und verkaufen

Verzeichnis der Abbildungen:

Verzeichnis der Tabellen:

Abbildungen und Tabellen im Anhang:

ANHANG / Seite

1. Einleitung und Problemstellung

Aufgabenstellung des gesamten Projektes war es, zahlreiche Studien, die seit dem Jahr 1981 am Ordinariat für Werbewissenschaft und Marktforschung (WuM) an der Wirtschaftsuniversität Wien zum Forschungsschwerpunkt **"Ja zu A - Kommunikationsstrategien zur Förderung des Absatzes österreichischer Produkte"** durchgeführt worden sind, zusammenfassend darzustellen.
Auslösendes Moment für die Beschäftigung mit diesem Thema waren drei Gründe:

1. Eine deutliche Verschlechterung der österreichischen Zahlungsbilanz in den Jahren 1978-80
2. Erkenntnisse, daß die Betonung rationaler Argumente in Werbekampagnen nicht den gewünschten Erfolg zeigt; im konkreten Fall eine verstärkte Beachtung des A-Herkunftszeichens beim Einkauf
3. Die Möglichkeit, apparative Verfahren zur Überprüfung der Werbewirkung an einem konkreten Anwendungsfall einsetzen zu können, bei dem die Methode der Befragung aus zwei Gründen überfordert ist: Einerseits handelt es sich um emotionale Anzeigen und außerdem besteht die Gefahr, daß durch das Thema 'Ja zu A', die Beurteilung der Anzeigen 'sozial erwünscht' positiv ausfällt.

Durch die Unterstützung des **Jubiläumsfonds der Österreichischen Nationalbank** war es möglich, die Feldarbeit in zahlreichen empirischen Studien mit größeren Stichprobenumfängen durchzuführen, sowie eigene Anzeigen zu entwerfen und zu drucken; darüber hinaus erlaubten es diese Mittel auch, das Werbepsychologische Labor an der Wirtschaftsuniversität mit modernen Geräten zur Messung der Wirkung von statischen (Anzeigen, Plakate, Prospekte, Folder, Packungen und Direct Mailings) und dynamischen (Hörfunk-, TV- und Kino-Spots, Videofilme) Werbemitteln auszustatten.

1.1. Aufbau und Gliederung

Im vorliegenden ersten Teil der Arbeit soll versucht werden, die gewählte Problemstellung zu begründen. Die Argumentation wird sich insbesondere auf drei Aspekte konzentrieren:

- auf den **Nutzen** von (umfassenden) Modellen zur Beschreibung des Zusammenhanges zwischen Werbewirkung und einer Reihe von endogenen und exogenen Kriterien bzw.
- auf die **praktische** Anwendung und Überprüfung dieses Modells im Zusammenhang mit Kommunikationsmaßnahmen zur Stärkung des Österreichbewußtseins bzw. zur stärkeren Beachtung des Herkunftszeichens in der Phase der Kaufentscheidung sowie
- auf den zum Teil **innovativen** Charakter der zur Überprüfung der Werbewirkung eingesetzten Verfahren.

Im zweiten Teil, der demnächst in der Schriftenreihe der Wirtschaftsuniversität Wien erscheint, werden Ergebnisse aus zahlreichen am Ordinariat für Werbewissenschaft und Marktforschung (WuM) durchgeführten empirischen Projekten in Form einer Meta-Analyse zusammengefaßt, wobei ein Schwerpunkt auf der Darstellung von Ergebnissen der Blickregistrierung und Aktivierungsmessung liegt.
Die Arbeit verfolgt somit drei **Zielsetzungen:**

(1) **Darstellung** der Vorteile moderner, innovativer und leistungsfähiger **Verfahren** der Werbewirkungsmessung, mit der Möglichkeit, Meßdaten 'online', also zum Zeitpunkt des Anfalls dieser Daten, zu verarbeiten,

(2) Aufarbeitung und **Dokumentation** von empirischen Studien eines umfangreichen Forschungsprojekts in seinen Erhebungstatbeständen, eingesetzten Methoden und wichtigsten Ergebnissen, sowie

(3) **Kombination** der verschiedenen Verfahren und Methoden des Werbemitteltests zu einem **Modell**, das eine möglichst umfassende Integration und Darstellung unterschiedlicher Testverfahren bietet, dabei aber dem Anwender eine weitgehende Flexibilität in der Kombination der einzelnen Module (Verfahren bzw. Operationalisierungen der unterschiedlichen Erhebungstatbestände) läßt.

1.2. Versuch einer Standortbestimmung

Der derzeitige Stand der Konsumentenforschung ist durch zwei dominierende Ansätze zu charakterisieren:

(1) **physiologische** Ansätze

(2) **kognitive** Erklärungen

(KASSARJIAN (1982) zit. nach KROEBER-RIEL, 1984a, S.13)

Vertreter einer **physiologisch orientierten Verhaltensforschung**, zu der sich auch der Verfasser bekennt, verweisen auf die unterschätzte Bedeutung von Emotionen und Motiven zur Erklärung menschlichen Verhaltens und fordern eine stärkere Berücksichtigung von 'spontanem Verhalten', 'bildhaftem Denken' und der 'Wechselwirkung zwischen emotionalem und kognitivem Verhalten'. Das Hauptinteresse der physiologischen Verhaltensforschung ist demnach auch die "Beschäftigung mit den Funktionen des menschlichen Körpers und den Wechselwirkungen zwischen Körperfunktion und Verhalten." (KROEBER-RIEL, 1984a, S.11) Verhalten soll als abhängige Variable durch physiologische Prozesse des Nervensystems (zB Gehirnaktivitäten oder Elektrodermale Reaktionen als unabhängige Variable) erklärt werden. (KROEBER-RIEL, 1979, S.240)

Für die Konsumentenforschung interessant ist in erster Linie die Arbeitsweise und Leistungsfähigkeit des zentralen Nervensystems. **Psychobiologie** vereinigt somit als interdisziplinärer Zweig Erkenntnisse der Biologie, Physiologie und Psychologie. (KROEBER-RIEL, 1979, S.240)

Zunehmend wird auch der Ruf nach objektiven Meßmethoden laut, wodurch sog. 'apparative Verfahren der Werbewirkungsmessung' an Bedeutung gewonnen haben und noch weiter gewinnen werden. Neben den erwähnten modernen Verfahren der Werbewirkungsmessung stellen zweifellos Kausalanalysen des Verhaltens einen weiteren großen methodischen Fortschritt der letzten Jahre dar. Die vorliegende Arbeit versteht sich somit als Beitrag zur **verhaltenwissenschaftlichen Marketingforschung,** die es sich zur

Aufgabe gestellt hat, die Forschungskriterien

- -empirisch
- -pragmatisch und
- -interdisziplinär

zu erfüllen. (vgl. KROEBER-RIEL, 1984a, S.17)

2. Was versteht man unter einem Modell ?

Es kann vermutet werden, daß jeder Leser, wenn er mit dem Begriff 'Modell' konfrontiert wird, eine andere Vorstellung - ein anderes inneres Bild von einem Modell entwickelt. Je nach Stimmungslage, wissenschaftlichem Kontext, in dem der Begriff auftaucht, je nach Persönlichkeitsstruktur und Vorstellungsvermögen wird das Vorstellungsbild mit hoher Wahrscheinlichkeit in eine der in Abbildung 1 dargestellten Kategorien einzuordnen sein.
Sind Modelle nicht ganz ernst zu nehmen und nur eine Spielerei, wenn man das Promotionsverdrußmodell von BEHRENS in seiner Theorie über die Erscheinung des Verdrusses bei wirtschaftswissenschaftlichen Doktoranden betrachtet? (1986, S.538)
Sollte man den Begriff 'Modell' überhaupt aus dem wissenschaftlichen Sprachgebrauch verbannen, weil er "in mehrfacher Weise" verwendet wird und ihn durch die Begriffe "syntaktisches System oder Kalkül" ersetzen ? (OPP, 1970, S.222)
Im folgenden wird versucht, die Vorteile einer Modellbildung herauszuarbeiten; zuvor aber soll der Begriff 'Modell', gemäß einer in dieser Arbeit erhobenen Forderung, näher erläutert werden.

Abbildung 1: Mögliche 'innere Bilder' des Wortreizes MODELL

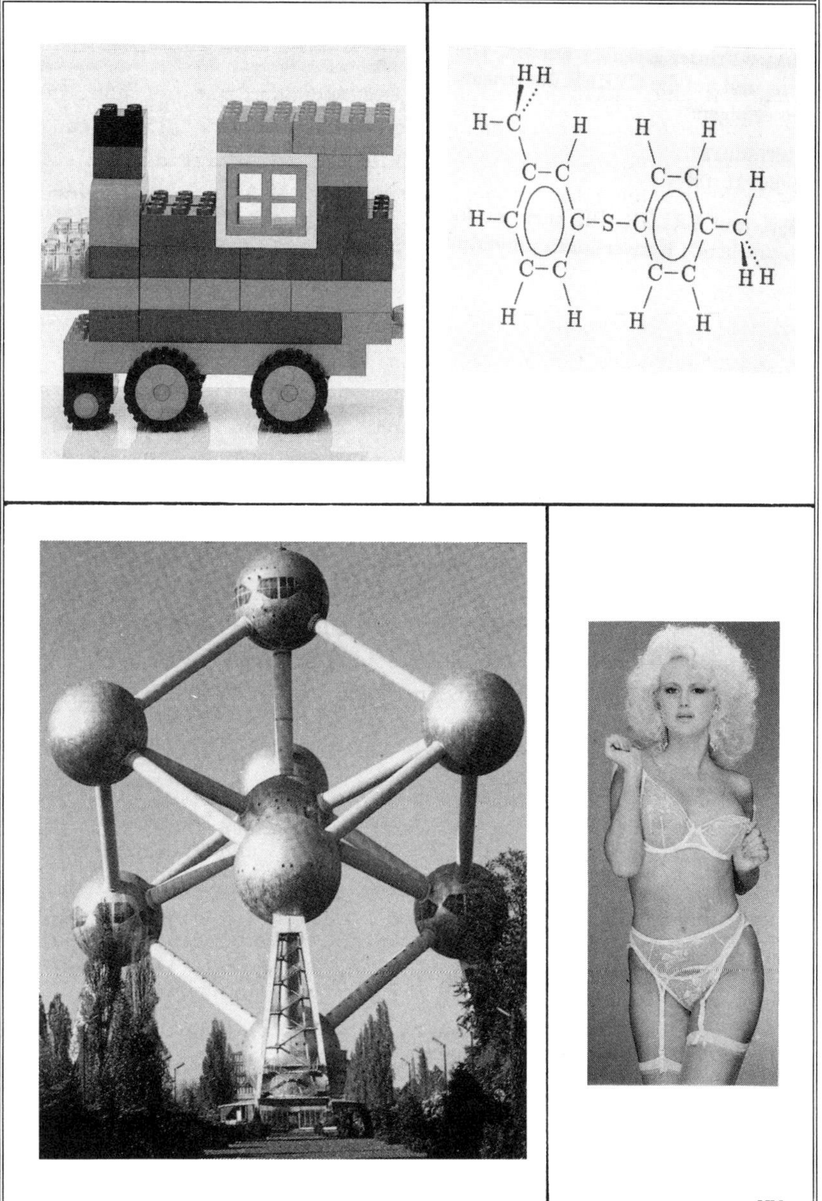

WM

"Im Alltagssprachgebrauch [1] meint man mit Modellen die Replikation eines Realitätsausschnitts, sein Abbild, welches meist in verkleinertem Maßstab vorliegt."
(DÖRNER, 1984, S.337) [2]
STERNTHAL und CRAIG sprechen im Zusammenhang mit der Abbildung des Entscheidungsverhaltens von Konsumenten von "simplified replicas" (1982, S.39) und auch WOTTAWA weist auf die Funktion der Vereinfachung hin, wenn er Modelle als " abstrakte, vereinfachende Vorstellungen über einen Sachverhalt" bezeichnet. (1980, S.66)

Der **Vorteil** der Modellbildung für einen Forscher liegt darin, daß er gezwungen wird, seine Annahmen insbesondere auf Vollständigkeit und Widerspruchsfreiheit zu überprüfen.
Gerade diese geforderte 'Vollständigkeit' ist ein Kriterium, das den Verfasser dazu verleitet, eine Aussage, wonach "der Empirismus von der Gefahr bedroht ist, sich zu verflüchtigen" (STEGMÜLLER, 1970c, S.293) insofern abzuwandeln, als er eine größere Gefahr darin sieht, daß sich 'der Empirismus verselbständigt'. M.a.W., es taucht(e) zunehmend ein Empirismus auf, der in der Überprüfung von Teilzusammenhängen mit teilweise widersprüchlichen Befunden und vor allem ohne jegliche Implikationen für den Marketing-Praktiker sein Auslangen sucht(e). [3]

---

1) Der Verfasser behauptet, daß seine Abbildung 1 eher dem 'Alltagssprachgebrauch' eines Modells entspricht, als die obige Definition; das mag daran liegen, daß vielleicht auch der Begriff 'Modell' als Bildreiz im Gedächtnis abgespeichert ist.

2) Herausragendes Kennzeichen von Modellen ist die umkehrbar eindeutige Abbildung zwischen Modell und Urbild, die sog. 'Isomorphie-Relation', die allerdings in den vielen Fällen nur für einen Teil der Realitätsausschnitte Gültigkeit besitzt.

3) Die stärkere Beachtung von Kausalmodellen könnte zu einer Umkehr dieses Trends führen !

Der 'Konstrukteur' eines Modells sieht sich häufig einem Dilemma gegenüber:
Einerseits wird von Seiten der Praxis kritisiert, daß nicht alle möglichen Einflußfaktoren (von denen man aber 'aus Erfahrung' weiß, daß ein solcher Einfluß sehr wohl besteht) Berücksichtigung in einem Modell gefunden hätten - zum Teil aus einer mangelnden Beschaffbarkeit solcher Informationen - "**andererseits** führt ein umfassenderer Ansatz sehr schnell zu hoher Komplexität, die wiederum eine Ablehnung durch die Manager verursachen kann, da diese das Modell nicht mehr verstehen". SIMON ist der Meinung, daß insbesondere dem 'Causal Modeling' dieses Schicksal widerfahren könnte. (1986, S.208)

Die grundsätzliche Beschäftigung mit der Modellbildung kann vielfach begründet werden. Nach HERRMANN ist es **Ziel grundlagenwissenschaftlicher Forschung**,

"1. das Problemfeld unter Verwendung präziser Begriffe und Aussagen und bei Heranziehung aller für relevant gehaltenen Informationen beschreibend zu rekonstruieren (=zu explizieren).
2. gesetzmäßige Zusammenhänge kausaler und anderer Art zwischen mehreren Komponenten festzustellen und ... das beobachtbare Auftreten problematisierter Ereignisse zu erklären (und vorherzusagen).
3. ... besser begründen zu können, inwiefern überhaupt die aufgefundenen gesetzartigen Zusammenhänge zwischen Problemfeldkomponenten bestehen." (1984, S.27)

Für alle diese Zielsetzungen ist es aber unabdingbare Voraussetzung, eine "Übersetzung der Wirklichkeit des Gegenstandes in ein Modell (oder Konstrukt)" zu schaffen. (REVERS, 1984, S.79)

Die Idee, ein Modell für einen Werbemitteltest zu entwickeln, findet nicht zuletzt auch in einer Aussage von OPP seine Begründung, wonach "die empirische Sozialforschung oft kritisiert wird, weil sie sich nicht intensiv genug mit der Gewinnung genereller Aussagen (Theorien) befaßt, sondern weil sie sich meist darauf beschränkt, im vorhinein formulierte Hypothesen zu testen." (1984, S.47)
In den Wissenschaften wird der Begriff 'Modell' in verschiedenen Bedeutungen und in unterschiedlichen Stufen der Abstraktheit verwendet. Man spricht entweder von einem Denkmodell, wenn man erst vage Vorstellungen über einen Meinungsgegenstand besitzt oder von einem mathematischen Modell und meint damit vollständige, formale Theorien über einen Gegenstand.

Der Grund, warum trotz vielfältiger Hindernisse und Kritik, ein Interesse an der Konstruktion von Modellen besteht, sind drei Vorteile: (vgl. MADSEN, 1974, S.39)

1) Die heuristische Funktion von Modellen; "konkrete Modelle erleichtern dem Forscher das Verstehen von Zusammenhängen, die Interpretation von Forschungsergebnissen" (STERNTHAL/CRAIG, 1982, S.39) und dadurch auch das Suchen nach neuen Zusammenhängen und das Formulieren von Hypothesen.
2) Modelle erleichtern die Kommunikation mit anderen Personen.
3) Modelle erfüllen eine pädagogische Funktion; es ist manchmal leichter, wissenschaftliche Ausführungen zu verstehen, wenn man sie anhand von graphischen Darstellungen nachvollziehen kann.

Einen weiteren wichtigen Vorteil für die Marketingpraxis sehen STERNTHAL/CRAIG auch in der Möglichkeit, aufgrund von empirisch bestätigten Theorien 'Strategien zur Beeinflussung des Kaufverhaltens' zu entwickeln (1982, S.39).

2.1. Zur Konstruktion von Modellen

Die Bildung von Modellen scheint eine sehr einfache Sache zu sein überhaupt im Zeitalter der elektronischen Datenverarbeitung. "Neben einem leistungsfähigen Rechner benötigt man eine genügend große Stichprobe von Verhaltensprotokollen und eine gute Kenntnis der Parameter dieser Protokolle." [1] (DÖRNER, 1984, S.346)

Meist geht die Konstruktion von Modellen als **Prozeß** vor sich. Man beginnt die Konstruktion mit einfachen Annahmen, indem man sich in der ersten Phase bewußt nicht um Vollständigkeit bemüht. Die Aussage von DÖRNER, "es ist nicht wichtig, mit dem richtigen Modell zu beginnen, sondern mit irgendeinem; das richtige findet man durch sukzessive Approximation" stellt aber den Prozeß der Modellbildung nach Meinung des Verfassers doch etwas zu sehr in die Nähe einer Vorgangsweise des trial-and-error und verzerrt damit das Bild eines um die Abbildung von Zusammenhängen bemühten Wissenschaftlers. (1984, S.346)
Diesem Bestreben wird noch eher der Vergleich mit einem **Puzzle** gerecht, bei dem die erste Frage lautet, ob alle Teile vorhanden sind und danach überlegt wird, wie (in welcher Reihenfolge) die Teile zusammengestellt werden müssen, damit sie dem Original (zB dem Konsumentenverhalten) entsprechen. (STERNTHAL/CRAIG, 1982, S.56)
In der verhaltensorientierten Marketingtheorie werden als 'Modellbausteine' auch theoretische Ausdrücke wie 'Nutzen', 'Rationalität' oder 'Konsumentensouveränität' akzeptiert, sofern diese Begriffe mit beobachtbaren Sachverhalten verknüpft werden. Üblicherweise bezeichnet man solche hypothetischen Konstrukte als **'intervenierende Variable'**, die zB als 'Motivation' oder 'Einstellung' in der neobehavioristischen Lerntheorie eine große Rolle spielen. (vgl. KROEBER-RIEL, 1972a, S.14)

---

1) Gerade dieser letzte Punkt der Parameterschätzung ist das Kernstück jeder Modellbildung bzw. Überprüfung; hier zeigt sich, wie gut oder wie schlecht das Modell an die Realität angepaßt werden konnte.

2.2. Beurteilung von Modellen - Modellanalyse

Da die aus Modellen abgeleiteten Aussagen für praktische Zwecke nur sinnvoll sind, wenn die "testtheoretischen Annahmen den empirischen Verhältnissen entsprechen, stellt sich das Problem der Überprüfung der aufgestellten Axiome ('Modelltest')". (WOTTAWA, 1980, S.64)

Die **empirische Überprüfung** eines Modells wird in der Regel ein zweistufiger Prozeß sein: (vgl. RUST, 1985, S.18)

in der **Stufe 1** werden die empirischen Daten gewonnen, die als Ausgangspunkt für die Formulierung eines Modells herangezogen werden (Modellberechnung) und

in **Stufe 2** wird man anhand einer weiteren Stichprobe (man spricht auch von einem 'Validierungssample' (SEWALL/SAREL, 1986, S.54) die (Prognose-) Tauglichkeit des Modells überprüfen (Modellüberprüfung).

Die zunehmende Kritik an vielen Modellen, sowie das verstärkte Augenmerk auf die Überprüfung bzw. Gültigkeit von Modellen ist z.T. berechtigt, wenn man jüngsten Forschungsergebnisse glauben schenken darf, wonach manche der vielbeachteten Ergebnisse des PIMS-Projektes sehr fragwürdig sind und insbesondere "80% des in früheren Studien berichteten Zusammenhanges zwischen Marktanteil und ROI (Return-of-Investment) auf einer Scheinkorrelation beruhen." (SIMON, 1986, S.208)
Abzulehnen ist auch ein **'Modell-Platonismus'** wie er etwa im neoklassischen Denken der Nationalökonomie z.T. vorhanden ist. Durch die Verwendung von großteils nicht operationalisierbaren Begriffen kommt es zu einer "Immunisierung gegen jegliche Widerlegung". (WINDIECK/BUNGARD/LÜCK, 1983, S.37)

3. Vom Modell zur Theorie - und wieder zurück ?

3.1. Begriffsexplikation und Abgrenzungsproblematik

Theorien bilden sowohl den Bezugsrahmen der Wissenschaft (stellen die für die Forschung erforderlichen Fragestellungen bereit), sie systematisieren aber auch die erhobenen Forschungsbefunde und bilden so das Ergebnis der Wissenschaft. BAGOZZI bezeichnet die Konstruktion von Theorien als intervenierende Variable zwischen dem Forscher auf der einen Seite und der 'Produktion von Wissen' auf der anderen Seite. (1984, S.11)
Für LEINFELLNER ist "reine Deskription keine Erkenntnis" (1967, S.12) und auch ROSENSTIEL/EWALD weisen darauf hin, daß Modellkonstruktionen innerhalb der Wissenschaften übliche **Hilfsmittel der Erkenntnis** sind. In ihrer vereinfachenden Abbildung realer Phänomene haben sie die Aufgabe, den Blick auf die wesentlichen Elemente und ihre Beziehungen zu lenken und damit die theoretische Erfassung komplexer Sachverhalte zu ermöglichen.
Die beiden Autoren warnen jedoch auch davor, daß "jeder Versuch einer modelltheoretischen Erfassung der Wirklichkeit dem Problem einer zu starken Vereinfachung begegnet und damit Gefahr läuft, die Wirklichkeit aus den Augen zu verlieren." (1979, S.63)
Als klassisches negatives Beispiel führen Sie das Modell des **'Homo oeconomicus'** an.
Erst die symbolische Repräsentation von Wahrnehmungen, Messungen, etc. führt zur Erkenntnis. Diese Repräsentation vollzieht sich in einer perfekten, schematisierten Form, der Theorien und ihrer Vorstufen, der Hypothesen und der Hypothesenhierarchien. "Nur für Theorien und ihre Vorstufen gibt es Möglichkeiten strenger Überprüfung, d.h. strenge Kriterien, denen sie genügen müssen." (LEINFELLNER, 1967, S.13)

Kennzeichen von **Theorien** ist weiters, daß sie aus einer Reihe von

- o Begriffen (RYAN, 1982, S.170)
- o Aussagen und/oder Behauptungen (ZALTMAN/PINSON/ANGELMAR, 1973, S.75) oder
- o Hypothesen

bestehen. Dabei handelt es sich um einen Minimalkonsens, sonst gehen die Meinungen weit auseinander, wie eine Zusammenstellung von 10 Definitonen des Begriffes 'Theorie' von unterschiedlichen Autoren bei ZALTMAN/PINSON/ANGELMAR zeigt (1973, S.76). (vgl. Tabelle 1 im Anhang)

Nach OPP genügt für das Vorliegen einer Theorie bereits, daß "Aussagen mit mindestens einer unabhängigen und einer abhängigen Variablen, sofern sich die Aussage nicht auf einzelne Fälle bezieht", vorliegen. (in ROTH, 1984, S.50) Dieses Prinzip der Verallgemeinerung wird somit zu einem wesentlichen Element theoretischer Aussagen. Erst mit der Verallgemeinerung wird eine Bedingung geschaffen, die es erlaubt, Theorien zu überprüfen und gegebenenfalls auch postulierte Zusammenhänge zu widerlegen. (STERNTHAL/CRAIG, 1982, S.32)

Neben der Verallgemeinerung gilt für umfassende wissenschaftliche Theorien die Forderung der 'intersubjektiven Kontrollierbarkeit', d.h. es muß möglich sein, aus der Theorie nachprüfbare - und zwar durch Beobachtung nachprüfbare - Aussagen abzuleiten.
Eine Überprüfung metaphysicher Sätze zB scheitert daran, daß einerseits "kein rationaler Weg von dem, was wir wahrnehmen und beobachten, zu den Begriffen der Metaphysik fuhrt" und andererseits "diese Begriffe nicht für brauchbare Voraussagen verwendbar sind....Überprüfungen aber immer den Weg über Prognosen nehmen." (STEGMÜLLER, 1970b, S.197)

Die Kapitelüberschrift deutet bereits eine **Abgrenzungsproblematik** zwischen den beiden Begriffen Modell und Theorie an. Während etwa MAZANEC den Unterschied im "eingeschränkten, aufgrund strukturell relativierter Hypothesen spezifizierten Realitätsausschnitt" der Modelle im Vergleich zur Theorie sieht (1978, S.23), versteht BAGOZZI unter einem Modell die "formale Organisation aller dieser Elemente (einer Theorie; wie zB Begriffe, Hypothesen und Beobachtungen (Anm. d. Verf.)) in einer anschaulichen Darstellung" (1984, S.11) und sieht dadurch - stark vereinfacht ausgedrückt - die Abgrenzung eher bei der Darstellungsform:
handelt es sich um eine 'bildliche' Darstellung würde man eher von einem 'Modell' sprechen, während die verbale Darstellung von Zusammenhängen als 'Theorie' zu bezeichnen wäre. Dies würde in etwa auch der Terminologie von MADSEN entsprechen, der synonym mit dem Begriff 'Theorie' auch von einem 'scientific **text**' spricht (1974, S.34)

Für ZALTMAN/PINSON/ANGELMAR liegen die Abgrenzungsprobleme zum Teil auch darin, daß der Begriff Modell "a melancholic lack of uniformity in the vocabulary of scientists and others who talk about science" zeigt (1973, S.87).
Der von LEINFELLNER geprägte Begriff der 'Proto-Theorie' wird von ihm selbst folgendermaßen definiert: es handelt sich um ein "MODELL... einer künftigen neuen Theorie". (1967, S.158)
Auffallend an dieser Definition ist der Umstand, daß eine Theorie als Modell einer (zukünftigen) Theorie bezeichnet wird, d.h. die Abgrenzung zwischen den beiden Begriffe ist fließend und könnte nach dem Grad der Spezifiziertheit getroffen werden: nur im Falle von vollständig ausformulierten Modellen könnte man auch von einer Theorie sprechen. Es bleibt jedoch der Eindruck, daß "the distinction between these two concepts is not very clear" (ZALTMAN/PINSON/ANGELMAR, 1973, S.88).

3.2. Formulierung von Theorien

Wie die Modellbildung ist auch das Formulieren einer Theorie ein Prozeß. Schwerpunkte dieses Prozesses sind einerseits streng formale Überlegungen, wie die Anwendung von Regeln der Logik oder der Einbau von neuesten Methoden und Prozeduren aber auch informelle (spekulative) Vorschläge, die sich zB aus Diskussionen von Forschern untereinander ableiten lassen (BAGOZZI, 1984, S.11).

Der **Stufenprozeß** der Modellbildung läßt sich nach ZALTMAN/PINSON/ANGELMAR wie folgt beschreiben: (1973, S.13ff)

Abbildung 2: Paradigma eines Forschungsprozesses

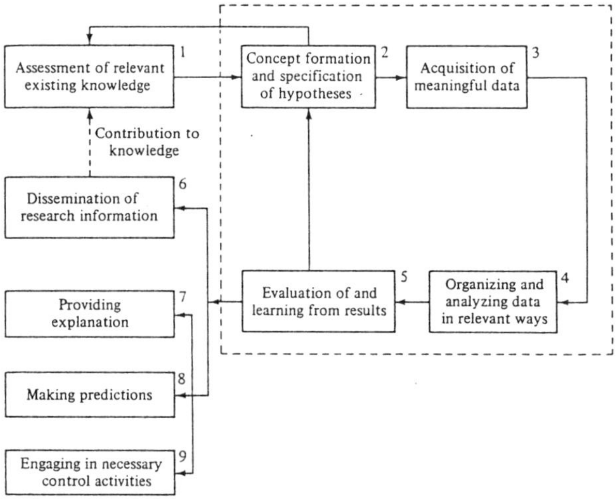

Quelle: ZALTMAN/PINSON/ANGELMAR (1973, S.13)

WM

Im **ersten** Schritt sollte man sich, nachdem man das Problem möglichst operational definiert hat, im Sinne der Forschungsökonomie, einen Überblick über die vorhandenen <u>Informationen</u> (bereits durchgeführter Studien) verschaffen.

In der **zweiten** Stufe spielt die Induktion beim '<u>Entdecken</u>' neuer Theorien eine entscheidende Rolle. Zwei konkurrierende Vorgangsweisen stehen zur Auswahl: Im Rahmen der **Induktion** formt der Forscher eine Theorie, um Beobachtungen zu erklären, während gemäß der positivistischen Auffassung die Vorgangsweise (**Deduktion**) lautet: "observations of the world are used to test deductions from theories". (RUST, 1985, S.17)

Die **dritte** Stufe beinhaltet den <u>Test</u> der Theorie; dieser Test sollte so aufgebaut sein, daß sich bei Bestätigen einer Hypothese gleichzeitig konkurrierende Theorien als falsch erweisen.

Den **Abschluß** bildet die <u>Bewertung</u> der Theorie im Lichte der empirischen Überprüfung anhand der Ergebnisse.

Welche verschiedenartigen Standpunkte in der Frage Induktion oder Deduktion vertreten werden, soll nur an zwei Aussagen demonstriert werden:
Während es für STERNTHAL/CRAIG ein Faktum ist, daß "theory directs research" (1982, S.39) vertritt BAGOZZI wesentlich vorsichtiger und wie mir scheint auch realistischer den Standpunkt, daß "Forschung genau so oft mit einer Theorie (beginnt) wie sie mit Beobachtungen beginnt". (1984, S.18)

Die Frage, ob es überhaupt möglich ist, aus (einzelnen) Untersuchungsergebnissen Theorien abzuleiten, spiegelt somit ein zentrales Problem der Philosophie wider, nämlich, ob über eine induktive Vorgangsweise "von singulären Sätzen (als Beschreibung konkreter Beobachtungen) auf generelle Sätze geschlossen werden kann?" (OPP in ROTH, 1984, S. 61)

Kann man also aus Daten Theorien gewinnen ? Kann man aus 'singulären Sätzen', die Untersuchungsergebnisse beschreiben, Theorien logisch ableiten ? Diese Frage soll an einem kleinen **Beispiel** illustriert werden:
In der Produktgruppe Bekleidung wurde bei Überprüfung alternativer Anzeigen der Marke X festgestellt, daß die Verwendung 'österreich-typischer' Bildelemente die Markenerinnerung steigert. Daraus kann der singuläre Satz S formuliert werden.

S: In der untersuchten Produktgruppe führt die Verwendung österreich-typischer Bildelemente zu einer Steigerung der Erinnerungsleistung an die Marke X.

Kann aus diesem Satz eine Theorie logisch abgeleitet werden ? Kann man also annehmen, daß S nicht nur für die untersuchte Marke, nicht nur für die untersuchte Produktgruppe, sondern für alle Produktgruppen oder auch für Dienstleistungsbetriebe gilt ? Ein solcher 'gehaltserweiternder Schluß' T würde etwa lauten:

T: In allen Produktgruppen und Dienstleistungsbereichen gilt: Je österreich-typischer die verwendeten Bildelemente, desto besser ist die Markenerinnerung.

"Gemäß den Regeln der Logik ist ein solcher Schluß nicht möglich." (OPP in ROTH, 1984, S. 62)
Eine Erweiterung des Gültigkeitsbereiches singulärer Sätze ist zwar nicht über logische Regeln sehr wohl aber über heuristische Regeln möglich. Für das obige Beispiel würde eine solche Regel R etwa lauten:

R: Wenn sich ein singulärer Satz (siehe oben S) auf eine Menge M (Überprüfung und Bestätigung des Zusammenhanges in mehreren Produktgruppen) bezieht, und wenn man einen generellen Satz (siehe oben T) formuliert, der sich auf jene Menge bezieht, in der die Menge M echte Teilmenge ist, dann ist die Wahrscheinlichkeit groß, daß sich der generelle Satz bewährt.

Die Wahrscheinlichkeit, Theorien zu entdecken, die sich bei späteren Untersuchungen bewähren, ist bei Anwendung dieser 'Generalisierungsregel' zweifellos größer als bei Nichtanwendung.

Auf einen Zusammenhang zwischen Induktion und Deduktion mit der Begriffsabgrenzung zwischen Modell und Theorie verweist DRÖSLER, wenn er von Psychologen einen Umdenkprozeß fordert, weil "allgemein nicht mehr die Theorie als Modell bezeichnet wird, das man sich von einer Welt macht, sondern die Theorie so zu gestalten ist, daß die Menge der Beobachtungsdaten mit ihrer Struktur ein Modell für die Theorie wird." (1985, S.1)

Zur weiteren Diskussion über die Begriffe Induktion und Deduktion soll stellvertretend nur das folgende Schema eines Regelkeises dargestellt werden, das beiden Konzepten eine Bedeutung im Rahmen des Forschungsprozesses einräumt.

Abbildung 3: Regelkreis grundlegender Forschungsaktivitäten

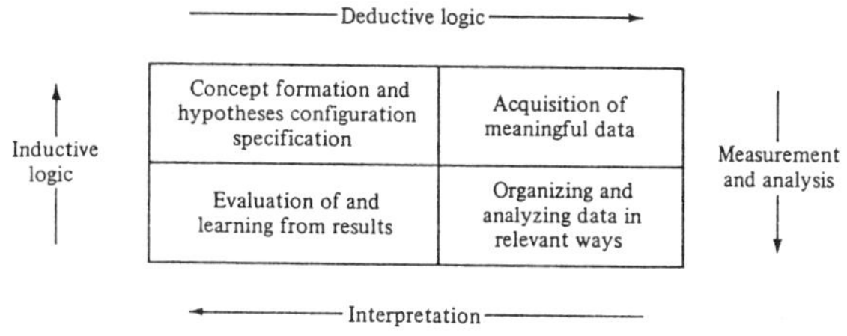

Quelle: ZALTMAN/PINSON/ANGELMAR (1973, S.18)

WM

Nach OPP läßt sich etwa auch die **Methode des Interviews als Theorie** darstellen. Zu diesem Zweck ist es notwendig, folgende Aussagen zu formulieren:

- Mit Hilfe eines Interviews sollen bestimmte ZIELE erreicht werden (Definition von Zielvariablen)
- Die Gültigkeit auf die in einem Interview gestellten Fragen ist von einer Reihe von FAKTOREN (Einflußgrößen) abhängig; beispielhaft seien nur angeführt:
  - o Form des Interviews (Klassenzimmerbefragung oder Einzelinterview, Standardisierungsgrad)
  - o Frageformulierung (offen/geschlossen, direkt/ indirekt)
  - o Befragungsgegenstand (zB Sexualverhalten oder Alkoholkonsum)
  - o Reihenfolge der Fragen
  - o Befragungssituation (zB die Anwesenheit Dritter)
  - o Merkmale des Befragten
- Die Faktoren stehen untereinander in Beziehung

Als These zusammengefaßt bedeuten diese Überlegungen, daß "die Methode des Interviews unter anderem aus theoretischen Aussagen besteht, die den Einfluß einer Reihe von Faktoren auf eine Reihe von Zielvariablen zum Inhalt haben" (OPP in ROTH, 1984, S.51).

Von den Theorien abzugrenzen wären normative Aussagen, wie etwa die Forderung, daß "Fragen so einfach formuliert sein sollen, wie noch eben mit dem sachlichen Zweck der Fragestellung vereinbar ist." (SCHEUCH, 1973, zitiert nach OPP in ROTH, 1984, Seite 50) Die weiteren Ausführungen bleiben auf jene Modelle beschränkt, die einen Beitrag zur Erklärung des Konsumentenverhaltens liefern.

4. Erklärung des Konsumentenverhaltens

4.1. Begründung und mögliche Strategien

"A species cannot survive unless the behavior of its members is predictable." Drastischer als es dieser Satz von GROSSMAN ausdrückt, kann das Bestreben nach der Vorhersehbarkeit des menschlichen Verhaltens kaum formuliert werden (1973, S.187).
Die meisten Menschen sind irritiert, wenn sich jemand abweichend von der prognostizierter Art und Weise verhält; Personen, die ein derartiges - abweichendes - Verhalten besonders deutlich und nachdrücklich an den Tag legen, werden in der Regel sogar von der menschlichen Gesellschaft ausgeschlossen.
Auf den Bereich des Konsumentenverhaltens übertragen, sind es natürlich ökonomische Beweggründe, die eine möglichst sichere Prognose des Verhaltens (in letzter Konsequenz in Form eines Kaufakts) fordern.
Dem Marktforscher stehen zur **Analyse** des Marktverhaltens und der Faktoren, die darauf einwirken, zwei unterschiedliche Vorgangsweisen zur Verfügung:
er kann

1. **Auswertungstechniken** (meist handelt es sich um multivariate Verfahren, wie etwa Korrelation, Regression, Diskriminanzanalyse oder Faktoranalyse) - ev. auch als Vorstufe zu 2. - auf bereits vorhandenes Datenmaterial anwenden oder
2. aufgrund wissenschaftlich angelegter **Experimente** ein Geschehen planmäßig herbeiführen. (DICHTL, 1972, S.53)
   Die Ergebnisse drücken sich in den Parametern der Entscheidungsmodelle aus.

Bei der **Prognose** des Marktverhaltens kommt in der Regel der Methode der Befragung eine überragende Bedeutung zu.

Für den Marketingmanager sind neben der 'Erklärung' und 'Vorhersage' vor allem die Möglichkeiten der 'Beeinflussung' des Konsumentenverhaltens in Form von geeigneten Marketingmaßnahmen von großer Bedeutung. (STERNTHAL/CRAIG, 1982, S.70)

Nicht zuletzt stellt das Kaufverhalten auch eine wichtige Kontrollvariable dar, wenn es zB um die Markenbeurteilung, d.h. um die Zuordnung von Eigenschaften auf eine oder mehrere Marken geht. Stellvertretend soll nur auf die Ergebnisse von BARWISE/ EHRENBERG verwiesen werden, die diesen Zusammenhang für 'Frühstücksflocken' und 'Waschpulver' bestätigen konnten. (1985, S.81)

4.2. Gliederung verschiedener Konsumverhaltensmodelle

Traditionelle Modelle des Konsumverhaltens sind entweder

- Entscheidungsmodelle,
- kognitive Modelle,
- Informationsverarbeitungsmodelle oder
- Stufenmodelle.

Von den in diesen Modellen beschriebenen Prozesse wird angenommen, daß sie vorwiegend in der **linken Gehirnhälfte** ablaufen. (HANSEN, 1982, S.161)

Jeder Versuch, den Kaufentscheidungsprozeß von Verbrauchern modellmäßig zu erfassen, gestaltet sich schwierig, "da nur Teile dieses Prozesses unserer Anschauung unmittelbar zugänglich sind." (TOPRITZHOFER, 1974, S.37)
Dazu zählen einerseits gewisse endogene (in der Person des Käufers gegebene) und exogene (von außen an den Käufer herankommende) Einflußfaktoren und andererseits die konkreten Kaufhandlungen, die das Ergebnis des jeweiligen Kaufentscheidungsprozesses darstellen. Wichtige exogene Faktoren sind zB Umwelteindrücke bzw. die Werbung.
Von den zahlreichen Gliederungsgesichtspunkten sollen stellvertretend die beiden wichtigsten kurz vorgestellt werden. Weitere Systematisierungsansätze finden sich zB bei BÄNSCH (1983), NIESCHLAG/DICHTL/HÖRSCHGEN (1985) oder STERNTHAL/CRAIG (1982).

4.2.1. Der Ansatz von TOPRITZHOFER

TOPRITZHOFER versteht unter Kaufverhaltensmodelle "stets Modelle, die den Kaufentscheidungsprozeß in seiner **Gesamtheit** erfassen." (1974, S.36)
Seine Gliederung läßt somit alle Modellansätze, die lediglich Teilaspekte des Kaufentscheidungsprozesses (zB Wahrnehmung oder Einstellungsänderung) berücksichtigen, außer Betracht.

Grundsätzlich kommen für eine Modellierung des Kaufentscheidungsprozesses drei verschiedene Ansatzmöglichkeiten in Frage:

- 1) der Strukturmodellansatz
- 2) der Stochastische Modellansatz
- 3) der Simulationsansatz.

(TOPRITZHOFER, 1974, S.38)

Im folgenden sollen die drei Ansätze kurz charakterisiert und gegeneinander abgegrenzt werden.

1) **Strukturmodelle des Kaufverhaltens:**

a) der Systemansatz:

Diesem Ansatz liegt die Vorstellung zugrunde, daß ein Nachfrager bevor er eine Kaufentscheidung trifft, eine Reihe mentaler Phasen in einer bestimmten geordneten Abfolge durchläuft, wobei gewisse interne psychische Zustände entsprechende Modifikationen erfahren. "Der Systemsansatz versucht, den Kaufentscheidungsprozeß (also die Black Box) gedanklich in Phasen oder Abschnitte zu zerlegen (zu strukturieren), die jeweils durch die Veränderung einer Variablen charakterisiert werden. Diese Variable stellen theoretische Konstrukte dar (zB Wahrnehmung oder Einstellung) und sind 'Zwischenstationen' (intervenierende Variable) zwischen Input und Output." (TOPRITZHOFER, 1974, S.16)

Zu den bekanntesten Vertretern des Systemansatzes zählen

- o das Modell von Lavidge/Steiner
- o das AIDA-Modell
- o die Modelle von Howard/Sheth
  Engel/Blackwell/Kollat
  Nicosia

b) der Entscheidungsnetzansatz:

Während der Systemansatz **zuerst** ein System von Hypothesen über das Zustandekommen von Kaufentscheidungen formuliert und sich erst anschließend mit der Frage befaßt, wie die postulierten Zusammenhänge empirisch verifiziert werden können, "beginnt der Entscheidungsnetzansatz mit empirischen Erhebungen über die Entscheidungsbildung bei Nachfragern **während** des Einkaufsvorganges und versucht, aus diesem Material dann ein Bild von der Struktur der Black Box herauszudestillieren." (TOPRITZHOFER, 1974, S.44)

2) Stochastische Modelle:

Die Fragestellung lautet, "wie Änderungen im Modell**input** (=insbes. der Einsatz absatzpolitischer Instrumente) den Modell**output** (=Kaufverhalten des einzelnen Nachfragers) beeinflussen." (TOPRITZHOFER, 1974, S.50)

Zu unterscheiden sind

- Ökonometrische (Regressions-)Modelle bzw.
- Vollstochastische (Stochastische Prozeß-)Modelle,

auf die in dieser Arbeit nicht näher eingegangen werden soll.

3) Simulationsmodelle des Kaufverhaltens:

Alle bisher besprochenen Arten von Kaufverhaltensmodellen können unter Zuhilfenahme von Simulationstechniken analysiert werden; das große Potential, welches die Simulation dem Modellkonstrukteur bietet, hat auch die Entwicklung einer Reihe eigenständiger Modelle des Kaufverhaltens angeregt, die zumeist Elemente beider Ansätze in sich vereinigen.

"Die Simulation von Strukturmodellen setzt voraus, daß diese quantifiziert bzw. in einer computerprogrammgerechten Form vorliegen. Für Entscheidungsnetzmodelle trifft diese Voraussetzung zu." (TOPRITZHOFER, 1974, S.58)

Für MAZANEC stellen Simulationsmodelle einen Versuch dar, "Strukturmodelle in prognosetaugliche Aussagensysteme umzuwandeln, ohne den Komplexitätsgrad abzusenken." (1978, S.32)

Zu den bekanntesten 'eigenständigen' Simulationsmodellen des Kaufverhaltens zählen jene von AMSTUTZ sowie von KLENGER und KRAUTTER. (TOPRITZHOFER, 1974, S.61)

4.2.2. Modifikation des 'Strukturansatzes' durch MAZANEC

Die jeweiligen Konsumentenmerkmale, die der Marktforscher zu seinen Erhebungstatbeständen erklärt, entspringen einer Ursache-Wirkungs-Vorstellung. Sie bilden ein Konsum-Verhaltens-Modell.
In der modernen Konsumverhaltensforschung finden sich stets Anzeichen für einen Gliederungsversuch des Konsumentenbewußtseins, etwa durch 'Motive', 'Bedürfnisse', es handelt es sich somit um Strukturmodelle. (MAZANEC, 1978, S.25)
Im Rahmen des Strukturansatzes unterscheidet MAZANEC zwischen **Partial- und Totalmodellen**; Gliederungsmerkmal ist einerseits der Komplexitätsgrad und andererseits die Anzahl von einbezogenen intervenierenden Variablen.

Als 'Zentrale Konstrukte' in Strukturmodellen führt MAZANEC an: (1978, S.47)

- **Einstellung**
- **Image**
- **Risiko**
- **Dissonanz.**

Ausgehend von der Entscheidung (bzw. Überprüfung), welches Konstrukt zur Erklärung des Konsumverhaltens den größten Beitrag leistet bzw. überhaupt geeignet ist, wird die Entscheidung über das jeweilige (Partial-)modell getroffen.

Eine ausführliche Diskussion der einzelnen Konstrukte kann zB in folgenden Literaturquellen nachgelesen werden:

DISSONANZ:	KURZ, 1984
EINSTELLUNG:	MAZANEC, 1975, 1978
	PETTY/CACIOPPO/SCHUMANN, 1983
	TROMMSDORFF, 1976
	WUSST, 1987
IMAGE:	MAZANEC/SCHWEIGER, 1981
	SCHWARZ, 1978
	TROMMSDORFF, 1975
RISIKO:	KURZ, 1975
	SCHWEIGER/MAZANEC/WIEGELE, 1977

4.3. Beispiele für Partialmodelle des Konsumentenverhaltens

Die große Bedeutung von Partialmodellen ergibt sich aus der höheren Praktikabilität, weil "jeder Versuch einer praktischen Nutzenanwendung durch zu große strukturelle Komplexität vereitelt wird." (NIESCHLAG/DICHTL/HÖRSCHGEN, 1985, S.128)

Ist diese Vereinfachung aber gerechtfertigt? Wurde nicht am Beginn dieser Arbeit die Forderung erhoben, wonach Modelle ein 'Abbild der Wirklichkeit' sein sollen? Wenn nun Zusammenhänge in der Realität komplex sind, müssen Modelle dann nicht ebenfalls komplex sein, um der Anforderung, die Realität abzubilden, auch gerecht zu werden?
Was bringt aber umgekehrt ein Modell, das zwar alle Zusammenhänge modellmäßig erfaßt, das aber einer Überprüfung in der Realität nicht standhält, weil die Daten nicht beschaffbar sind?

MAZANEC schlägt zur weiteren Vereinfachung von Modellen den "Verzicht auf hypothetische Konstrukte, die nur mittelbar empirisch zugänglich, mehrdeutig operationalisierbar oder bisweilen spekulativ sind" vor; (1978, S.34) eine derartige Vorgangsweise mindert sowohl den Datenbedarf, der viele Totalmodelle zum Scheitern verurteilt, als auch den Überprüfungsaufwand.
Ist eine weitere Reduktion von Variablen unumgänglich, zB weil die langwierige Erhebung (über Befragung und/oder apparative Verfahren) eine unzumutbare Belastung für die Testpersonen darstellen würde, erhebt sich bei der Bildung von Partialmodellen das 'Auswahldilemma'; d.h. auf welchen Realitätsausschnitt soll sich die Abbildung beschränken? Bis zu welchem Grad der Simplifizierung kann man überhaupt noch von einem Partial-'Modell' sprechen?
Bei Verwendung eines anspruchslosen Modellbegriffs (zumindest 1 erklärende und 1 abhängige Variable) explodiert die Anzahl von solchen Modellen, die in der Literatur erwähnt werden. (MAZANEC, 1978, S.37)
Im folgenden sollen einige Partialmodelle, die zum Großteil aus Studien des Ordinariats für Werbewissenschaft und Marktforschung stammen, kurz vorgestellt werden, um den weit gestreuten Anwendungsbereich dieser Modelle zu demonstrieren.

4.3.1. Überprüfung des HOWARD/SHETH - Modells

Im Gegensatz zu den bis zu diesem Zeitpunkt durchgeführten Überprüfungen beschränkt sich die Studie von LAROCHE/HOWARD, wie aus der folgenden Abbildung 4 hervorgeht, auf einen **Ausschnitt** des HOWARD/SHETH Modells zur Erklärung des Käuferverhaltens. (1980, S.378)
Als Vergleich dazu enthält Abbildung 5 im Anhang eine Darstellung des HOWARD-OSTLUND-Modells, um den unterschiedlich hohen Komplexitätsgrad zwischen dem (theoretischen) Gesamtmodell und dem (empirisch überprüfbaren) Partialmodell zu verdeutlichen.

Abbildung 4: Ausschnitt des HOWARD-SHETH Modell

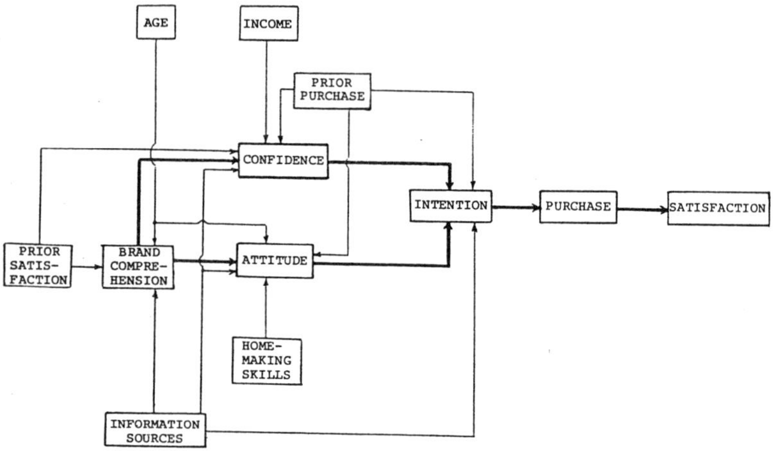

Quelle: LAROCHE/HOWARD (1980, S.378)

WM

Entgegen den bisherigen Modellannahmen und empirischen Überprüfungen werden die Zusammenhänge in dieser Studie als <u>nichtlineare</u> Beziehungen formuliert und zwar in folgender Form:

$$Y = \alpha \log X_1 + \beta X_1 X_2$$

Unterstellt wird also, daß X_1 in einer kurvilinearen Beziehung zu Y steht und in Interaktion mit X_2 ebenfalls Y beeinflußt, während andererseits X_2 nur mit X_1 interagiert.
Die Ergebnisse bestätigen diese Annahmen zumindest ansatzweise: in 8 von 46 überprüften Zusammenhängen war das Bestimmtheitsmaß R^2 als Beurteilungskriterium bei Annahme nicht-linearer Zusammenhänge höher. (LAROCHE/HOWARD, 1980, S.383)

4.3.2. Modell zur Erklärung der geäußerten und realisierten Kaufwünsche von Kindern

In dem von WINTER/MAYERHOFER vorgestellten Modell (Abbildung 6), konnte anhand einer empirischen Studie bewiesen werden, daß das Mediaverhalten der Mutter einen Einfluß auf das Mediaverhalten des Kindes hat und beide Variablen gemeinsam von Bedeutung für die Realisierung der Kaufwünsche der Kinder sind. (1983, S.79)

Abbildung 6: Modell zur Erklärung der Kaufwünsche von Kindern

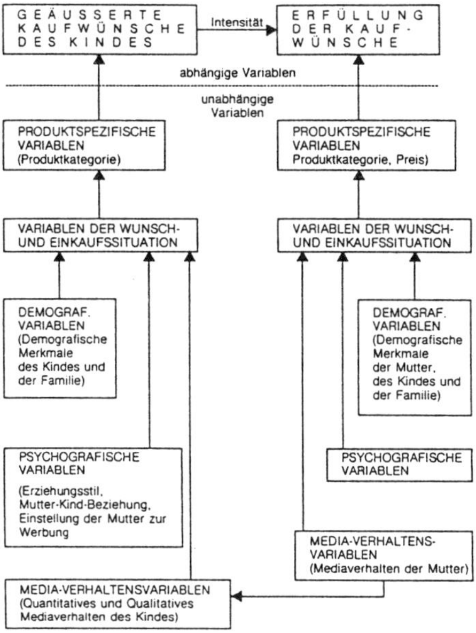

Quelle: WINTER/MAYERHOFER (1983, S.79)

WM

Interessanterweise zeigte sich, daß sowohl für die Wunschintensitäten als auch für die Erfüllungshäufigkeiten in allen 5 überprüften Produktgruppen das Ausmaß des TV-Konsums generell, und nicht das Ausmaß des Werbe-TV-Konsums die eigentliche erklärende Variable ist. (WINTER/MAYERHOFER, 1983, S.82))
Zu diskutieren wäre in diesem Zusammenhang allerdings, ob nicht bei der Nennung des TV-Konsum eine geringere soziale Erwünschtheit der angegebenen Zeiten vorhanden ist, im Vergleich zum Werbe-TV-Konsum.

4.3.3. Modell zur Erklärung des individuellen Alkoholkonsums

Einen Anwendungsfall für ein Partialmodell zur Erklärung des Konsumverhaltens aus dem Bereich des 'Social Marketing' zeigt HELBIG mit seinem Modell zur Erklärung des individuellen Alkoholkonsums Jugendlicher. (1986, S.74)

Abbildung 7: Modell zur Erklärung des individ. Alkoholkonsums

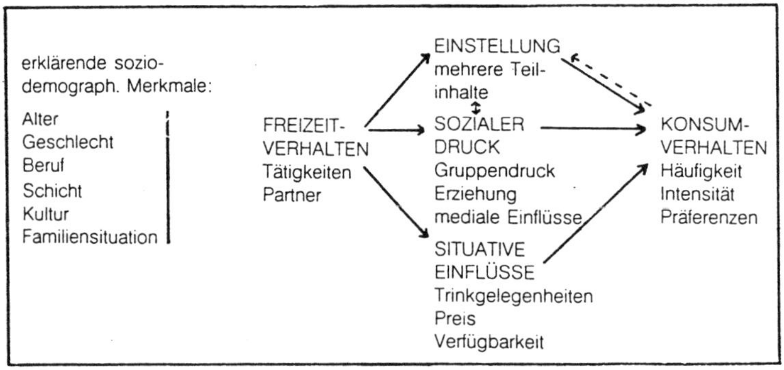

Quelle: HELBIG (1986, S.74)

WM

4.3.4. Modell zur Erklärung des Urlaubsverhaltens

Eine anschauliche Darstellung eines Forschungsprozesses enthält die Arbeit von SCHRATTENECKER (1984).
Ausgehend von einem **Strukturmodell** zur Erklärung der Besuchsabsicht gegenüber einem Zielland (siehe Abbildung 8) folgt daraus abgeleitet das **Hypothesengebäude** (siehe Abbildung 9) und letztlich das **Modell** mit Beschränkung auf die <u>statistisch bestätigten Zusammenhänge</u> (vgl. Abbildung 10).

Abbildung 8: Strukturmodell zur Erklärung der Besuchsabsicht gegenüber einem Zielland

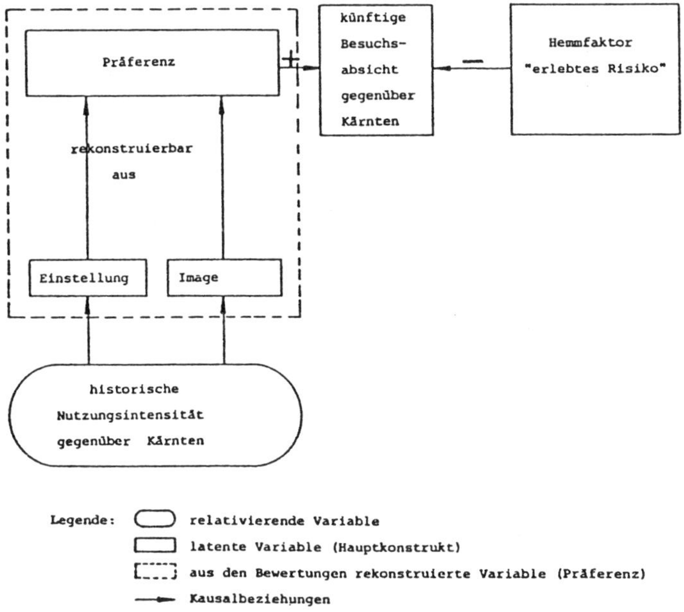

Quelle: SCHRATTENECKER (1984, S.63)

Abbildung 9: Theoriesprachliche Hypothesen zu Abbildung 8

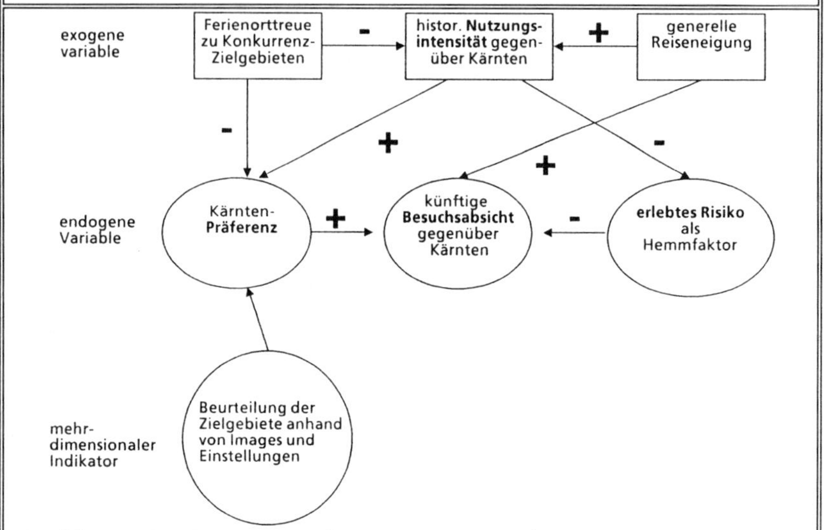

Quelle: SCHRATTENECKER (1984, S.74)

WM

Abbildung 10: Statistisch bestätigte Zusammenhänge zwischen den Variablen des Strukturmodells

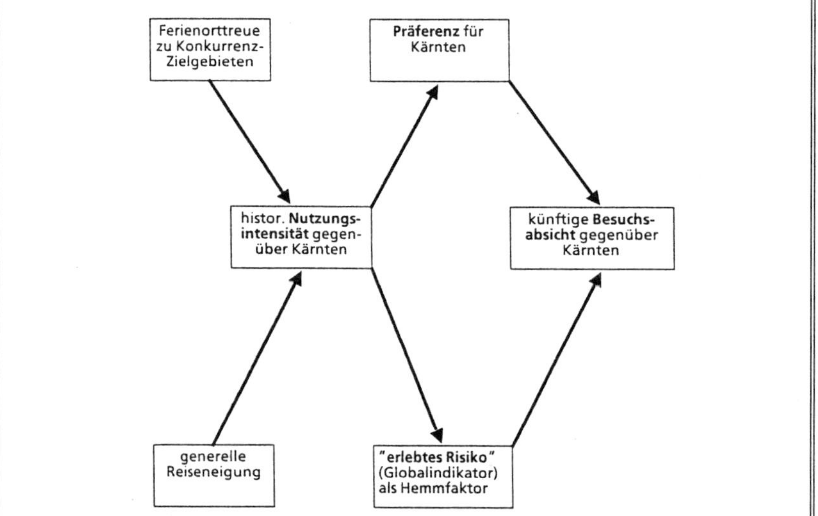

Quelle: SCHRATTENECKER (1984, S.227)

WM

4.4. Abgrenzung zwischen Konsumverhaltensmodellen und Werbewirkungsmodellen

MAZANEC/PORZER/WIEGELE bezeichnen Stufenmodelle des Werbewirkungsprozesses, die auf der These der 'Hierarchie der Werbewirkungen' beruhen, als "simple Variante von Strukturmodellen". (1976, S.1)
Die verschiedenen Wirkungsstufen (etwa des AIDA-Modells) entsprechen Unterscheidungen nach unterschiedlichen Bewußtseinszuständen; diese mentalen Zustände wurden bereits in dieser Arbeit als 'intervenierende Variable' bezeichnet und übernehmen in Strukturmodellen die Aufgabe von hypothetischen Konstrukten. (MAZANEC/PORZER/WIEGELE, 1976, S.1)

Erst in der letzten Wirkungsstufe kommt es in den meisten Werbewirkungsmodellen zum Kauf, also zur Handlung oder zum Verhalten im Sinne der bisher diskutierten Konsumverhaltensmodelle.

In einer Studie von PRESTON/THORSON wird auch auf der letzten Stufe versucht, den Kaufentscheidungsprozeß besser, d.h. wirklichkeitsnäher abzubilden, indem das Verhalten in die drei Ausprägungen **'search'**, **'trial'** und **'adoption'** gegliedert wird. (1984, S.61) [1)]
Die beiden Autoren stellen zur Diskussion, ob in diesem Fall überhaupt noch von einem 'Werbe'-Wirkungsmodell gesprochen werden kann. Der Übergang zu einem Marketing-Modell (oder Konsumverhaltensmodell) ist zweifellos fließend. Dies ist aber auch nicht weiter verwunderlich, da die Werbung in den Gesamtbereich des Marketing eingebettet ist und es somit zahlreiche Verzahnungen zu den weiteren Marketing-Mix-Instrumenten gibt, die berücksichtigt werden können.

---

1) Indikatoren, die sehr häufig zur Messung dieser Konstrukte in der Werbewirkungsforschung herangezogen werden, sind zB
Vorkaufphase: Informationsverhalten, Kaufabsicht, Kaufwahrscheinlichkeit
Probierkauf : Innovationsfreudigkeit
'Übernahme': Markenwechsel, Markentreue, Wiederkaufwahrscheinlichkeit.

So ist zB für STERNTHAL/CRAIG die Produkt Strategie der Ausgangspunkt für die Entwicklung einer Marketingstrategie; "the features of the product and its package dictate, to a large extent, the price that will be charged for it, where it is distributed, and how it is promoted." (1982, S.237)

Unter 'Produkt' ist mehr als nur physische Eigenschaften zu verstehen, überhaupt bei objektiv nicht unterscheidbaren Produkten, wie 'soft drinks' oder 'Zigaretten'. Auf diesen Umstand hat in ähnlicher Form BRÜCKNER in seinen Ausführungen über die 'kleinste Produkteinheit' bereits hingewiesen. (1967, S.144ff)

Ein hoher Preis kann zB als Qualitätsindikator angesehen werden, falls aus der Sicht der Konsumenten kein anderes Kriterium für Qualität verfügbar ist.

Auch die Art und Weise der Produktpräsentation kann von Bedeutung sein; STERNTHAL/CRAIG zitieren eine Studie, wonach die zur Verfügung stehende Regalfläche ('Shelf Space') den Umsatz erhöht; eine Erweiterung um eine Einheit bewirkt übrigens in größeren Geschäften eine stärkere Umsatzsteigerung.

Für die Plazierung innerhalb eines Regals gilt die Faustregel: 'Je höher desto besser' (im Vergleich von Auge-Hüfte-Knie) Selbstverständlich gibt es Ausnahmen von dieser Regel: bei stark beworbenen Produkte, die der Konsument aktiv sucht, konnten keine Auswirkungen der Plazierung festgestellt werden. Schwere Gebinde (zB Hundefutter in Mehr-Kilo-Packungen) wird man ganz unten plazieren. (STERNTHAL/CRAIG, 1982, S.242)

Daß Displaymaterial nicht nur einen zusätzlichen Werbekontakt bedeutet, sondern auch der Eindruck eines Sonderangebots beim Konsumenten erweckt wird, konnte ebenfalls empirisch bestätigt werden: der Hinweis 'aus unserer Werbung' ('as advertised') brachte einen Umsatzzuwachs von 124 %. (STERNTHAL/CRAIG, 1982, S.244)

Bezüglich des Einflusses solcher Werbemaßnahmen bemängeln MOTES/WOODSIDE, daß es bei einem festgestellten Einfluß der Werbung auf das Kaufverhalten "kaum Studien gibt, warum es zu einer solchen Auswirkung kommt: wird mehr gekauft oder von mehr Konsumenten." (1984, S.39)

Interessante Einflüsse können auch bezüglich der Größe und Gestaltung der Packung festgestellt werden; so beeinflußt zB die Hülle ('wax paper vs cellophane') das Geschmackerlebnis von Brot: Brot in 'cellophane' wird von den Konsumenten als 'frischer' beurteilt; die Farbe der Tassen beeinflußt das Geschmackserlebnis von Tee. (STERNTHAL/CRAIG, 1982, S.244)
Man bezeichnet eine derartige Ausstrahlung von einzelnen Eigenschaften eines Produkt oder einer Marke auf das Gesamterlebnis oder auf andere Eigenschaften als **'Irradiationsphänomen.'**
Für das Geschmackerlebnis von **'Wein'** konnte eine solche Ausstrahlungswirkung mehrfach nachgewiesen werden. NÖHMAYER stellte zB fest, daß sowohl bei Rot- als auch bei Weißwein - bei identem Inhalt - der Wein in der Glasflasche in einem **Blindtest** (für die Testpersonen war nicht zu erkennen, um welche Marke es sich handelt) in den Kriterien 'Lagerfähigkeit', 'Trinkkultur', 'Naturbelassenheit' und 'Qualität' besser bewertet wurde. (1986, S. 13)
Auch in einer Studie von SCHRATTENECKER schmeckte ein und derselbe Wein in Flaschen mit handgeschriebenem Etikett "fruchtiger, exklusiver, edler und natürlicher". (1986, S. 16)

SCHWEIGER/BAUMGARTNER überprüften den Einfluß von 2 unterschiedlichen **Weinetiketten** auf das Geschmackserlebnis: 1)

- Kremser Sandgrube (eine existierende Marke) bzw.
- Wolfgang Amadeus Mozart (eine fiktive Marke mit starkem Österreichbezug).

Der Inhalt war in beiden Flaschen ident: Grüner Veltliner, Jahrgang 1984; getestet wurde der Wein bei 100 'Spezialisten' auf der Fachmesse für Hotellerie, Gastronomie und Gemeinschaftsverpflegung HOGATEC '86 am 24.+25.November 1986 in Düsseldorf.

---

1) Die Bezeichnung der unabhängigen Variable mit 'Gestaltung des Etiketts' ist m.E. etwas irreführend; korrekterweise müßte sie 'Etikett **und** Marke' lauten.

Während vor der Verkostung der **'Mozart-Wein'** als

exklusiv, harmonisch, teuer und weniger einfach

und im Vergleich dazu die **'Kremser Sandgrube'** als

spritzig und gesellig

eingestuft wurde, war die Beurteilung des 'Mozart-Weins' nach der Verkostung (im Vergleich zur Vorher-Beurteilung) schlechter. Daraus wurde der Schluß gezogen, daß "das Etikett etwas verspricht, das der Wein nicht halten kann". (1988, S.130) Auch nach der Verkostung wurde allerdings der 'Mozart-Wein' im Vergleich zur 'Sandgrube' qualitativ hochwertiger eingestuft.

Im Gegensatz zu diesen Befunden stellte STANLEY eine hohe Korrelation zwischen einer Rangordnung der präferierten Cola-Marken und den Präferenzen aufgrund von Rangordnungen in einem Blindtest fest und kommt zu dem Schluß, daß "taste is an important evaluative criterion that underlies consumer cola brand preferences." (1978, S.19-21)

Nach Ansicht der meisten Autoren ist die Bezeichnung 'Werbewirkungsmodell' auch für Modelle, die neben der Werbung weitere Variable einbeziehen solange gerechtfertigt, als der Prozeß, der letztlich über eine mehr oder weniger große Anzahl von Stufen zum Erfolg (=Wiederkauf) führt, durch einen Werbeimpuls in Gang gesetzt wurde. (PRESTON/THORSON,1984, S.64)

4.5. Kausalmodelle

4.5.1. Begründung

Im Rahmen eines Forschungsprozesses gelangt man in der Regel früher oder später an einen Punkt, an dem Hypothesen oder gesetzesartige Aussagen über einen positiv oder negativ gerichteten Zusammenhang formuliert werden; zB je günstiger die Einstellung, desto wahrscheinlicher wird der Kauf einer bestimmten Marke. Aussagen über den Grad einer Abhängigkeit in Form einer quantitativen Größe liegen nur in wenigen Fällen vor. (HILDEBRANDT 1983b, S.273)

Sehr anschaulich stellt WUSST im Zusammenhang mit der Überprüfung einer großen Anzahl an Zusammenhängen fest:
"Es geht also bei der Interpretation von Ergebnissen eher darum, eine **Systematik** (Hervorhebung durch den Verf.) in den Zusammenhängen herauszufinden (falls vorhanden!) und nicht so sehr um das 'Herausfischen' eines jeden einzelnen signifikant ausgefallenen Unterschiedes." (1987, S.113)
So sehr diese Meinung auch einleuchtend ist, die Umsetzung in die Praxis wirft oft Probleme auf: was bedeutet es zB, wenn eine empirische Studie zeigt, daß von 15 Items, die - im paarweisen Vergleich - auf zwei Anzeigenentwürfe zugeordnet werden, bei 6 Items kein Unterschied festgestellt wird, bei 5 Items Variante A signifikant besser beurteilt wird und bei 4 (genau so wichtigen) Beurteilungskriterien Variante B besser abschneidet?

Erst die Darstellung der zahlreichen Zusammenhänge in Form eines Modells, das auf der Annahme kausaler (Ursache-Wirkungs-) Beziehungen zwischen den Variablen beruht, ist in der Lage, dem Forscher ein adäquates Meßinstrument in die Hand zu geben, das es ihm erlaubt, die gesamte Struktur und nicht einzelne, isoliert betrachtete Zusammenhänge zu überprüfen.
Nicht zu unrecht meint LEONG "..refuting the null hypothesis as the standard method...is..one of the worst things that ever happened in the histoy of psychology." (1985, S.34)

4.5.2. Notation

Die folgende Abbildung 11 enthält ein Modell der Theoriebildung unter Berücksichtigung kausaler Strukturen mit der Erklärung aller verwendeter Symbole. (BAGOZZI, 1984, S.19)
BAGOZZI bezeichnet sein 'Holistic Construal' als Basis für die Konstruktion einer Theorie und als unabdingbare Voraussetzung für die Erklärung, Prognose und Kontrolle von darin postulierten Zusammenhängen.

Als Konvention hat sich im Zusammenhang mit Kausalmodellen die Verwendung folgender Symbole herauskritallisiert:

- Kausale Beziehung zwischen zwei Variablen werden durch einen Pfeil von der determinierenden zur determinierten Variablen angezeigt,
- Korrelationen zwischen exogenen Variablen sind durch gekrümmte Doppelpfeile angedeutet,
- Residuelle Wirkungen werden durch Pfeile vom Residuum zur determinierten Variablen dargestellt,
- Bei Koeffizienten bezeichnet das erste Subskript die determinierte und das zweite Subskript die determinierende Variable.

Modelle ohne Wechselwirkungseffekte und Rückkopplungsschleifen heißen rekursive Modelle bzw. falls solche reziproken Beziehungen zugelassen werden nicht-rekursive Modelle.

Abbildung 11: Elemente und Strukturen eines Modells der Theoriebildung

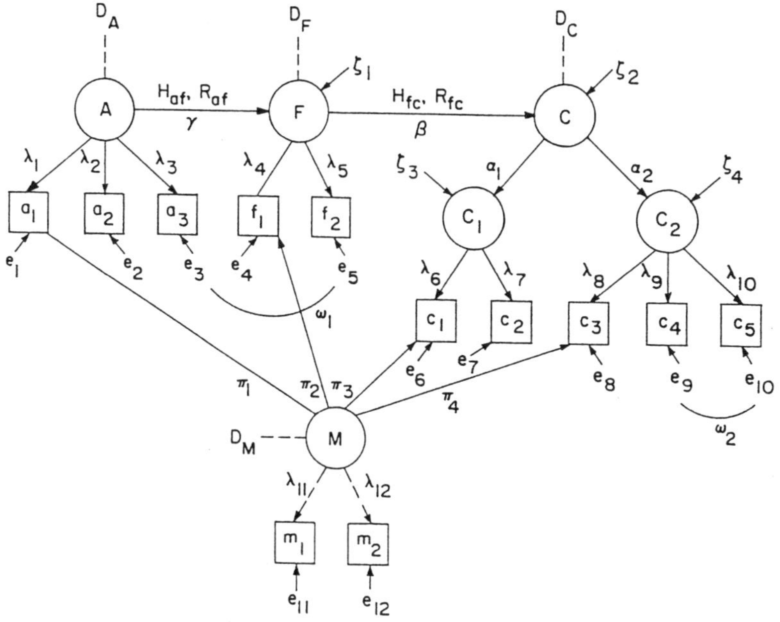

Definition of Symbols Used in Figure 4

Theoretical Concepts
- A Antecedent
- F Focal Concept
- C Consequent
- M Method Factor

Empirical Concepts
- a_i Measurements of A
- f_j Measurements of F
- c_k Measurements of C
- m_ℓ Measurements of M (if they exist)

D_A, D_F, D_C, D_M	Definitions of Theoretical Concepts (expressed as attributional, structural, and/or dispositional definitions)
H_{af}, H_{fc}	Nonobservational propositions relating antecedent and consequent to focal concept, respectively
R_{af}, R_{fc}	Rationales for H_{af} and H_{fc}, respectively
γ, β	Inferred (i.e., estimated) representations for H_{af} and H_{fc}, respectively
λ_m	Inferred (i.e., estimated) implications of correspondence rules relating theoretical concepts to empirical concepts
α_1, α_2	Inferred (i.e., estimated) derivative "definitions" for subdimensions of C
π_n	Inferred (i.e., estimated) contribution of M (i.e., that due to systematic error)
ω_1	Correlated error terms across constructs
ω_2	Correlated error terms within constructs
ζ_o	Errors in equations or conceptual error (i.e., unexplained variation in theoretical variables)
e_p	Errors in variables or measurement error (i.e., random error)

Quelle: BAGOZZI (1984, S.19)

WM

4.5.3. Anwendungsbeispiele für Kausalmodelle

4.5.3.1. Informationsverarbeitungsprozeß

FINN stellt zwei unterschiedliche Modelle der menschlichen Informationsverarbeitung beim Betrachten von Printwerbung vor, die sich insbesondere auf die Erkenntnisse von KROEBER-RIEL stützen, wonach Bilder (ab einer bestimmten Größe) zuerst betrachtet werden. (siehe Abbildung 12). (1988, S.170)

Abbildung 12: Informationsverarbeitungsprozeß beim Betrachten einer Anzeige (Printwerbung)

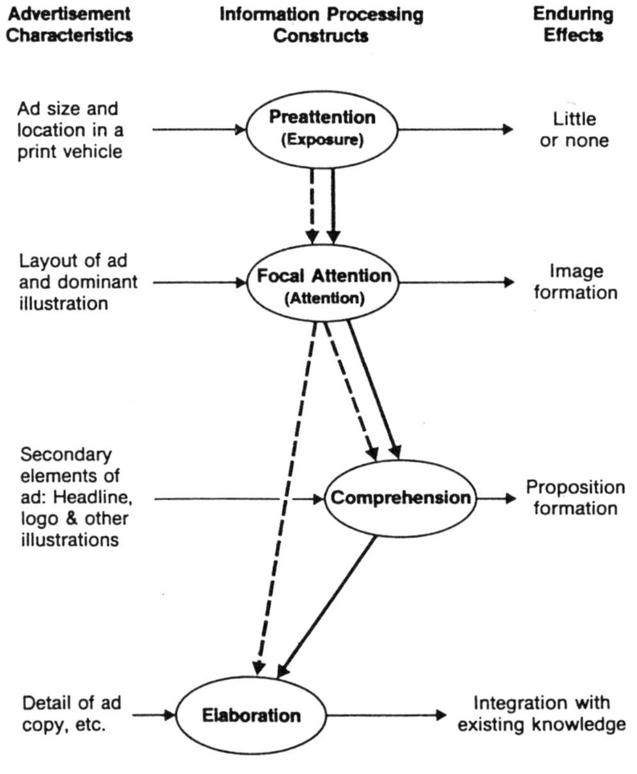

Quelle: FINN (1988, S.170)

Stufe 1 entspricht etwa der peripheren Wahrnehmung (oder vorbewußten Reizanalyse), d.h. 'irgendetwas' löst Aufmerksamkeit aus und bewirkt eine Hinwendung zur Reizursache.
Als mögliche Ursachen können sowohl die Größe einer Anzeige, die Plazierung oder die Gestaltung diese Zuwendung verursacht haben.

Wird die Verarbeitung in diesem Stadium unterbrochen, hinterläßt die Anzeige keine nachhaltige Wirkung.
Durch die zentrale **Hinwendung** entsteht ein **Vorstellungsbild**, eine wichtige Voraussetzung für ein späteres Wiedererkennen der Anzeige.
Im Falle einer **Weiterverarbeitung** (durch das Lesen der Headline oder sonstiger Elemente der Anzeige), aufgrund eines ausreichend vorhandenen **Involvement**, wird die Anzeige verstanden und die zentrale Aussage gelernt.
In der **letzten Stufe** kommt es zu einer kognitiven **Verarbeitung** zB des Textes und der Integration dieser Informationen mit bereits vorhandenem Wissen.

Dieser Prozeß ist durch die <u>durchgezogenen</u> Linie dargestellt und deutet ein **hierarchisches Modell** an.

Die weitere Vorgangsweise nach der Stufe der Aufmerksamkeitszuwendung ist jedoch abhängig von den Zielen des Betrachters.
Für den Fall, daß sich der Betrachter aufgrund des Bildes über das Produkt näher informieren möchte, wird es zu einer Weiterverarbeitung und einem Vergleich mit dem Text der Botschaft kommen. Ist dies nicht die Absicht des Betrachters, wird es zu keiner Verarbeitung der verbalen produktbezogenen Aussagen kommen. Die ist durch die <u>strichlierte</u> Linie angedeutet.
Unter Einbeziehung des Einflusses von 5 Plazierungs- und 4 Gestaltungsvariablen zur Beschreibung (Messung) des Konstrukts 'Aufmerksamkeit' wurde das in der folgenden Abbildung 13 dargestellte Kausalmodell entwickelt und überprüft. (FINN, 1988, S.171)

Abbildung 13: Kausalmodell des Leseverhaltens von Anzeigen

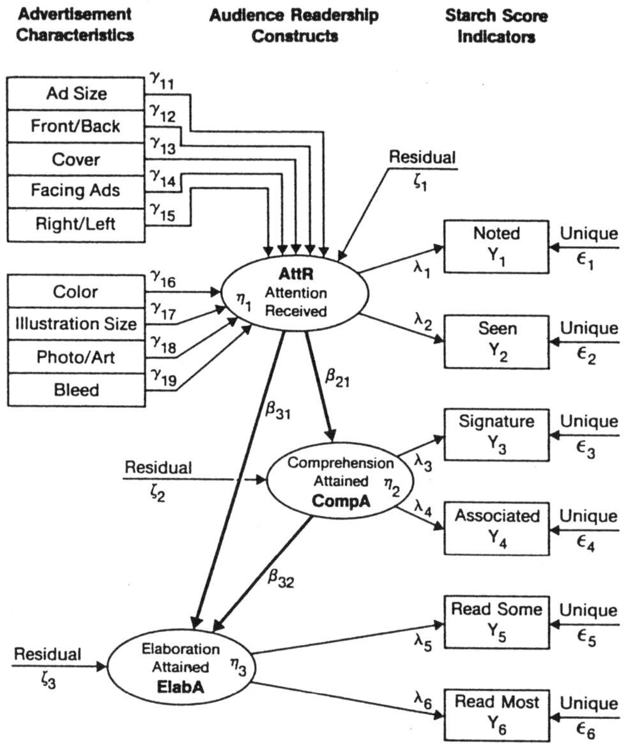

Quelle: FINN (1988, S.171)

WM

Die Ergebnisse sprechen einerseits für die Verwendung der sog. 'Starch Scores' als Indikatoren der Werbewirkung, andererseits bestätigen die Ergebnisse die Überlegenheit des 'divergent/mixed model' im Vergleich zum Stufenmodell.

4.5.3.2. Stufenmodell der Werbewirkung

HILDEBRANDT bezeichnet die AIDA-Regel als "klassisches **rudimentäres** 'kausales' Modell". (1983b, S.271) 'Rudimentär' nennt er diese Regel deshalb, weil sie schlecht operationalisierbar ist und eher eine Merkformel der Werbewirkung darstellt. Inhaltlich bildet die AIDA-Regel eine **hierarchische** Ursache-Wirkungs-Beziehung zwischen Werbemaßnahme und einer beobachtbaren Handlung ab, wobei die Wirkung über drei intervenierende Variable vermittelt wird.

Die Darstellung des Effekt-Hierarchie-Modells der Werbewirkung erfolgt meist in der folgenden Form:

WERBUNG --> AUFMERKSAMKEIT --> PRÄFERENZ --> AKZEPTANZ

In der folgenden Abbildung 14 sind die Stufen in Form eines Kausalmodells dargestellt:

Abbildung 14: Kausalmodell der Werbewirkung

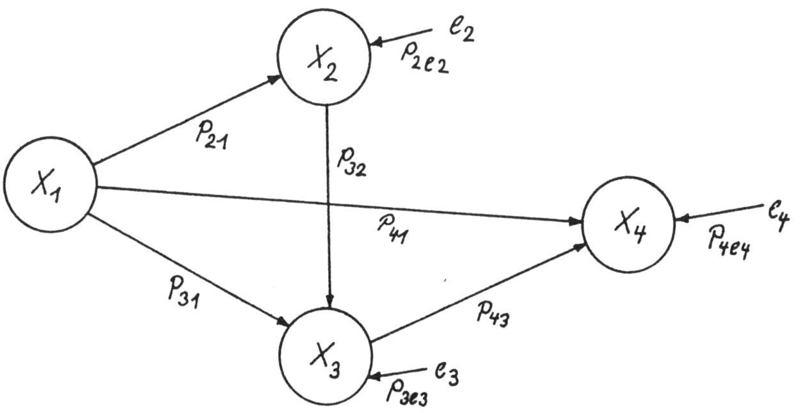

Quelle: HILDEBRANDT (1983a, S.28)

WM

Legende:

x1: Werbeeinsatz als Exogene

x2: Aufmerksamkeit als Endogene

x3: Präferenz als Endogene

x4: Akzeptanz als Endogene

Drei Residualvariable e2, e3 und e4

Dieses letzte Modell bildet bereits die Überleitung zum Thema 'Informationsverarbeitung', dem Gegenstand des nächsten Kapitels.

5. Informationsverarbeitung

5.1. Was ist eine Information?

Wenn in weiterer Folge von Informationen gesprochen wird, dann ist damit nicht nur ein einzelnes Wort, sondern jedes visuelle oder akustische Element, das von einem Individuum aufgenommen und psychisch verarbeitet werden kann, zu verstehen. (KROEBER-RIEL, 1987a, S.259)

Bei visueller Informationsaufnahme sind das alle Wahrnehmungseinheiten, die vom Blick fixiert werden, wie Symbole, Zahlen, Teile eines Bildes, aber selbstverständlich auch Wörter.

Das soll am Beispiel der folgenden Anzeige erläutert werden. (siehe Abbildung 15)

Abbildung 15: Doppelseitige KGM-Anzeige (Salat)

WM

Es scheint plausibel, daß aus der Sicht des werbetreibenden Unternehmens, der Rezipient drei Informationseinheiten miteinander verknüpfen soll:

1. Salat (bzw. allgemein Obst und Gemüse)
2. immer knackig frisch
3. beim KONSUM (Logo und Schriftzug).

Auch scheinbar komplexe Anzeigen lassen sich bei näherer Betrachtung auf drei Informationseinheiten reduzieren: (siehe die folgende Abbildung 16):

1. Dieser 'futuristisch gestylte' Drucker
2. sorgt für ein besonders schönes Schriftbild (48 Nadeln)
3. und stammt von EPSON.

Abbildung 16: Anzeige für EPSON Drucker

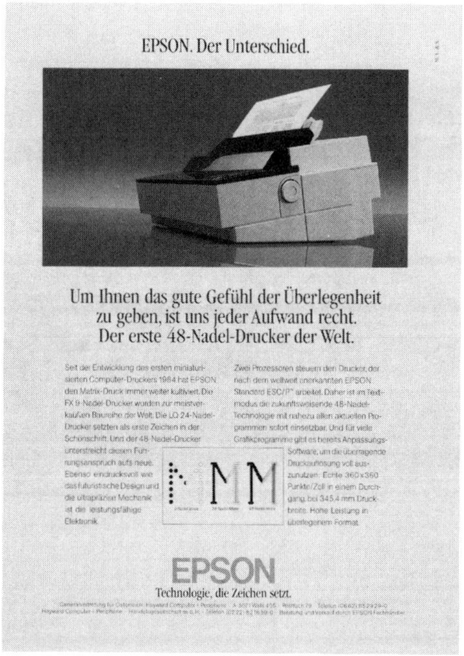

WM

Die Stichhaltigkeit der Behauptung soll noch an zwei weiteren Anzeigen gezeigt werden (siehe die Abbildungen 17 und 18 im Anhang).

Der Informationsgehalt einer Anzeige für die **AUSTRIAN AIRLINES** läßt sich reduzieren auf:

1. zufriedene Passagiere/Personen (lächeln, freundlich)
2. werden mit Sekt verwöhnt (exquisites Bordservice)
3. in einem Flugzeug der AUSTRIAN AIRLINES (Schriftzug und Button).

Eine Anzeige für **österreichischen Wein** soll die folgenden Inhalte kommunizieren:

1. Beim Weinkauf auf Qualität achten!
2. Qualität erkennt man nicht nur an der Farbe und am Geschmack, sondern auch am Etikett!
3. Qualitätswein kommt (auch) aus Österreich!

Die obigen Beispiel haben bereits verdeutlicht, daß in weiterer Folge der Begriff 'Information' im wesentlichen auf die massenmediale Werbung eingeschränkt wird, und die Fülle weiterer **Informationsquellen** (siehe das Schema in Abbildung 19) weitgehend außer Acht bleiben.

Abbildung 19: Mögliche Sytematisierung konsumbezogener Informationsquellen

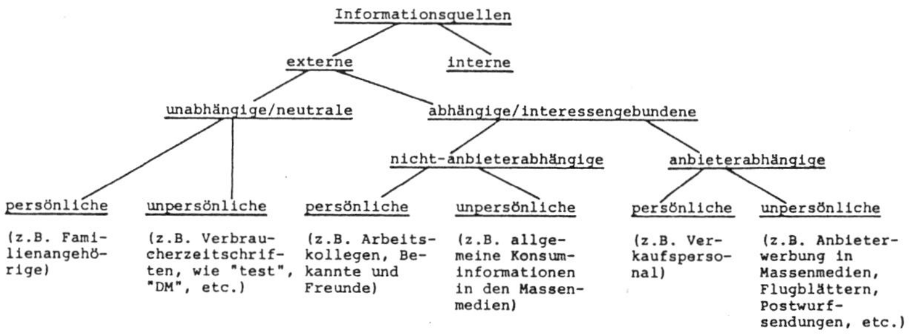

Quelle: TÖLLE (1983, S.92)

WM

Die Überlegungen zur Verdichtung von Einzelinformationen zu **'Informationseinheiten'** sind zu berücksichtigen, wenn KROEBER-RIEL davon spricht, daß "eine Sekunde Lesedauer ungefähr mit der Aufnahme von drei visuellen Informationseinheiten gleichgesetzt werden kann", und daraus eine gewaltige **Informationsüberlastung** der Rezipienten und damit auch der Konsumenten ableitet. (KROEBER-RIEL, 1987, S.260)

Nach KROEBER-RIEL erfordert die Betrachtung einer Anzeige in der Illustrierten STERN im Durchschnitt 35-40 Sekunden. In der Blätterphase wird jede Anzeige des STERN jedoch nur für 1,8 sec betrachtet. Daraus ergibt sich nach KROEBER-RIEL eine **Informationsüberlastung durch Werbung** von 95%, die in den elektronischen Medien noch höher anzusetzen ist.

Die Bezeichnung **'Betrachtung'** ist m.E. aber in diesem Zusammenhang irreführend; es wäre besser von 'Beschreibung' oder eigentlich von 'Beschreibung und Lesen des gesamten Textes' einer Anzeige zu sprechen, denn nur dadurch lassen sich die langen 'Betrachtungszeiten' erklären; dadurch wird aber auch einsichtig, daß eine derartige Berechnung eigentlich nicht sinnvoll ist, weil (siehe die obigen Beispiele) entweder bei Anzeigen Text und Bild redundante Informationen enthalten oder sich die aus der Sicht des Senders wichtigen, relevanten Informationen (im Sinne von Informationseinheiten) bereits bei flüchtiger Betrachtung erfassen lassen.
Bereits MILLER (1956) beobachtete, daß Teile einer Information recodiert und in höherwertige Informationseinheiten integriert (zusammengefaßt) werden können, sog. **'Information-Chunks'**. (KLING, 1979, S.24)

In zahlreichen Untersuchungen taucht die magische Zahl **sieben** auf, als jene Anzahl von Informationseinheiten, die im Gedächtnis behalten werden können, wenn es um Messungen der Kapazität des Kurzzeitgedächtnisses geht. Neuere Forschungs-ergebnisse sprechen allerdings nur mehr von **fünf** solcher 'Chunks'.

Nach PENDSE werden von Testpersonen jeweils weniger **Kategorien** gebildet, falls

1. die Wörter nur in Kategorien eingeteilt werden sollen,
2. Wörter eingeteilt und in einer Woche die Aufgabe wiederholt werden soll,
3. Wörter eingeteilt und anderen Leuten der Einteilungsgesichtspunkt in eigenen Worten beschrieben werden soll (PENDSE, 1978, S.424)

Von Bedeutung für die Verdichtung der Informationen ist somit u.a. auch die Aufgabenstellung für die Rezipienten:
Erwarten die Probanden, daß sie bestimmte Informationen nach einer gewissen Zeit wieder erinnern sollen, splitten sie die Informationen erstens in weniger Kategorien auf und verarbeiten die Informationen zweitens auch anders (sie vergeben für jede Kategorie einen verbalen Code). Man spricht in diesem Fall von der sog. **'verbal loop'- Hypothese.** (PENDSE, 1978, S.425)

In der modernen Informationsverarbeitungstheorie wird aus diesen 'Chunks' der Begriff **'Schlüsselinformation'** abgeleitet. (BERNDT, 1984, S.181)
KROEBER-RIEL definiert diese als "Informationen, die für die Produktbeurteilung besonders wichtig sind und mehrere andere Informationen substituieren (oder bündeln)". (1984a, S.278)
Verfügt der Konsument über die Kenntnis solcher 'Schlüsselinformationen', kann er seine übrigen Informationsaktivitäten entsprechend einschränken und so sein Informationssuch- und -verarbeitungssystem entlasten.
Nach BERNDT ist die Schlüsselreizstrategie eine der wichtigsten psychischen Mechanismen gegen Informationsüberlastung. (1984, S.181)

Er beschreibt ein Experiment, bei dem die Vpn anhand der Einschätzung der Wichtigkeit von sieben Informationsattributen ein verbales Protokoll des Ablaufs ihres Wahlentscheidungsprozesses am Beispiel des Produktes 'Marmelade' zu erstellen hatten. (BERNDT, 1984, S.184)
Die Markenzahl hatte einen geringeren Einfluß auf die Entscheidungseffizienz als die Zahl der Informationsdimensionen, wie Anzahl der vorgegebenen Attribute (Preis, Urteil Stiftung Warentest, Füllgewicht, Konservierungsstoffe, etc.). 1)
(BERNDT, 1984, S.184/185)

Der Vorteil dieses Clusteringsprozesses von Einzelinformationen zu Informationseinheiten für den Rezipienten einer Werbebotschaft besteht darin, daß man die Informationsmenge von einer Fülle an Einzelinformationen auf einige - wenige - Dimensionen oder Faktoren reduziert. Empirische Befunde sprechen dafür, daß eine steigende Menge an Informationen allerdings nicht notwendigerweise die Güte der Bewertung der Alternativen verbessert. (KLING, 1979, S.26 und die dort zitierte Literatur)
Wenn die Menge an Informationen steigt, wird sie vielmehr meist nur **selektiv verarbeitet** oder ruft Konfusion hervor. Es gibt Anzeichen dafür, daß mit steigender Informationsmenge sogar die Richtigkeit einer Entscheidung sinkt.

5.2. Verarbeitung von Informationen

Die kognitive Verarbeitung einer Information verlangt ein Mindestmaß an Verstehen und kognitiver Reaktion im Sinne von Akzeptanz oder Verwerfung der Information.
Das Verstehen einer Botschaft (im Sinne des Senders) hängt vom Komplexitätsgrad der Botschaft ab, aber auch zB von der Frage der Vertrautheit oder der Art der Präsentation. Eine Botschaft wird zB besser verstanden, wenn sie gelesen wird als wenn sie nur gehört wird. (STERNTHAL/CRAIG, 1982, S.95)

---

1) Die Ergebnisse waren allerdings nicht signifikant ($p=0.177$).

Nach RÖSLER läßt sich ein Informationsverarbeitungsprozeß etwa folgendermaßen charakterisieren: (1982, S.89)

(1) Die Verarbeitungssequenzen können automatisch und/oder kontrolliert ablaufen.

(2) Die pro Zeiteinheit verfügbare Kapazität zur Kontrolle von Verarbeitungssequenzen ist begrenzt.

(3) Der kognitive Apparat hat die Tendenz, einen Informationsverarbeitungsprozeß so zu optimieren, daß für seine Ausführung jeweils nur ein Minimum an Kontrollkapazität aufgewendet werden muß.

Nach dem **Informationsverarbeitungsmodell** von SCHNEIDER/SHIFFRIN führen automatische Prozesse eine Art Grundauswertung eines Reizes aus. (siehe Abbildung 20)

Abbildung 20: Das Informationsverarbeitungsmodell nach SCHNEIDER / SHIFFRIN

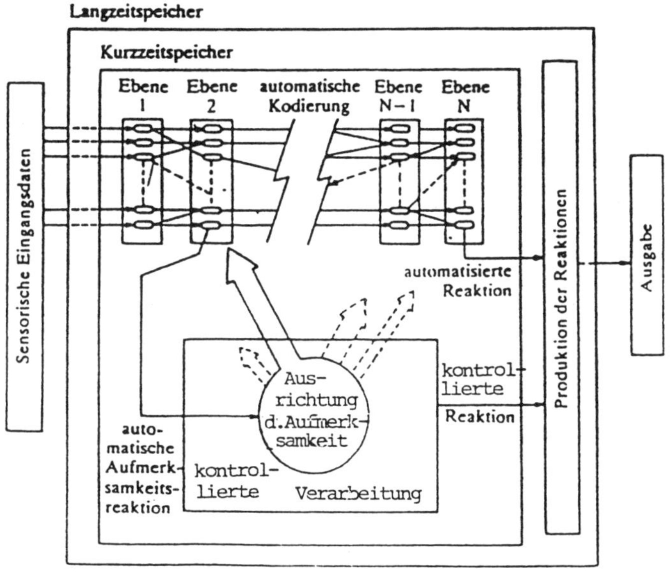

Quelle: LEVEN (1987, S.93)

Ohne willentliches Zutun kommt es in Interaktion des Kurzzeitspeichers mit dem Langzeitspeicher zum Erkennen des Reizes. Die sensorische Verarbeitung von Umweltreizen, wie auch die Analyse ihrer Bedeutung für das Individuum, laufen weitgehend ohne Zutun des aktiven Bewußtseins, also unbemerkt, ab. (MÜHLBACHER, 1982, S.199) [1]

Das heißt, daß

- das Individuum nicht von Anfang an die Aufnahme von Information zensuriert,
- das Hervorrufen von Aufmerksamkeit nicht unbedingt aktives Bewußtsein voraussetzt und
- hervorgerufene Aufmerksamkeit nicht unbedingt bemerkt werden muß.

---

1) Bestätigung erfährt diese Annahme aus Studien zum 'Prinzip der partiellen Aktivierung'. In Form eines tachistoskopischen Tests (Darbietungszeit 50 msec) wurde zB von RÖSLER eine Buchstabenmenge (12 Buchstaben in einer 3 x 4 Matrix angeordnet) präsentiert, die die unmittelbare Gedächtnisspanne überstieg; nur jeweils 4-5 Buchstaben konnten richtig reproduziert werden. (1982, S.83)
Nach der Präsentation wird die Präsentationsfläche mit einem unstrukturierten Feld zwecks Unterdrückung von Nachbildern maskiert. Bietet man jedoch kurz nach dem Beginn der Maskierung (zwischen 0 und 100 msec) einen Hinweisreiz dar, der einen begrenzten Abschnitt der Vorlage für die Reproduktion markiert, so können Probanden fast immer alle Elemente der markierten Teilbereiche reproduzieren. Da der Hinweisreiz erst nach dem Ausblenden der Vorlage anzeigt, welche Elemente reproduziert werden sollen, muß der Proband noch kurzfristig zu allen Repräsentationen der dargebotenen Buchstaben Zugriff haben.
Alle Repräsentationen wurden durch die sensorische Vorlage partiell aktiviert, diese partielle Aktivierung bleibt jedoch unter der kritischen Schwelle und fällt sehr rasch wieder ab. Ein Wort wird zB nach einem auf dieses Wort hinzielenden Kontext meßbar schneller erkannt als nach einem neutralen Kontext ('Er ging an die Theke und bestellte ein Bier' vs 'Er ging zum Telefon und bestellte ein Bier') (RÖSLER, 1982, S.83)

5.3. Messung der Informationsverarbeitung

Die **Wahrnehmung** eines Phänomens ist eine notwendige Bedingung für dessen Berücksichtigung in mentalen Verarbeitungsprozessen. Dieser Wahrnehmungsvorgang ist nicht beobachtbar, es ist daher nur möglich, von Indikatoren auf das Phänomen zu schließen. Der Schluß von der Ausprägung des Indikators auf die Ausprägung der entsprechenden Variablen des realen Phänomens beinhaltet ein Validitätsproblem. (BÖCKER/SCHWERDT, 1981, S.353)

Als **Indikatoren** der nicht-beobachtbaren Wahrnehmungsvorgänge werden genannt:

1) **'think-aloud-technique'**
2) **Information-Diplay-Matrizen**
3) **Beobachtungen** von Verhaltensäußerungen: Veränderungen der Augenstellung, Lidbewegungen, etc. (BÖCKER/SCHWERDT, 1981, S.354)
4) Nicht zuletzt aber auch die Methode der **Blickregistrierung.**

Mit der 'Protokollanalyse lauten Denkens' können nur relativ langsame Prozesse der Informationsverarbeitung erkannt und näher untersucht werden. Schnelle Operationen, die rascher ablaufen als ein Proband artikulieren kann, zB das Abtasten einer Bildvorlage mit den Augen, bleiben zwangsläufig unberücksichtigt. (RÖSLER, 1982, S.57)

Die **Messung** der visuellen - bildlichen - Informationsverarbeitung steht vor zwei wesentlichen Barrieren:

- <u>Bewußtseinsproblem</u>: Visuelle Informationsverarbeitung wird gedanklich weniger kontrolliert
- <u>Modalitätsproblem</u>: Verfahren zur Messung der visuellen Informationsverarbeitung müssen der Eigenart der visuellen Kodierung und Verarbeitung der Information gerecht werden. (KROEBER-RIEL, 1986b, S.82)

Ob Informationen <u>wahrgenommen</u> wurden, kann nach STERNTHAL und CRAIG gemessen werden, indem man Konsumenten ein Produkt, eine Marke oder eine Anzeige vorlegt und nach der <u>Vertrautheit</u> und/oder nach dem <u>Bekanntheitsgrad</u> fragt. Korrekterweise müßte man allerdings von der <u>Erinnerung</u> an (wahrgenommene) Informationen sprechen. Außerdem besteht bei dieser Vorgangsweise sicher die Gefahr überhöhter Antworten, der man ev. mit dem Hinweis begegnen kann, daß auch nicht gesehene Anzeigen in einem Folder aufscheinen. (1982, S.72)
Zur Messung der **Aufnahme** von Informationen werden von STERNTHAL und CRAIG insbesondere apparative Verfahren genannt. M.e. haben die Autoren bei der Auswahl allerdings keine sehr glückliche Hand bewiesen. Sie führen an erster Stelle ("The most direct way") die **Aktivierungsmessung** (EDR) an; die Stärke dieses Verfahrens liegt jedoch zweifellos in der Messung der Aktivierungsleistung ('arousal') von Stimuli; bei einer nicht vorhandenen Aktivierung kann keinesfalls darauf geschlossen werden, daß keine Informationen aufgenommen wurden, es kann auch am geringen 'Aktivierungspotential' bzw. 'Emotionalisierungs-grad' der Stimuli liegen. Umgekehrt können aber auch registrierte Emotionen durch kognitive Prozesse (Phantasien) hervorgerufen sein, und dadurch ebenfalls nicht mit einer aufgenommenen Information in Zusammenhang stehen.
Auch die an zweiter Stelle genannte **Pupillenveränderung** ist zunehmender Kritik ausgesetzt. Insbesondere die Verengung der Pupille kann auf eine Reihe weiterer Faktoren zurückgeführt werden und ist nicht unbedingt Ausdruck einer Aufnahme von (negativen) Informationen, wie dies von STERNTHAL und CRAIG behauptet wird. (1982, S.73)
Als besonders vielversprechend wird von den beiden Autoren das **CONPAAD**-Verfahren ('Conjugately Programmed Analysis of Advertising') vorgestellt: Die Vp kann über 2 Fußpedale sowohl die bildliche Information in Klarheit und Schärfe als auch den Ton in Lautstärke und Klarheit steuern.

Herausragende Bedeutung kommt jedoch zwei von STERNTHAL/CRAIG kaum diskutierten Verfahren zu:

1. Dem **Tachistoskop** zur Messung der Wahrnehmung von Informationen und
2. der Methode der **Blickregistrierung.** [1]

Die Blickregistrierung erlaubt die Kontrolle der Informationsaufnahme und - indirekt über die Reihenfolge der Fixationen - auch die Kontrolle der Informationsverarbeitung. [2] (BERNHARD, 1977, S.176)
Die Grundlage der Blickregistrierung bilden einerseits Annahmen der modernen Informationsverarbeitungstheorien (wie zB das vorgestellte Modell von SCHNEIDER und SHIFFRIN) und empirische Ergebnisse, die beweisen, daß die Betrachtung von Informationen (Fixation) und die Identifikation des Fixierten synchron ablaufen. Fixationen (Blickpunkte) reflektieren somit, "what is on the top of the stack". Theoretisch wäre es ja auch vorstellbar, daß Blicke der Informationsverarbeitung vorausgehen. (LEVEN, 1986, S.153)
Ob es zu einer **kognitiven Analyse** und zur **Speicherung von Informationen** gekommen ist, wird in der Regel durch Befragung erhoben. Von den zahlreichen Einwänden gegen Erinnerungsmessungen ist für die Werbung besonders wichtig, daß die Ursachen für einen fehlenden Recall von Werbemaßnahmen großteils in der spezifischen Art der Informationsaufnahme, -verarbeitung und -speicherung **passiver** Betrachter zu suchen sind. (LEVEN, 1987, S.93)
Das Wissen darüber, wie die Konsumenten Informationen aufnehmen, organisieren und nutzen ist wichtig für die Entscheidung über verschiedene Botschaftsstrategien. (STERNTHAL/CRAIG, 1982, S.261)

---

1) Unter einem (Projektions-)Tachistoskop ist ein Diaprojektor zu verstehen, der durch die Kombination mit einem Steuergerät die kurzzeitige Präsentation von Stimuli erlaubt; bei Verwendung eines elektronisches Tachistoskops liegt die kürzest mögliche Präsentationsdauer bei 1/10.000 sec. (vgl. SPIEGEL, 1958, S.56)

2) Eine ausführliche Behandlung des Begriffes 'Fixation' folgt im Kapitel 10 über die Methode der Blickregistrierung.

6. Werbung und Werbewirkung

Unter Werbung versteht man die beabsichtigte Beeinflussung von marktrelevanten Einstellungen und Verhaltensweisen ohne formellen Zwang unter Einsatz von Werbemitteln und bezahlten Medien. [1)]
(SCHWEIGER/SCHRATTENECKER, 1989, S.9)
Gemäß dieser Definition bleiben die Ausführungen des folgenden Kapitels auf die **massenmediale Werbung** beschränkt und sind nur in einigen Punkten, so etwa bei der Diskussion der Meßverfahren, auf persönliche Kommunikation, Direct Mailings oder Verkaufsförderungsmaßnahmen übertragbar, ohne daß darauf im Rahmen der Arbeit allerdings näher eingegangen wird.
Bezüglich der Annahmen über den persönlicher Einfluß, Gruppeneinfluß, kulturellen Einfluß bzw. Interaktions-theoretische Fragestellungen (zB Käufer-Verkäufer Interaktion) und Überlegungen zur zweistufigen Kommunikation, d.h. Zusammenwirken von Massenkommunikation und persönlicher Kommunikation (Konzept der Meinungsführer) wird auf KROEBER-RIEL verwiesen. (1972a, S.22 und 1984a, S.555ff)
Die weiteren Darstellungen sind auch auf die Messung der Werbemittelkontakte beschränkt. Die über Befragung ermittelte Anzahl von Werbeträgerkontakten (wie zB Leser pro Nummer, Weitester Leserkreis, Kontakthäufigkeiten, Netto-Reichweiten) ist nicht Gegenstand dieser Arbeit. (vgl. SIX, 1983, S.363)
Die Stufen der Informationsverarbeitung sind zum Großteil auch Kriterien der Werbewirkung bzw. Ansatzpunkte für Indikatoren und Meßinstrumente zur Erfassung der Wirkung von Kommunikations-maßnahmen.
Eine gravierende Einschränkung erfährt die Verarbeitung von Werbeinhalten dadurch, daß solche Informationen in der Regel unter Bedingungen des 'low-involvement', also unter geringer Aufmerksamkeit und geringer Beteiligung des Rezipienten, aufgenommen werden.

---

1) Zur Vielfalt der Definitionen des Begriffes Werbung vgl. zB SIX (1983, S.346)

6.1. Werbe-(wirkungs)forschung

Die Werbewirkungsforschung hat sich durch eine umfangreiche theoretische und methodische Literatur als Teil der Betriebswirtschaftlehre etabliert. (TROMMSDORFF, 1977, S.61)
Die verhaltenswissenschaftliche Werbeforschung hat sich das Ziel gesetzt, aus den empirisch ermittelten Ergebnissen, Gestaltungsvorschläge und Handlungsempfehlungen für die praktische Werbemittelpolitik ableiten zu können. (HOSSINGER, 1982, S.239)
FINN siedelt den Beginn der intensiven Beschäftigung mit der Überprüfung der Werbewirkung von Printwerbung bzw. Anzeigen in den 50er Jahren an. (1988, S.169)
Seit diesem Zeitpunkt sind die **Bedingungen für die Wirksamkeit** der Werbung starken Änderungen unterworfen:

- zunehmende **Informationskonkurrenz:** In westlichen Ländern werden Konsumenten mit bis zu 500 werblichen Botschaften täglich konfrontiert. (ROSENSTIEL/EWALD, 1983, S.215) [1)]
- Bevorzugung der **Bildersprache** durch die Konsumenten und
- Zunehmende **Erlebnisorientierung** der Konsumenten.

Gleichzeitig treten **Mängel** in der Werbung deutlicher als bisher hervor und zeigen auch gravierendere Auswirkungen:
- Austauschbarkeit,
- Vernachlässigung der Bildwirkung und
- uneinsichtiges Bestehen auf informativer Werbung.

(KROEBER-RIEL, 1985, S.84)

---

1) So erwähnt etwa TREISTMAN, daß eine kürzlich erschienene Ausgabe von VOGUE 334 Anzeigen auf 548 Seiten enthielt. (1987, S.92)
In einer Studie von BROSCH (1989) wurde der Einfluß qualitativer Mediafaktoren auf die Anzeigenbeachtung in drei Ausgaben des Wirtschaftsmagazins TREND erhoben. Der Anteil der Anzeigen schwankte zwischen 25 und 50%.

TREND 12/1987:	231 Seiten	davon	152 Seiten	Anzeigen	(> 50%)
TREND 2/1988:	183	-"-	59	-"-	(30%)
TREND 5/1988:	335	-"-	82	-"-	(25%)

Die Marken auf gesättigten Märkten werden austauschbar; die Produkte haben auf diesen Märkten aufgrund des Wettbewerbs einen relativ hohen Qualitätsstandard erreicht, d.h. die Produktqualität ist für die Konsumenten zu einer Selbstverständlichkeit geworden. Für KROEBER-RIEL kommt das auch dadurch zum Ausdruck, daß das Produktinteresse selbst bei hochwertigen Gütern wie 'Kühlschränken' verhältnismäßig gering ist. 1)
(KROEBER-RIEL, 1984d, S.210)

KROEBER-RIEL tritt in diesem Zusammenhang für eine Ausdehnung des Begriffes 'Zusatznutzen' ein, wie er etwa bei Zigaretten als dominierendes Konsummotiv angenommen wird: statt 'Zusatznutzen' wird der Begriff 'Erlebniswert' vorgeschlagen; dieser manifestiert sich in den von einer Marke vermittelten emotionalen Konsumerlebnissen. 2) (1984d, S.212)

6.2. Wirkungskriterien in der 'Praxis'

Die von kommerziellen Marktforschunsinstituten am häufigsten zur Kontrolle der Werbewirkung herangezogene Methode ist nach wie vor die **Befragung**. Die im Rahmen dieser Arbeit vorgebrachten Kritikpunkte und Fehlerquellen dieses Instruments sind keineswegs als generelle Ablehnung der Methode per se zu verstehen. Vielmehr soll im Zusammenhang mit der ausführlichen Diskussion von apparativen Verfahren der Werbewirkungsmessung ein Denkanstoß geliefert werden, bei welchen Erhebungszielen die Befragung überfordert ist und **durch apparative Verfahren ergänzt** werden soll.

---

1) Diese Aussage stimmt mit den Ergebnisse einer vor kurzem durchgeführten Studie überein: Die Produktgruppe 'Haushaltsgeräte' erreichte auf einer Ratingskala von 1 (= uninteressant) bis 10 (= sehr interessant) einen durchschnittlichen Ratingwert von 4; das größte Interesse zeigten die Apn für 'Reisen' (Mittelwert 8) gefolgt von 'Autos' (6.9) und 'Bekleidung' (6.7). (MELZER/WASHIEDL, 1989, S.116)
2) Zu unterschiedlichen Erlebniswelten von Rauchern und Nichtrauchern siehe auch NEUMANN/HAIDERER (1986).

6.2.1. Der Werbemonitor

Wenngleich es in den meisten Fällen Zielsetzung der Werbung ist, den Verkauf vorzubereiten und einzuleiten, so ist eine gute Kommunikationsleistung Vorbedingung. (BÖHM, 1983, S.35)
Die im Werbemonitor des INFO-Institutes erfaßten 'Vor-Bedingungen' für die Werbewirkung sind: [1]

- o **Werberesonanz:** Welche Werbung des Produktfeldes fällt zur Zeit besonders auf ?
- o **Werbeawareness:** Wie viele Befragte der Zielgruppe kennen die Werbung der einzelnen Marken ? (Markenvorgabe)
- o Medienspezifische **Awareness:** Welche Nennungshäufigkeit ergeben sich für die einzelnen Medien ?
- o **Werbeinhalte:** Welche Gestaltungselemente/Aussagen in Text und Bild sind bekannt ?
- o **Sloganzuordnung:** Wie eindeutig werden die Hauptslogans zugeordnet ?

6.2.2. AD*VANTAGE

Mit Hilfe dieses seit Mai 1987 von Fessel+GfK eingesetzten Instrument wurden weltweit über 19.000 Commercials getestet; in Österreich ca 50 Spots. [2] (LEBSCHIK, 1988, S.199-201)
Durch einen hohen Standardisierungsgrad wird versucht, sog. 'Meßlatten', also Vergleichsmaßstäbe für die Effizienz von Spots, in verschiedenen Produktgruppen zu legen.

---

1) Der Werbemonitor wird monatlich bis alle 3 Monate mit einem Stichprobenumfang zwischen 300 bis 500 Personen durchgeführt.
2) Jeder Test wird mit 100 Personen durchgeführt; zur Verschleierung des eigentlichen Erhebungszieles werden die Apn 'zu einem Fernsehprogrammtest eingeladen'. Das TV-Programm besteht aus unterhaltsamen Filmen und zwei Werbeblöcken; zwischen den einzelnen Beiträgen findet eine Befragung über den Monitor statt; der gesamte Versuchsablauf dauert ca. 1 1/2 Stunden. (LEBSCHIK, 1988, S.199)

An **Wirkungskriterien** werden herangezogen

- Durchsetzungsfähigkeit: ungestützte Markenerinnerung 20 Minuten nach Einmal-Kontakt mit einem Werbeblock
- Kommunikationsleistung: Die Fähigkeit eines Werbefilms, seine Botschaft intentionsgemäß zu transportieren
- Emotionale Resonanz: Akzeptanz hinsichtlich Idee und Gestaltung
- Motivationale Schubkraft: Die Fähigkeit eines Werbefilms, Probierinteresse bzw. einen positiven Einstellungswandel zu bewirken oder eine bestehende positive Einstellung zu verstärken.

6.2.3. IMPACT Test

Der Pilot-Impact-Test des Gallup-Institutes dient als Pretestverfahren zur Prognose der Informationsleistung eines TV-Werbefilms. (KARMASIN, 1987, S.201)
Das zugrundeliegende Modell beschränkt sich auf die Überprüfung der **Indikatoren**

- spontane Erinnerung
- Impactwert
- kommunizierte Text- und Bildelemente sowie auf die
- spontanen Assoziationen.

Der **Impactwert** ist der in Prozent ausgedrückte Anteil an Personen, die zur Schaltzeit des Werbeblocks ferngesehen haben; darüber hinaus müssen sie außer dem Markennamen zumindest ein sujetspezifisches Bild- oder Textelement reproduzieren können und dadurch 'beweisen', die Werbeeinschaltung tatsächlich gesehen oder gehört zu haben. [1] (HASSLINGER, 1986, S.199)

1) Die Samplegröße schwankt zwischen 110-220 Sehern eines Werbeblocks; der durchschnittliche Impactwert liegt bei 18.5 %; die Impactwerte der 10 besten TV-Spots des Jahres (TOP-TEN) liegen zwischen 30 % und 50 %.

6.3. Ansatzpunkte für die Messung der Werbewirkung in Anlehnung an die Informationsverarbeitungstheorie

Die Befragung ist nicht in der Lage, für alle Stufen des Informationsverarbeitungsprozesses verläßliche Aussagen über den Effizienzgrad der Kommunikation auf dieser Stufe zu liefern. Entsprechend dem Verarbeitungsprozeß nennt von KEITZ als notwendige **Wirkungskriterien** der Werbung:

- Aufmerksamkeit,
- Wahrnehmung wichtiger Elemente,
- Verständnis der Botschaft,
- Akzeptanz der Botschaft,
- Wichtigkeit der Botschaft,
- Speicherung der Botschaft,
- Beeinflussung von Einstellungen.

(von KEITZ, 1987, S.136)

Bei der Darstellung der Modelle wird in weiterer Folge zum Teil die englisch-sprachige Notation übernommen; die Übersetzung und Diskussion der Begriffe erfolgt analog zu dem Vorschlag in der vom Springer Verlag unter dem Titel 'Werbedosis - Werbewirkung' veröffentlichten 'Time - Seagram' - Studie: (o.V., ZAW-service, 1984b, S.21-22)

brand familiarity	-	aktive Markenbekanntheit
claim familiarity	-	Bekanntheit der Werbeaussage
belief in claim	-	Glaubwürdigkeit der Werbeaussage
brand awareness	-	Markenbekanntheit
brand evaluation	-	Wertschätzung der Marke
beliefs in brand's advertised attributes	-	Glaubwürdigkeit der Werbeaussage
brand attitudes	-	Einstellung zur Marke
awareness of advertising	-	Beachtung der Werbung

6.4. Werbewirkungsmodelle - Unterschiedliche Ansätze

6.4.1. Einfache Stufenmodelle

Obwohl SIX kritisiert, daß die Werbewirkungsforschung "von einem unverzeihlichen Optimismus begleitet wird, der in der Konstruktion von Modellen mündet, die sich auf empirisch gesicherte Prämissen der massenmedialen Kommunikationsforschung beruft, die es in dieser Eindeutigkeit niemals gegeben hat" (1983, S.366) haben auch einfache Stufenmodelle einen hohen pragmatischen Wert, der ihre Behandlung an dieser Stelle gerechtfertigt erscheinen läßt. (SCHULZ, 1983, S.515)
Stufenmodelle dürfen weder hinsichtlich ihrer Funktion als hierarchische Effektmodelle betrachtet werden, was ihre Stufenabfolge allerdings nahelegt, noch garantiert die Einhaltung der Stufenfolge die in der letzten Stufe formulierte Wirkungsgröße. (vgl. die Zusammenstellung verschiedener Stufenmodelle in Tabelle 2 im Anhang)
Als sogenanntes **'erweitertes' Stufenmodell** kann das Modell von MAZANEC bezeichnet werden. Die Anwendung dieses Modells setzt die Kenntnis voraus, ob die Kaufentscheidung (Markenwahl) der Konsumenten nach dem

- o Risiko-
- o Image-
- o Einstellungs- oder
- o Dissonanz-Modell

am besten erklärt werden kann. (PROCHAZKA, 1987, S.37)
Je nach Gültigkeit eines bestimmten Markenwahlmodells wird auf den Stufen zwei und fünf ein anderes Kontrollkriterium herangezogen. (siehe die folgende Abbildung 21)

Abbildung 21: Ableitung von Zielhierarchien im Strukturmodell von MAZANEC

in Stufe:		Zielinhalte und Kontrollkriterien einer zwischenzeitlichen Wirkungsprüfung im jeweils gültigen Strukturmodell Risiko-	Image-	Einstellungs-	Dissonanz-
1		passive (gestützte) und aktive (ungestützte) Markenbekanntheit			
2	a	erlebtes Risiko und Präferenz-abstand	Image und Präferenz-abstand	Produkt- und Markenwissen	
	b			Einstellung und Präferenzabstand	
3		M a r k e n w a h l a b s i c h t (V e r b a l v e r h a l t e n)			
4		M a r k e n w a h l (R e a l v e r h a l t e n)			
5		erlebtes Risiko und Präferenz-abstand	Image und Präferenz-abstand	Einstellung und Präferenz-abstand	kognitive Dissonanz und Präferenz-abstand
6		W i e d e r k a u f a b s i c h t f ü r d i e P r o - d u k t m a r k e (V e r b a l v e r h a l t e n)			
7		W i e d e r k a u f d e r P r o d u k t m a r k e (R e a l v e r h a l t e n)			

Quelle: MAZANEC (1978, S.367)

WM

6.4.2. Modell der Wirkungspfade von Kroeber-Riel

Das von KROEBER-RIEL entwickelte Werbewirkungsmodell beruht auf drei Konzepten:

(1) **Wirkungskomponenten** (= psychische Reaktionen der Konsumenten):
- o kognitive Vorgänge und
- o emotionale Vorgänge

(2) **Wirkungsdeterminanten** (= Bestimmungsgrößen der Werbewirkung):
- o Art der Werbung:
  - informativ oder
  - emotional
- o Grad des Involvement des Rezipienten:
  - schwach oder
  - stark

(3) **Wirkungsmuster**: Verschiedene Kombinationen unter Variation von (1) und (2)

(KROEBER-RIEL, 1984a, S.606-623)

Die '**Aufmerksamkeit**' nimmt im Modell eine Sonderstellung ein: sie wird in hohem Maß vom Involvement der Empfänger bestimmt und in geringem Maß von der Werbung. Die Aufmerksamkeit entspricht der 'Aktivierung' der Umworbenen und wird der Einfachheit halber in den Ausprägungen 'schwach' oder 'stark' in das Modell aufgenommen (KROEBER-RIEL, 1984a, S.608).
Zentrale abhängige Variable sind die 'Einstellung' und die 'Kaufabsicht' sowie das '(Kauf-)Verhalten'.
Von den unterschiedlichen Kombinationsmöglichkeiten und ihrer bildhaften Darstellung soll lediglich eine Konstellation herausgegriffen werden, da sie eine Situation darstellt, der sich heute vor allem die Konsumgüterwerbung gegenüber sieht: emotionale Werbung und wenig involvierte Konsumenten.

Der nach KROEBER-RIEL **'dominante Wirkungspfad'** lautet: (siehe auch die folgende Abbildung 22)

Kontakt -> geringe Aufmerksamkeit -> emotionale Wirkung -> Einstellung -> Verhalten

Abbildung 22: Wirkungspfad emotionaler Werbung bei wenig involvierten Konsumenten

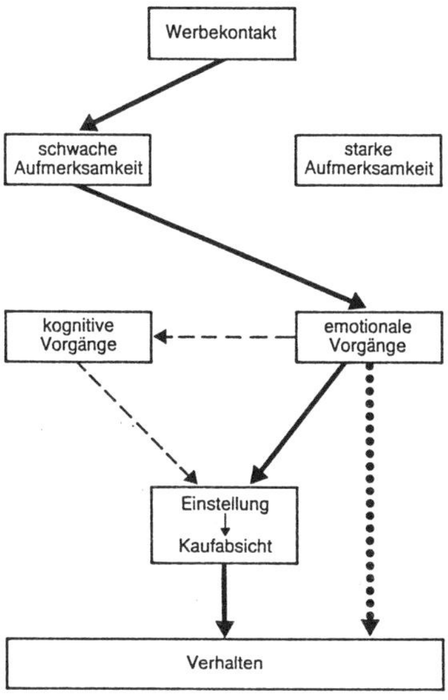

Quelle: KROEBER-RIEL (1984a, S.621)

WM

"Emotionale Werbung, die sich an passive Konsumenten richtet, die wenig involviert sind, wirkt in erster Linie nach den Gesetzmäßigkeiten der emotionalen (klassischen) Konditionierung." (1984a, S.621)

Nach dieser Theorie würde man etwa annehmen, daß eine direkte Beziehung zwischen einer konditionierten Emotion und dem Verhalten hergestellt wird. (siehe gepunktete Linie in Abbildung 22)
Zur Anwendung der emotionalen Konditionierung vgl. das HOBA - Experiment von KROEBER-RIEL (1984a, S.118ff) bzw. die Ergebnisse einer Studie von GHAZIZADEH, der u.a. auch darauf hinweist, daß "die Praxis Elemente der Emotionalen Konditionierung bereits anwendet, ohne die Gesetzmäßigkeiten zu kennen." (1987, S.158)

Als Quintessenz der Ergebnisse der empirischen Projekte könnte man folgende Feststellungen treffen:
Emotionale Konditionierung funktioniert

- in Produktklassen mit vergleichbaren, objektiv nicht unterscheidbaren Produkten
- mit vielen Kontaktwiederholungen (im Sinne der Lerntheorie)
- unter Verwendung starker emotionaler Reize.

Es erheben sich aber auch kritische Stimmen gegen eine isolierte Betrachtung der beiden Variablen 'Emotion' und 'Kognition'. (COYNE, 1982, S.153-155)
Auch KROEBER-RIEL ist der Ansicht, daß 'das Ganze mehr als die Summe der Einzelteile ist' und erst das Zusammenspiel von Emotion, Kognition und Motivation als Ursache oder Triebfeder der Handlung anzusehen ist. (1984a, S.622)

7. Typen empirischer Wirkungsforschung

Eine von STEFFENHAGEN angeregte **Klassifikation** von Typen empirischer (Werbe-)Wirkungsforschung hat folgendes Aussehen: (1985a, S.192ff)

1) Nach dem Untersuchungszweck
   - o Wirkungsvorschau (Pretest)
   - o Wirkungskontrolle (Posttest)
   - o Vorher - Nachher - Messungen

2) Nach den eingesetzten Methoden
   - o Historische Daten - Experimentelle Daten [1)]
   - o Labordaten - Felddaten
   - o Zeitreihendaten - Objektreihendaten
   - = (Längsschnittanalyse vs Querschnittanalyse)
   - o Befragungsdaten - Beobachtungsdaten

3) Nach wirkungsanalytischen Fragestellungen
   - werbliche Aktivität
   - (Ziel-)Person
   - Situation
   - Wirkungsart

---

1) Unter einem Experiment versteht man einen "planmäßig wiederholbar hervorgerufenen Vorgang, bei dem beobachtet wird, in welcher Weise sich unter Konstanthaltung anderer Bedingungen mindestens eine abhängige Variable ändert, nachdem mindestens eine unabhängige Variable geändert worden ist."(KLAUER (1973, S.29f) zit. nach ROSENSTIEL/EWALD, 1983, S.176)
Experimente gehören in den Begründungs- und Bestätigungszusammenhang wissenschaftlicher Theorienbildung. Sie gelten als besonders strenge Prüfsteine für die Bewährung bzw. Falsifizierung wissenschaftlicher Hypothesen. (ROSENSTIEL/EWALD, 1983, S. 174)
Die systematische Variation der unabhängigen Variablen (UV) durch den Versuchsleiter ist eine notwendige, wenn auch keine hinreichende Bestimmungsgröße des Experiments. Man spricht von einem Quasi-Experiment dann, wenn zwar die UV variiert wird, nicht jedoch in Abhängigkeit von der Willkür des Forschers, sondern nur korrelationsanalytisch.

- o Finale Verhaltensreaktion
  - oo Informationsverhalten
  - oo Kaufverhalten
  - oo Verwendungsverhalten
  - oo Beeinflussungsverhalten
- o dauerhafte Gedächtsnisreaktion
  - oo Wissen
  - oo Einstellungen
  - oo Absichten
- o Momentane Reaktion
  - oo vorbewußte Reizanalyse (Aktualgenese)
  - oo Aktivierung
  - oo kognitiv-emotionale Informationsaufnahme und -verarbeitung

8. Gliederungsgesichtspunkte der Verfahren zur Messung der Werbewirkung

Die häufigsten **Ansatzpunkte** zur Gliederung von Verfahren der Werbewirkungsmessung sind folgende:

- verbale und nicht-verbale Methoden
- apparative und nicht-apparative Verfahren
- Befragung vs Beobachtung
- reaktive und nicht-reaktive Verfahren
- Laborforschung vs Feldforschung
- Zur Überprüfung von statischem vs dynamischem Stimulusmaterial
- Pretest vs Posttest.

Jedes Meßinstrument kann anhand mehrerer der angeführten Unterscheidungsmerkmale beurteilt werden; so stellt etwa die Methode der Aktivierungsmessung ein Verfahren dar, daß sowohl im Pretest als auch im Posttest und zur Überprüfung der Wirkung von statischem oder dynamischem Material eingesetzt werden kann.

Während etwa NEIBECKER Meßverfahren nach den beiden Kriterien verbal/non-verbal und reaktiv/nicht-reaktiv einteilt (vgl. Abbildung 23) stehen bei HOSSINGER der Zeitpunkt der Analyse (ex ante/ex post) und die Art der Werbewirkung (ökonomisch/ psychisch) im Mittelpunkt des Interesses (vgl. Abbildung 24 im Anhang).

Abbildung 23: Einordnung von Meßverfahren

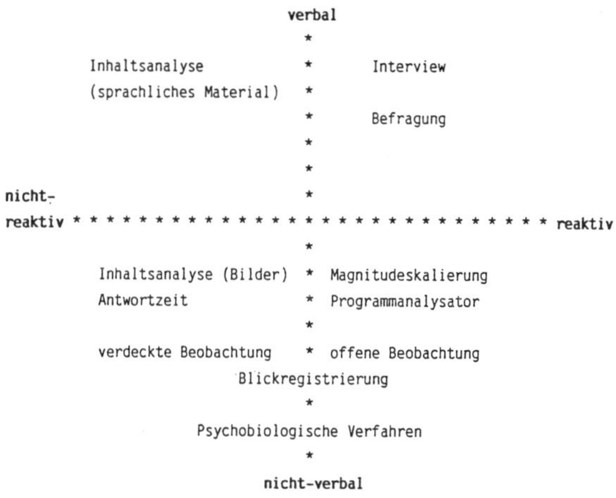

Quelle: NEIBECKER (1985, S.71)

WM

Grundlagen für die Auswahl eines geeigneten Tests sind Überlegungen in Bezug auf

- die Art des Werbemittels,
- das Werbeziel,
- die Fragestellungen für den Test und
- der Kostenrahmen.

(KEITZ, 1987, S.136)

Die Einteilung von Verfahren nach dem Gliederungsgesichtspunkt **verbal/nonverbal** ist nicht ganz trennscharf. So kann zB die Messung von Images sowohl verbal (über Itembatterien) als auch nonverbal über Musikreize oder Bildvorlagen erfolgen.
Im Falle der Aktivierungsmessung hat der Begriff 'verbal' jedoch offensichtlich eine andere Bedeutung: als verbal wird eine Methode der Aktivierungsmessung bezeichnet, die auf der Vorlage von Mustern oder Farben beruht, um sie gegen Apparative Techniken zur (nonverbalen) Erfassung physiologischer Meßgrößen abzugrenzen.
Unter Berücksichtigung des empirischen Teiles dieser Arbeit bleiben die folgenden Ausführungen auf die Diskussion der wichtigsten Werbewirkungskriterien beschränkt:

- **Wahrnehmung**
- **Informationsaufnahme** und
- **Aktivierung.**

8.1. Überprüfung der Wahrnehmungsleistung

Wahrnehmungen sind raumzeitlich organisierte Abbildungen der Außenwelt, raumzeitlich organisierte Informationsgewinne über die Umwelt, über Erfolge und Mißerfolge des Agierens und Reagierens. (HAJOS, 1972, S.15)
Bei der ersten flüchtigen Wahrnehmung von Werbeanzeigen entstehen unter günstigen Rahmenbedingungen assoziative Verknüpfungen, die in der Regel zunächst sehr schwach und oberflächlich sind. (BEHRENS, 1984, S.698)
Wahrnehmung ist dabei keine unmittelbare Folge einer Stimulation, sondern ein **Prozeß**, der über eine ganze Reihe von Stufen, von denen jede eine ganz bestimmte Menge Zeit zu ihrer Organisation und Durchführung benötigt, abläuft.
Sowohl der Informationsgehalt der Wahrnehmungsobjekte, die Verarbeitungskapazität des jeweils aktiven Aufnahmekanals, die Qualität früherer Erfahrungen des Wahrnehmungssubjekts als auch dessen momentane Bedürfnislage bestimmen Dauer und Qualität dieser verschiedenen Teilprozesse. (MÜHLEN-ACHS, 1978, S.8)

Die Wahrnehmung eines Signals im peripheren Sehbereich hängt einerseits von den biologisch festgelegten Leistungsgrenzen der Netzhautstelle ab, an welcher der Reiz zur Projektion gelangt und andererseits von den physikalischen Reizmerkmalen.
Für jeden Reiz kann man einen peripheren Winkelabstand von der Fovea (Exzentrizität) ermitteln, der mit der Wahrnehmungsschwelle eines definierten Reizes korrespondiert.
Die Isopter (=Netzhaustellen mit gleicher Wahrnehmungsschwelle) trennen zwischen **zentralen und peripheren** Netzhautregionen.
Was Wahrnehmung heißt, hängt von der jeweiligen Definition der visuellen Aufgabe ab, zB Detailsehen, Identifikation des Reizes oder das bloße Erkennen seiner Präsenz. (COHEN, 1987, S.18)

Wie bereits erwähnt, ist die Wahrnehmung eines Phänomens eine notwendige Bedingung für dessen Berücksichtigung in mentalen Verarbeitungsprozessen. Da der Wahrnehmungsvorgang nicht beobachtbar ist, muß daher von Indikatoren auf das Phänomen geschlossen werden. (BÖCKER/SCHWERDT, 1981, S.353)
Im Rahmen der Werbewirkungsforschung wird aus der Gruppe der Verfahren zur Prüfung der Gestaltfestigkeit in der Regel das **Tachistoskop** eingesetzt. (ROSENSTIEL/EWALD, 1983, S.220) [1)]

Eine der wichtigsten Anwendungen des Tachistoskops ist die Überprüfung der **Prägnanz** und der **Figur-Grund-Differenzierung** von Firmenzeichen, Markenzeichen, bzw. von allen gedruckten Werbemitteln. (SCHWEIGER/WIKLICKY, 1985, S.2)
Darüberhinaus kommt es durch die kurzzeitige Präsentation von Stimuli zu ersten **gefühlshaften Anmutungen**, die für die weitere Verarbeitung und Akzeptanz eines Werbemittels von Bedeutung sind. Die Erhebung dieser spontanen Assoziationen wird durch eine (ev. unstrukturierte) Befragung durchgeführt.

---

1) Die Annahme, daß sich Probleme bei der Anwendung dieses Verfahrens insbesondere daraus ergeben, daß 'perceptual speed' (Wahrnehmungsgeschwindigkeit) einen Großteil der Varianz tachistoskopischer Ergebnisse erklärt, kann dann als nicht stichhaltig bezeichnet werden, wenn lediglich ein intrapersoneller Vergleich mit rotierter Reihenfolge der Teststimuli interessiert; in diesem Fall ist dieser Effekt ausgeschaltet.

Zum Einsatz kommen meistens Projektionstachistoskope der Firmen ZAK oder SCHUHFRIED, wie sie häufig auch in der psychologischen Forschung verwendet werden. (vgl. KLIMESCH, 1982, S.481 oder KLIMESCH/FEICHTINGER, 1984)
Ergänzend soll nur auf die Verzahnung der Wahrnehmung mit anderen Variablen hingewiesen werden:
sowohl **Gefühle** (vgl. ROCK, 1985, S.123 zur Anwendung des Rohrschach-Tests) als auch die **Erfahrung** (siehe die folgende Abbildung 25) haben einen großen Einfluß auf die menschliche Wahrnehmung. (ROCK, 1985, S.110)

Abbildung 25: Einfluß von Erfahrung auf die Wahrnehmung

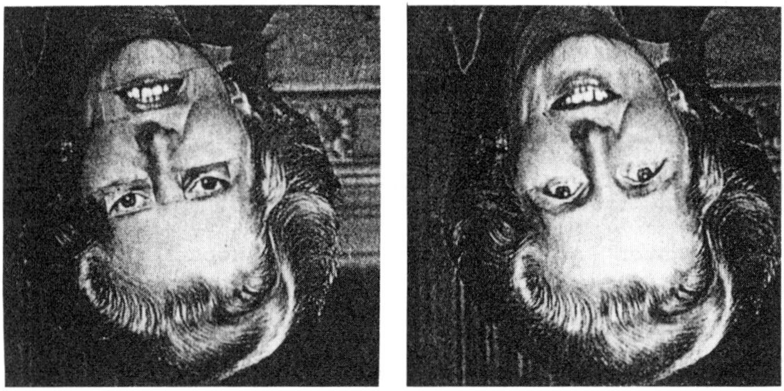

Solange die Photos auf dem Kopf stehen, bemerkt man nicht, wie stark Margaret Thatchers Gesicht bei dem linken, manipulierten Bild verzerrt wurde.

Quelle: ROCK (1985, S.110)

WM

8.2. Überprüfung der Informationsaufnahme

Ein beliebtes Verfahren zur Überprüfung des Informationsverarbeitungsprozesses ist die **Informationsdisplaymatrix.** (vgl. die Experimente zur Verarbeitung werblicher Information von Jacoby, Speller und Kohn (1974); zit. nach ROSENSTIEL/EWALD, 1983).
Bei einer Informationsdisplaymatrix werden die Produktalternativen (Markenzahl) und die Aussagen pro Marke variiert. Bei steigender Informationsmenge stieg in den erwähnten Experimenten die Zufriedenheit mit der getroffenen Markenwahl, während die sachliche Güte der Entscheidung zurückging.
Die Kritik an dieser Vorgangsweise konzentriert sich vor allem darauf, daß für die Kaufentscheidung die Information pro Produkt entscheidend ist und daher die Informationsmenge, definiert als Informationsmenge pro Produkt x Produktalternativen, inadäquat erscheint. Weiters ist die Informationsdarbietung im Labor äußerst abstrakt und realitätsfern, so daß die externe Validität fraglich erscheint. (ROSENSTIEL/EWALD, 1983, S. 231)

Bestätigt werden konnte die bevorzugte Aufnahme von '<u>Schlüsselinformationen</u>' (Preis, Markenname, Warentesturteil oder das Urteil von Meinungsführern) sowie das Phänomen des **'information overload'**: Bei eingeschränkter Informationsmenge sinkt die Entscheidungszufriedenheit, während die Entscheidungsqualität steigt. (ROSENSTIEL/EWALD, 1983, S.232)
Auf das wichtigste Instrument zur Erfassung der Informationsaufnahme und -verarbeitung, nämlich auf die Methode der Blickregistrierung wird ausführlich in Kapitel 10 eingegangen.

8.3. Überprüfung der Aktivierungsleistung

Als Wirkungskriterium wird sehr häufig nicht nur die Aufnahme, Verarbeitung und Speicherung werblicher Informationen herangezogen, sondern auch die aktivierende Wirkung. Im günstigsten Fall führt Aktivierung direkt zum Kaufverhalten, zB beim Spontankauf durch Displaymaterial am Point-of-Sales (POS). (ROSENSTIEL/EWALD, 1983, S.233)
Eine Aktivierung des Konsumenten ist aber auch deshalb von Interesse, weil sie die Prozesse der Aufnahme, Speicherung und Verarbeitung von Informationen nachhaltig beeinflußt.
Seit Yerkes und Dodson (1908) wird angenommen, daß zwischen dem Grad der Aktivierung und den psychischen Funktionsleistungen eine kurvilineare Beziehung in Form einer **umgekehrten U-Funktion** besteht: bei mittlerer Aktivierung sind die Funktionsleistungen (Wahrnehmung, Gedächtnis, etc) am besten. (DAVIES, 1983, S.20)
Als Reaktion auf Werbemaßnahmen wird höchst selten eine extreme Aktivierung eintreten; ein Leistungsabfall nach Überschreiten eines Aktivierungsoptimums konnte deshalb auf diesem Gebiet noch nicht bestätigt werden, obwohl ein Auftreten des Phänomens vor allem im Bereich des **'Social Advertising'** bei Verwendung angsterregender Appelle grundsätzlich denkbar scheint. (ROSENSTIEL/EWALD, 1979, Bd. II, S.140 zit. nach BÄNSCH, 1983, S.16)

Eine lang andauernde Diskussion zwischen Anhängern einer Typologisierung unterschiedlicher Emotionen (IZARD) mit Vertretern einer Linie, die der Meinung sind, daß Emotionen auf einem bipolaren Kontinuum zwischen zB stark und schwach oder angenehm und unangenehm (SCHLOSBERG) einzuordnen sind, führt bei Betrachtung des neurochemischen Systems zu dem Schluß, daß beide Aspekte ihre Berechtigung haben: (BUCK, 1984, S.86/87)
Das **Retikularsystem** variiert in der Intensitätsdimension, während der **Hypothalamus** und das **Limbisches System** Zentren unterschiedlicher emotionaler Zustände wie Furcht, Ärger oder Freude sind.

Die Differenzierung der wesentlichen Basisgefühle mit peripher-autonomen Maßen allein (HR, EDR, Blutdruck, Hauttemperatur) bereitet nach wie vor Schwierigkeiten. (BIRBAUMER, 1983, S.49) Sprachliche Methoden leisten in vielen Anwendungsfällen insbesondere bei der **qualitativen** Differenzierung von Emotionen wertvolle Dienste. (DEBUS, 1983, S.95)
Verbale Methoden werden aber nicht nur als Ergänzung, sondern auch zur Validierung physiologischer Verfahren, zB der Elektrodermalen Reaktion, herangezogen; eine Vorgangsweise, die nicht unproblematisch ist, aber in Ermangelung eines validen Außenkriteriums nicht anders lösbar scheint. (vgl. HOSSINGER, 1982, S.117ff insbes. Abb. 15)

Die **Interkorrelation** der verschiedenen Meßverfahren innerhalb und zwischen den (Meß)-Ebenen (Physiologische Messung, self report oder Beobachtung) ist meist gering, was zum Teil an der nur mäßigen Reliabilität der physiologischen Verfahren liegen mag, aber wohl stärker noch daran, daß für die Variation der einzelnen in den Meßverfahren erfaßten Reaktionen im Zeitablauf unterschiedliche Erregungsverläufe gelten. (BIRBAUMER (1975) zit. nach ROSENSTIEL/EWALD, 1983, S. 234)

Wie umfangreich die Palette an emotionalen Empfindungen ist zeigt eine Studie, in der 60 Apn mehr als 100 verschiedene Gefühlsbegriffe reproduzierten. Wie aus Tabelle 3 hervorgeht, wurden lediglich 20 Begriffe von mehr als 12 % der Stichprobe genannt. (MARX, 1982, S.140) [1]

1) Die Ähnlichkeitsmatrix zwischen jeweils 2 Items wurde als Ausgangspunkt für eine nonmetrische multidimensionale Skalierung (NMDS/MINISSA-Lösung) herangezogen. Für die euklidsche Metrik wurde aufgrund des Ellenbogenknicks bei Dimension 2 eine zweidimensionale Konfiguration als optimale Lösung gewählt. (MARX, 1982, S.142)

Tabelle 3: 20 am häufigsten genannte Gefühlsbegriffe

Liebe	.90	Gleichgültigkeit	.23
Haß	.82	Zärtlichkeit	.23
Trauer	.68	Sehnsucht	.20
Freude	.62	Mitleid	.17
Angst	.53	Hoffnung	.17
Wut	.47	Aggression	.17
Zuneigung	.37	Ekel	.15
Einsamkeit	.30	Eifersucht	.15
Schmerz	.27	Zufriedenheit	.13
Ärger	.25	Neid	.12

Quelle: MARX (1982, S.140)

WM

Eine Interpretation der Dimensionen als **'Lust/Unlust'** bzw. **'Aktivation'** konnte im Rahmen einer empirischen Nachprüfung bestätigt werden: 30 Vp reihten die 20 Items auf je einer Lust/Unlust- bzw. Aktivations-Skala. Zwischen den Einschätzungen und den Werten der 1. bzw. 2. Dimension ergaben sich hohe multiple Korrelationen. (MARX, 1982, S.143)
(vgl. Abbildung 26)

In einer anderen Studie wurden von TRAXEL bei der Auswertung der Ähnlichkeitsbeurteilung von 60 Emotionsbegriffen, **zwölf** voneinander relativ unabhängige **Klassen von Emotionen** festgestellt. (1983, S.23)

Abbildung 26: Zweidimensionale euklidische MINISSA-Lösung

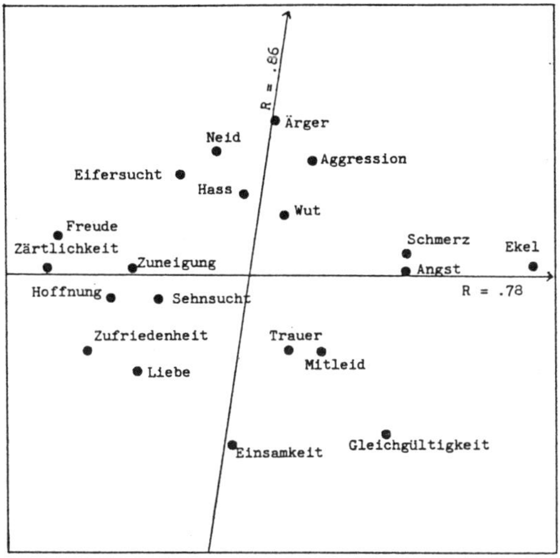

Quelle: MARX (1982, S.143)

Nach der Theorie von PLUTCHIK gibt es lediglich **acht** 'Primäre Emotionen':

Abbildung 27: Primäre Emotionen nach PLUTCHIK

Quelle: ZEITLIN/WESTWOOD (1986, S.37)

Häufig treten Emotionen als **'Sekundäre Emotionen'** auf d.h. es

sind zwei oder mehrere Emotionen miteinander vermischt. So ist zB. 'Bestürzung' ein Zustand der 'Überraschung', der mit 'Angst' gekoppelt ist. 'Sorge' ist die 'Erwartung' oder das Vorausahnen von Ereignissen, die 'Furcht' erzeugen.
In der Studie von ZEITLIN und WESTWOOD wurde den Apn eine Testbatterie von 40 Items vorgelegt, die anhand einer 5-stufigen Skala zu beurteilen war. [1)] (1986, S.39)
In einer weiteren Studie sollten acht Emotionskategorien, die durch jeweils 3 Eigenschaften repräsentiert waren, anhand einer 7-stufigen Skala auf ihre Eignung zur Beschreibung des eigenen Gefühlszustands bei Betrachten eines Films überprüft werden. [2)]

---

1) Jede primäre Emotionsdimension ergab sich als gewichtete Kombination von drei oder vier einzelnen Items, standardisiert zwischen 0 und 100.
Die Beurteilung eines durchschnittlichen TV-Spots (bei insgesamt 54 getesteten Spots) beschränkte sich lediglich auf drei dieser 8 Faktoren:
'joy', **'acceptance'** und **'anticipation'** .
Vielleicht mit ein Grund, warum es immer schwieriger wird, neue Ideen zu kreieren bzw. sich im 'Konzert aller Marken' Gehör zu verschaffen.
Zu unterscheiden sind grundsätzlich emotionale Reaktionen
- dem Produkt gegenüber
- der Werbung selbst gegenüber

wobei zu beachten ist, daß Konsumenten eine Werbung nicht unbedingt 'mögen' müssen, damit sie wirkt. (ZEITLIN/WESTWOOD, 1986, S.34)

2) Eingesetzt wurde die sog. DES Skala (Differential Emotions Scale). (vgl. HAMPEL (1977); zit. nach REISENZEIN/GATTRINGER (1982)) In der deutschsprachigen Literatur lautet die Abkürzung SES für Stimmungs-Einschätzungs-Skala.
Die Erhebung der durch Filmsequenzen ausgelösten 'feelings' erfolgte mittels folgender Anweisung:
"Es interessiert uns, welche Gefühle durch die Szenen bei Ihnen ausgelöst werden. Deshalb sollte ihre Beurteilung die emotionale Wirkung des jeweiligen Segments auf Sie ausdrücken, und nicht ihre Stimmung ausgelöst durch das Wetter oder persönliche Probleme. Die Personen unterscheiden sich in ihrer Emotionalität. Es interessiert uns, welche Gefühle durch die Szenen bei Ihnen ausgelöst werden, und nicht wie sie glauben, daß sie empfinden sollten oder wie sie glauben, daß andere empfinden." (McHUGO/SMITH/LANZETTA, 1982, S.370)

In einer weiteren Studie stuften 102 Vp verbal zu 6 Paaren von semantisch ähnlichen Emotionen (zB Freude, Angst, Ärger, Wut, Traurigkeit, Scham) die Intensität von 7 Körpersymptomen ein. (SCHMIDT-ATZERT/KUTSCHER/ REIZAMMER, 1983, S.458)
Eine clusteranalytische Auswertung bestätigte, daß semantisch ähnliche Emotionen ein relativ ähnliches Körpersymptommuster aufwiesen, während sich die semantisch unähnlichen Emotionen in diesem Muster deutlich voneinander unterschieden. [1]
(vgl. die Abbildungen 28 und 29)

Abbildung 28: Clusteranalyse von 12 Symptomprofilen

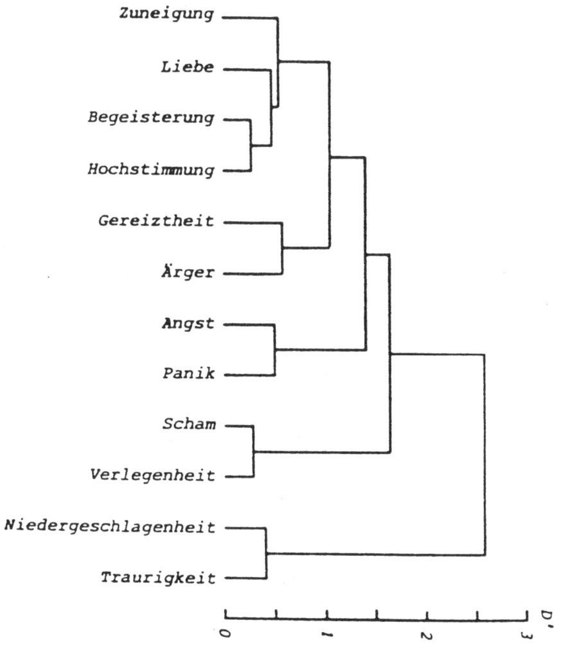

Quelle: SCHMIDT-ATZERT/KUTSCHER/REIZAMMER (1983, S.466)

1) Kritisch anzumerken ist, daß zwar die Verbalzuordnung von Körperzuständen oder Körperreaktionen diskriminiert, aber die Auswirkungen von Stimuli (insbes. von Werbeimpulsen) auf den emotionalen Zustand aus der Sicht der Apn ungleich schwieriger auszudrücken ist. Aus dieser doppelten Aufgabenstellung resultiert eine Überforderung der Probanden.

Abbildung 29: Symptomprofile der jeweils zu einem Cluster gehörenden Emotionen

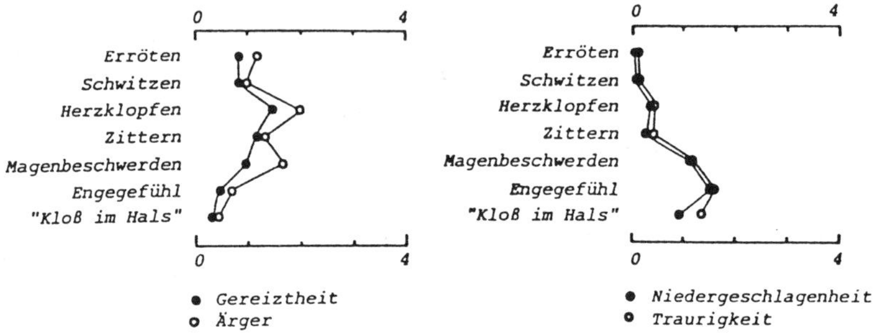

Quelle: SCHMIDT-ATZERT/KUTSCHER/REIZAMMER (1983, S.468)

WM

Die Autoren folgern daraus, daß einerseits mit dem Erleben von Emotionen auch die Wahrnehmung bestimmter Körpersymptome verbunden ist und andererseits aufgrund dieser Ergebnisse auch die heute populärste Emotionstheorie von **SCHACHTER & SINGER** in Frage gestellt werden könnte. In dieser Theorie wird postuliert, daß der Grad der körperlichen Erregung für die Intensität einer Emotion verantwortlich ist. Die Qualität einer Emotion, also ob es sich beispielsweise um Freude oder Ärger handelt, ergibt sich alleine aus der vermeintlichen Erregungsursache. (SCHMIDT-ATZERT/KUTSCHER/REIZAMMER, 1983, S.470)

Wenn die Wahrnehmung der eigenen körperlichen Reaktion tatsächlich kausal an der Entstehung einer Emotion beteiligt ist, und wenn außerdem die körperliche Reaktion je nach äußerem Anlaß qualitativ sehr verschieden sein kann, ergibt sich eine neue Perspektive. Erfährt durch diese Befunde, die alte JAMES-LANGE-Theorie wieder eine Renaissance? Vielleicht bezeichnen wir unseren Zustand als Scham oder Verlegenheit, wenn wir merken, daß wir erröten oder sprechen wir von Angst, wenn wir Herz-klopfen, Schwitzen und Zittern wahrnehmen?

Auch SHIELDS (1984) untersuchte die Rolle von **wahrgenommenen Körperveränderungen** und stellte fest, daß sich Self-reports von physiologischen Symptomen, die mit 'Angst', 'Traurigkeit' und 'Ärger' verbunden sind, in qualitativer und quantitativer Hinsicht unterscheiden. Personen unterscheiden zwischen diesen drei Emotionen hinsichtlich der Stärke, Anzahl und Art von Symptomen, von denen sie annehmen, daß sie Muster von physiologischen Veränderungen charakterisieren. (SHIELDS, 1984, S.15)

Quantitative Unterschiede zeigen sich in einer signifikant stärkeren Wahrnehmung von Symptomen bei 'Angst' im Vergleich zu 'Traurigkeit' und 'Ärger', die beide ähnlich beurteilt werden. **Qualitative** Unterschiede zeigen sich darin, daß 'Angst' und 'Ärger' ähnliche Symptome aufweisen, sich aber von 'Traurigkeit' unterscheiden. (vgl. Tabelle 4 im Anhang)

MEYER-HENTSCHEL stellt 'schwerdurchschaubare' (verbale) Verfahren zur Erhebung des Aktivierungspotentials von Werbemittel vor: (1983, S.89)

- Aktivierungsprofil
- Farbzuordnung
- Musterzuordnung.

Bei der Erhebung mittels **Aktivierungsprofil** werden den Apn zehn Items, die auf drei Dimensionen laden, vorgelegt, mit der Bitte, diese auf Anzeigen zuzuordnen: 1)

kognitive	**intensive Dimension**	**emotionale**
ungewöhnlich	dynamisch	schön
alltäglich	unruhig	abstoßend
durchschnittlich	lebendig	
	leblos	
	ermüdend	

1) In einer Studie von NEIBECKER wurde die ursprüngliche Liste auf sechs relevante Items reduziert: (1985, S.132)
- alltäglich
- durchschnittlich
- ermüdend
- leblos
- dynamisch
- lebendig.

Bei der Methode der **Farbzuordnung** werden die Apn gebeten, fünf Farben auf Anzeigen zuzuordnen, je nachdem, "wie intensiv die Anzeige auf Sie wirkt!": (MEYER-HENTSCHEL, 1983, S.92)

- dunkelrot
- rötlich-orange
- orange
- dunkelgrün
- blau

Im Rahmen der **Musterzuordnung** werden fünf Muster unterschiedlicher Intensität (eigentlich: Komplexität; vgl. Abbildung 30) auf Anzeigen zugeordnet. (MEYER-HENTSCHEL, 1983, S.94) [1]

Abbildung 30: Die Muster des Musterzuordnungsverfahrens

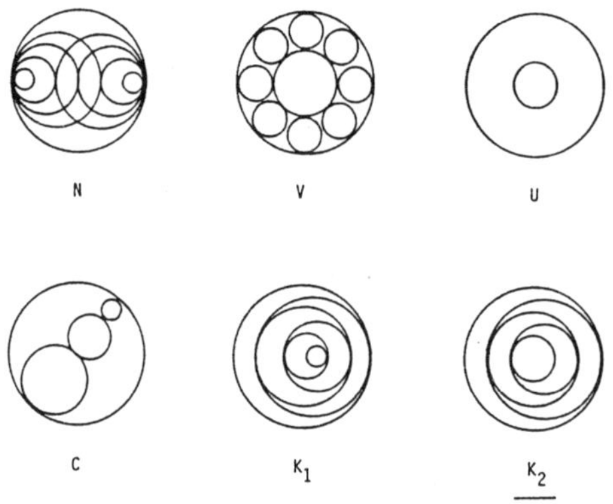

Quelle: MEYER-HENTSCHEL (1983, S.94)

WM

1) Das Muster K1 erwies sich als nicht besonders prägnant und wurde wegen mangelnder Diskriminierungsfähigkeit in weiterer Folge durch K2 ersetzt.

MEYER-HENTSCHEL konnte auch empirisch nachweisen, daß sowohl das **Akzeptanzbedürfnis** als auch das **soziales Potential** der Anzeigen die verbale Einstufung des Aktivierungspotentials von Stimuli beeinflussen. (1983, S.138) (vgl. Abbildung 31)

Abbildung 31: Einfluß von sozialem Potential und Akzeptanzbedürfnis auf das Aktivierungspotential

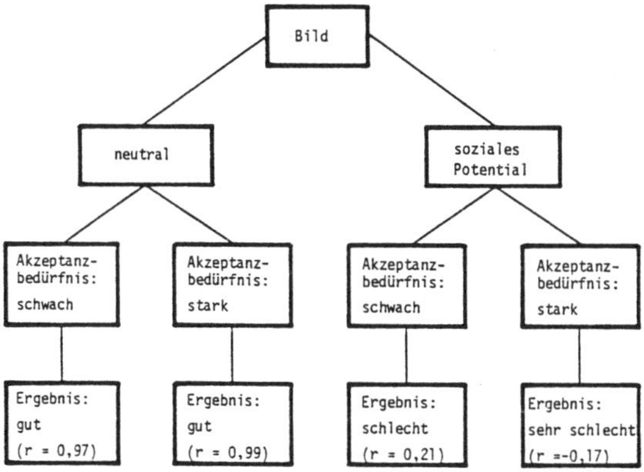

Quelle: MEYER-HENTSCHEL (1983, S.141)

WM

MEYER-HENTSCHEL schlägt den Einsatz apparativer Verfahren der Aktivierungsmessung (EDR) bei hohem sozialen Potential von Anzeigen und/oder bei einer hohen Anforderung an den Genauigkeitsgrad der Ergebnisse vor.

Abschließend soll noch auf die 'ereignissimultane Erhebung' erlebter Gefühlsverläufe mittels Handhebel von VEHRS und ZSCHUPPE hingewiesen werden. (1982, S.505) Die beiden Autoren berichten von einer 'guten Übereinstimmung zwischen den psychologischen und den physiologischen Verlaufs-charakteristika'. (Zum Funktionprinzip des Handhebels vgl. Abbildung 32 im Anhang)

1) Der Hebel ist um jeweils 5 cm (!) stufenlos nach vor und zurück verstellbar und wird durch eine Feder immer in die Mittelposition geholt. Der Stichprobenumfang betrug lediglich 10 Personen.

Die berechtigte Frage, ob es nicht zu Artefakten bei der physiologischen Messung (ähnlich wie bei Körperbewegungen) kommt, wenn der Handhebel bewegt werden muß, wird von den beiden Autoren verneint. Nach einer Eingewöhnungsphase (10 bis 20 Einstellungen) kam es "zu keinen erkennbaren Veränderungen der elektrodermalen Aktivität." (VEHRS/ZSCHUPPE, 1982, S.508)
Es wurde weiters auch die Frage überprüft, wie genau der Hebel Skalenstufen widergibt und die Hebelbewegungen mit einer 9, 7 und 5 stufigen Skala verglichen: [1] (VEHRS/ZSCHUPPE, 1982, S.510/511)
Die größte Präzision wurde im Vergleich mit einer 5-stufigen Skala erzielt:

9-stufige Skala: 5% Fehler
7-stufige Skala: 3.5% Fehler
5-stufige Skala: unter 1% Fehler

Bei einem Verhältnis von 65 % gleichsinnigen zu 35 % gegenläufigen Relationen wird die Hypothese, daß ein positiver Zusammenhang zwischen Hebelreaktion und Veränderung des Hautwiderstands besteht, angenommen.

8.4. Überprüfung der Gedächtnisleistung

Die Beschreibung von kognitiven Prozessen in der verhaltensorientierten Absatztheorie konzentriert sich vor allem auf das Denken. (KROEBER-RIEL, 1972a, S.19)
Das menschliche Gehirn ist so ausgelegt, daß es aus der Vielfalt der Ereignisse vor allem diejenigen auswählt, die für den Organismus subjektiv am bedeutungsvollsten sind. Für den Organismus ist es von vitaler Bedeutung, zu einer möglichst raschen, inhaltlichen Bestimmung der Reize zu gelangen. (JÜTTNER, 1981, S.603)

1) Die Ergebnisse basieren auf einer Handauswertung von zwei (!) der insgesamt sechs mittels Polygraphen aufgezeichneten Meßkurven. (VEHRS/ZSCHUPPE, 1982, S.511)

Je besser und schneller dies von ihm erreicht werden kann, um so erfolgreicher wird er sich in einer rasch wechselnden und verändernden Umwelt anpassen und behaupten können, indem er zB für ihn irrelevante Reize nicht weiter beachten muß.
Die Zeit, die zur Aktivierung (Rekognition) dieser Gedächtnisstrukturen benötigt wird, hängt nicht davon ab, über welche Sinnesmodalität der Organismus die zu rekognizierenden Stimuli zuvor aufgenommen hat und über welche Sinnesmodalität die Rekognitionsleistung initiiert wird. (JÜTTNER, 1981, S.607)

Zur Überprüfung der Gedächstnisleistung werden meist Recall- und **Recognition**-Messungen durchgeführt. Folgende Formen können unterschieden werden:

- **unaided Recall**: es erfolgt entweder eine zeitliche Stützung ("Im Zeitraum von - bis") oder eine Stützung durch die Ausgabe einer Zeitschrift)
- **aided Recall**: unterschiedliche Stützungen sind möglich; am gebräuchlichsten ist die Vorgabe von Produktgruppen oder Marken [1)]
- **'related recall'**: Prozentsatz jener Personen, die den Spot erinnern und dies anhand eines charakteristischen Merkmals beweisen. (STEWART, 1986, S.45)
- **recognition:**
    - o Ja/Nein-Entscheidung: durch Einzelvorlage der Anzeigensujets, meistens unter Einbau von 'dummies' (also Stmuli, mit denen die Apn nicht konfrontiert war)
    - o Forced Choice: 2 oder mehr Alternativen werden zur gleichen Zeit vorgelegt (wieder inklusive Ablenkungsreize)
    - o Batch-Testing: alle Vorlagen (inkl. dummies) werden gleichzeitig präsentiert. (SINGH/ROTHSCHILD, 1983, S.271 und MEYER-HENTSCHEL, 1983, S.15)

1) Es handelt sich eigentlich um eine Mischform zwischen Recall und Recognition (ROSENSTIEL/EWALD, 1983, S.226/227).

Auch im Zusammenhang mit Gedächtnisleistungen sollte zwischen Bild- und Textelementen unterschieden werden. So bestätigen etwa Experimente von BARG einen Zusammenhang zwischen Aktivierung und Bilderinnerung, indem stärker aktivierende Bilder besser erinnert werden, während für die Erinnerung von Texten kein positiver linearer Zusammenhang, sondern ein u-förmiger Zusammenhang nachgewiesen wurde. (BARG, 1977, S.137)
(vgl. die Abbildungen 33a und 33b)

Abbildung 33a: Zusammenhang zwischen Aktivierung und Bilderinnerung (Anzahl der Erinnerungen)

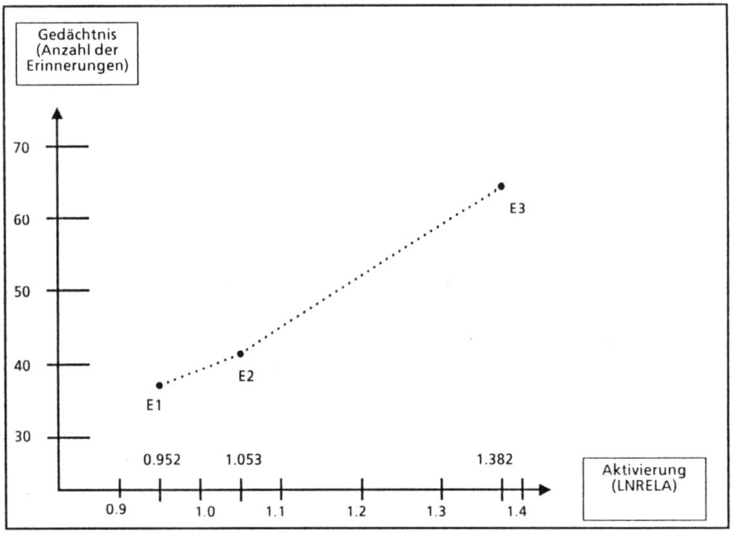

Quelle: BARG (1977, S.134)

WM

Abbildung 33b: Zusammenhang zwischen Aktivierung und Texterinnerung (Anzahl der Erinnerungen)

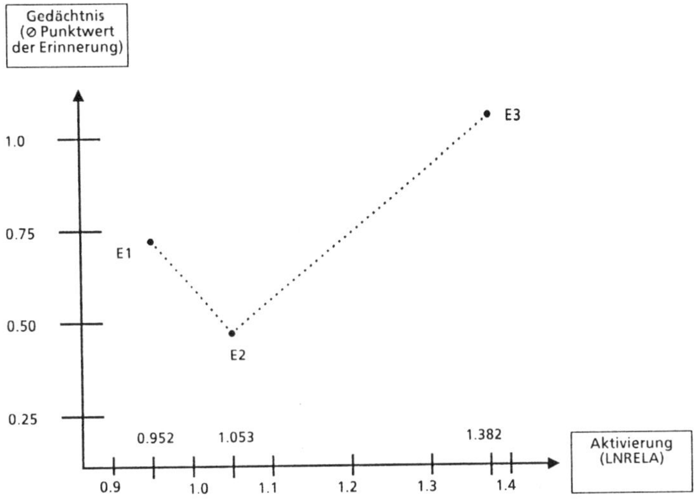

Quelle: BARG (1977, S.136)

WM

Als mögliche Begründung führt BARG an, daß Störeffekte, wie zB eine zu geringe inhaltliche Übereinstimmung von aktivierendem Bild und textlicher Umfeldinformation, auftreten und dadurch der Ausstrahlungseffekt nicht voll wirksam wird. (BARG, 1977, S.138) Es kann sogar angenommen werden, daß die unzureichende inhaltiche Integration zu einer 'partiellen internen Vergessensanweisung' für die Textelemente führt. (vgl. auch BEHRENS, 1976, S.31 zit. nach BARG, 1977)

Bilder weisen im Vergleich zu Wörtern um durchschnittlich 23 % mehr Objektmerkmale auf und haben einen merkmalsreicheren semantischen Code als Wörter. Dadurch ergeben sich für Bilder auch kürzere Reaktionszeiten bei der Zuordnung zu Oberbegriffen. (siehe Abbildung 34)

Abbildung 34: Durchschnittliche Reaktionszeiten für die Zuordnung von Bild- und Wortreizen auf Oberbegriffe

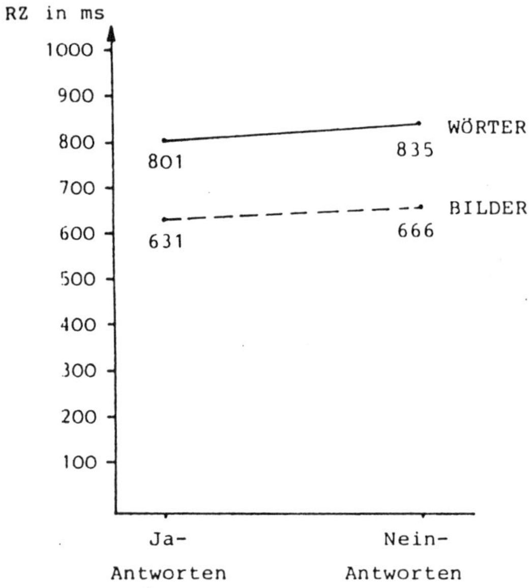

Quelle: KLIMESCH/FEICHTINGER (1984, S.67)

WM

Bei der oben erwähnten Trennung zwischen Bild und Text ist zu berücksichtigen, daß ein großer Teil der Erinnerung in Form von inneren Bildern festgehalten wird. Die gedankliche Entstehung, Verarbeitung und Speicherung von inneren Bildern wird als 'Imagery' bezeichnet. Es handelt sich um 'nicht-verbale' Verarbeitungsvorgänge im Menschen.
(KROEBER-RIEL, 1986b, S.81)

BEHRENS (1976) geht von einem dreistufigen Gedächtnis-Modell aus und unterscheidet drei verschiedene Speichereinheiten:
(zit. nach TÖLLE, 1983, S.132)

1. **Sensorischer Speicher** (Ultrakurzzeitspeicher od. ikonisches Gedächtnis): max. 1 sec; erfaßt Sinneseindrücke
2. **Kurzzeitspeicher** (KZS): Arbeitsspeicher; seine Verarbeitungsgrenze liegt bei 7 Informationseinheiten
3. **Langzeitspeicher** (LZS) ist gegliedert in:
   - Identifikationsspeicher (zB Marken)
   - Eigenschaftsraum (Itemzuordnung)
   - Programmspeicher (Entscheidungsregeln)

Zu **Vergessenseffekten** im LZS kommt es durch
- einen Verfall im Zeitablauf oder
- Interferenzerscheinungen, d.h. Überlagerung durch neugelernte und ev. konkurrierende Informationen.

(TÖLLE, 1983, S.136)

Die von BAGOZZI und SILK für einige, wenige Studien ermittelten Behaltensraten, sprechen für die Annahme einer exponentiellen Vergessenskurve: (1983, S.122)

BAGOZZI (PARM-Daten):	0.85
LODISH (1971):	0.75
ZIELSKE/HENRY (TV-Spots 1980):	0.9

Die Teilmenge der zu einem bestimmten Zeitpunkt überschwellig aktivierten, also handlungsrelevanten kognitiven Elemente bildet den Kurzzeitspeicher (KZS). (RÖSLER, 1982, S.84)
Der KZS ist also nicht wie in älteren Informationsverarbeitungsmodellen eine strukturell vom Langzeitspeicher zu unterscheidende Einheit, vielmehr ist der KZS als ein **zeitlich begrenzter** Zustand kognitiver Elemente des LZS zu verstehen.

Die den KZS bildende Teilmenge der kognitiven Elemente ist nicht mit den kognitiven Elementen gleichzusetzen, die dem momentanen Bewußtsein zugänglich sind, die also das Zentrum der Aufmerksamkeit bilden. Im Kurzzeitgedächtnis befinden sich jene Informationen, die gerade verarbeitet werden.
Wenn eine Botschaft unbekannte Informationen enthält und keine Zeit zum Wiederholen bleibt, ist die kognitive Reaktion auf diese Botschaft durch die Kapazität des Kurzzeitspeichers beschränkt. (CALDER, 1978, S.631)

Zur Begründung von **Kapazitätsengpässen** im Arbeitsspeicher existieren zwei unterschiedliche Ansätze: (DAVIES, 1983, S.27)

- (undifferenzierte) Kapazitätstheorie geht von einer beschränkten Kapazität im Arbeitsspeicher aus
- 'multiple resources'- Standpunkt; unterschiedliche Strukturen sind zu unterschiedlichen Zeitpunkten oder in unterschiedlichen Hemisphären in ihrer Kapazität überfordert

Empirische Befunde sprechen eher gegen die Theorie des limitierten Speicherplatzes. (DAVIES, 1983, S.28)

Zu unterscheiden ist auch zwischen dem Gedächtnis, das Informationen über ganz bestimmte Erlebnisse, die jemand gemacht hat, speichert und dem Gedächtnis, das allgemeines Wissen über die Welt enthält.
Die erste Gedächtnisform nannte TULVING (1972) **'episodisches Gedächtnis'**, die zweite Form bezeichnete er als **'semantisches Gedächtnis'**. (zit. nach: FRIESTAD/THORSON, 1986, S.111-116)

Beim Betrachten von TV-Spots kommt es zu einem episodischen Verarbeiten auditiver und visueller Stimuli. Es gibt Hinweise für die begründete Annahme, daß Ereignisse/Szenen, die von Personen im Zustand emotionaler Erregung wahrgenommen werden, stärkere episodische Spuren hinterlassen, als Erfahrungen ohne Erregung. Emotionale Botschaftsinhalte haben auch einen positiven Effekt auf das Langzeitgedächtnis. (FRIESTAD/THORSON, 1986, S.115)
Ein zweiter wichtiger Aspekt ist die direkte Unterstützung des Gedächtnisse durch die Form der Encodierungsanweisung.

1) **Episodisches** Encodieren: Die Personen wurden lediglich instruiert, sich das Material sorgfältig anzuschauen; diese Instruktion äußerte sich in besseren Erinnerungsleistungen als die
2) **Semantische** Encodierung, bei der die Probanden aufgefordert wurden, das gezeigte Material danach zu beurteilen, wie sehr es geeignet sein könnte, die eigenen Meinungen und Gedanken zu beeinflussen.

Wenn wir uns an etwas zu erinnern suchen, möchten wir in der Regel aus ein paar bruchstückhaften Hinweisen den vollständigen Sachverhalt rekonstruieren. Dies ist der klassische Fall einer **Mustervervollständigung.** Die neuronale Gesamterregung stabilisiert sich in dem Muster, das der Erinnerung entspricht, die am besten zu den vorgegebenen Bruchstücken paßt. (PALM, 1988, S.61)
Besondere Beachtung verdient die **duale Kodierungstheorie** von PAIVIO. Nach dieser Theorie existieren zwei funktional von einander unabhängige, aber teilweise miteinander in Kontakt stehende Kodierungssysteme: ein <u>imaginales</u> und ein <u>verbales</u> System. (THIEL/EYE, 1986, S.501)

Das **imaginale System** spricht bevorzugt auf nonverbale Umweltreize an und ermöglicht die mentale Vergegenwärtigung von Sachverhalten. Es liegt die Annahme zugrunde, daß sich Wahrnehmung und Erinnerung derselben (mentalen) Strukturen bedienen.
Das **verbale System** ist für die Repräsentation und Verarbeitung linguistischer Informationen zuständig. Verarbeitung meint dabei sowohl die Interpretation als auch die Produktion von Sprache. Die beiden Systeme sollen unabhängig von einander arbeiten können, gleichzeitig wird aber die Möglichkeit einer Kontaktaufnahme zwischen ihnen betont. (THIEL/EYE, 1986, S.502)

Mit zunehmender Konkretheit des zu verarbeitenden sprachlichen Materials erhöht sich die Wahrscheinlichkeit, daß nicht nur das verbale, sondern auch das imaginale Kodierungssystem aktiviert wird. Eine duale Kodierung stellt eine günstige Voraussetzung für gute Behaltensleistungen dar, da bei einem Abrufversuch zwei potentielle Zugriffsmöglichkeiten für die fraglichen Informationen bestehen.

PAIVIO konnte zeigen, daß durch die Aktivierung bildhafter Vorstellungen (Imaginationen) zu verbalem Lernmaterial, die Behaltensleistung erheblich gesteigert wird. Auch die Aktivierung motorischer Komponenten (durch die symbolische Ausführung einzuprägender Tätigkeitsbezeichnungen) hatte ebenfalls eine beträchtlich leistungssteigernde Wirkung auf das Behalten und Erinnern. Eine unspezifische motorische Aktivierung hingegen löste, gemessen am Wiedererkennen verbalen Lern-materials, nicht den leistungssteigernden Effekt aus. (SCHAAF, 1988, S.298)
Soweit der **Recall** als diagnostisches Maß eingesetzt wird und nicht als evaluatives Maß mißbraucht wird, spiegelt er direkt nur das **verbale Gedächtnis** wider; das visuelle Gedächtnis wird dagegen lediglich indirekt und unvollständig wiedergegeben. Durch Messung des inneren Bildes erhält man ein zusätzliches Maß für das visuelle Gedächtnis. (KROEBER-RIEL 1986b, S.93)

Auch die **Bildhaftigkeit** des Lernmaterials hat einen Einfluß auf den Erinnerungsprozeß. So werden hoch bildhafte Wörter weitaus häufiger reproduziert. (MECKLENBRÄUKER, 1984, S.124)
Für die Erinnerung ist es auch nicht so wichtig, wann, wie oft und wie lange zB die Elemente einer Anzeige angesehen werden. Durch entsprechende Anzeigengestaltung (Plazierung, Form, Größe, etc.) ist dafür zu sorgen, daß die Teile der Anzeige, an die sich der Umworbene erinnern soll, überhaupt fixiert werden. (LEVEN, 1983, S.25)

Konsistente Befunde sprechen dafür, daß Informationen, die über Bilder kommuniziert werden, besser erinnert werden, als Informationen, die verbal übermittelt werden. (STERNTHAL/CRAIG, 1982, S.306)
Noch besser ist die Recall-Leistung, wenn die Information durch Bilder **und** verbale Statements vermittelt wird. Allerdings nur unter der Voraussetzung, daß bildliche und verbale Informationen miteinander in Beziehung stehen. Eine **Integration** von Bild und Text ist für die Werbewirkung (Erinnerung) von großer Bedeutung. Falls es zu keiner Integration kommt, ist der Recall schlechter im Vergleich zu rein verbal vermittelten Informationen. Als Begründung wird angeführt, daß bildliche Darstellungen mehr Gedanken hervorrufen als verbale Bezeichnungen. Ein Reiz, der sowohl verbale als auch bildliche Darstellungen enthält, wird sequentiell gespeichert. Zuerst wird die bildliche Information im Langzeitgedächtnis gespeichert. In der Zwischenzeit wird der verbale Teil im Kurzzeitgedächtnis abgelegt. (STERNTHAL/CRAIG, 1982, S.307)
Studien zur Blickregistrierung haben gezeigt, daß die Fixations- oder Gazehäufigkeit von Textpassagen, nur mit dem Dechiffrieren der Anzeige zusammenhängt und somit keinen Indikator für die Erinnerung darstellt. (LEVEN, 1983, S.21/22)

8.5. Kombination verschiedener Verfahren

Als Überleitung zur Diskussion zweier apparativer Verfahren, sei zum wiederholten Male daraufhingewiesen, daß sich diese Verfahren keineswegs als Ersatz, sondern lediglich als Ergänzung verbaler Methoden verstehen. Die folgende Aufstellung von Originalzitaten soll nur einen kleinen Überblick über die weitverbreitete Forderung nach Kombination unterschiedlicher Methoden bieten.

"Es ist klar, daß eine **Meßbatterie viele verschiedene Maße** enthalten muß, und daß einige der derzeit favorisierten Erhebungsmethoden nicht unbedingt die selektivsten Maße sein müssen." (GROSSMAN, 1973, S.277)

"Gerade weil keine Testmethode alles leistet, sollte man die **Methoden kombinieren.** Das gilt sowohl für die Befragung als auch für apparative Tests." (KEITZ, 1986b, S.227f)

"Andererseits stellt aber diese Versuchsanordnung (Die **Verknüpfung von Tachistoskop mit Aktivierungsmessung;** Anm. d.Verf.) einen Weg dar, die Prägnanz eines Werbemittels in Verbindung mit der von diesem Werbemittel ausgehenden Aktivierung zu messen, was einen nicht unbedeutenden Informationsgewinn bedeuten kann. Die kurze Darbietung der Sujets spiegelt nicht zuletzt eine Situation wider, in der sich zahlreiche 'Adressaten' bei der Betrachtung von Plakaten befinden." (MAYERHOFER, 1980, S.124/125)

"Erst die **Kombination verschiedener Indikatoren** kann die Werbewirkung von Anzeigen in ihrer ganzen Breite erfassen." (BERNHARD, 1977, S.182)

"Wenn dieses Paper eine dringende Empfehlung enthält, dann ist es die, daß Forscher stärker die **Möglichkeiten und Vorteile des gemeinsamen Einsatzes unterschiedlicher Methoden** nutzen sollen." (RUSSO, 1978, S.569)

8.6. Modell eines Werbemittel-Pretests nach TROMMSDORFF

Der Begriff des Pretest umfaßt eine laborexperimentelle interdisziplinäre Strategie zur Erforschung von Werbewirkung. (TROMMSDORFF, 1977, S.61) 1)

Beim Pretest handelt es sich um das Messen von Indikatoren, die ein Modell der menschlichen Beeinflussung durch Werbung operationalisieren. (TROMMSDORFF, 1977, S.64)

Der **Werbewirkungsprozeß** durchläuft nach Abbildung 35 folgende Stufen:

1. Kommunikationsmaßnahmen lösen beim Rezipienten sowohl **aktivierende** als auch **kognitive** Prozesse aus, die auch miteinander in Verbindung stehen und demnach nicht völlig isoliert ablaufen.
2. Auf dieser Stufe kommt es zur Ausbildung eines mehrdimensionalen Objektimage, das sowohl verarbeitete als auch unverarbeitete Informationen berücksichtigt.
3. Nach entsprechender Integration aller Informationen und den Ergebnissen der Prozeßverarbeitung kommt es zu einer eindimensionalen Objekt-Einstellung.
4. Die eindimensionale Einstellung resultiert nach entsprechender Abstimmung mit anderen Objekteinstellungen und der Verhaltenseinstellung in einem bestimmten Verhalten.
5. Situative Einflüsse sind dafür verantwortlich, daß nicht jede Einstellung zu einem entsprechenden Verhalten führt.

1) TROMMSDORFF fordert für einen Pretest einen Stichprobenumfang von 50 bis 300 Personen. (1977, S.69) ZSCHOCKE nennt '20-40 Probanden als hinreichend'. (1983, S.21)

Abbildung 35: Modell zur theoretischen Basis des Pretests

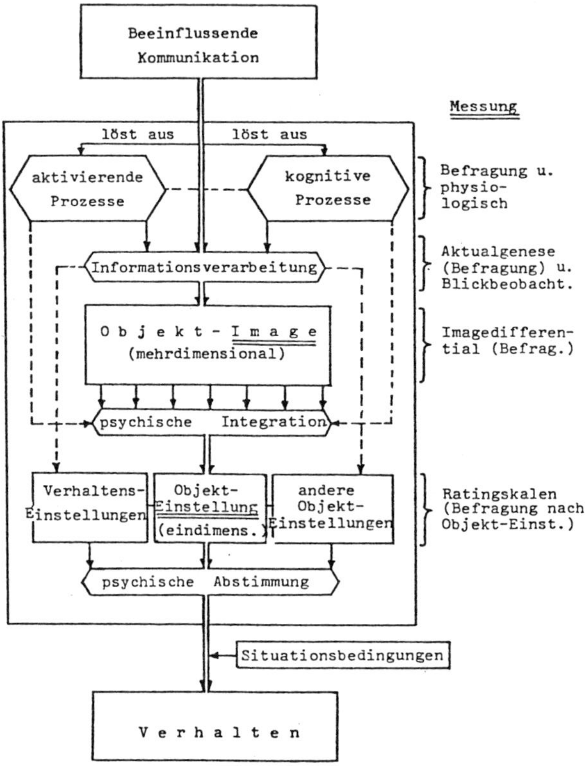

Quelle: TROMMSDORFF (1977, S.64)

WM

Wie jedes (praxisrelevante) Modell vereinfacht auch dieses Modell die Wirklichkeit. Dynamische Effekte der Beeinflussung, wie etwa Wiederholungen, Konkurrenzwerbung und Konsumerfahrungen oder die Interaktion mit Meinungsführern und Bezugsgruppen werden vernachlässigt. (TROMMSDORFF, 1977, S.65)

Besondere Bedeutung erhält das Modell durch konkrete Hinweise auf adäquate Meßverfahren auf jeder Wirkungsstufe. So werden etwa zur Erfassung aktivierender Prozesse **physiologische Indikatoren** und zur Messung der Informationsverarbeitung die **Blickaufzeichnung** empfohlen.

9. Aktivierungstheorie und Bedeutung von Emotionen für die Werbung

Werbung, die nicht aktiviert, bleibt ohne Einfluß, da die Information, die übermittelt werden soll, nicht effizient verarbeitet wird. (KROEBER-RIEL, 1979, S.246)
Die aktivierende Wirkung eines Werbemittels ist zwar notwendig, aber nicht hinreichend, für den Werbeerfolg. Vor allem die harmonische Integration eines aktivierenden Schlüsselreizes in die Werbeaussage ist von großer Bedeutung. Ein krampfhaft in eine Werbemittel eingebauter Schlüsselreiz wirkt sich negativ auf die Glaubwürdigkeit der Werbebotschaft aus und damit auch auf die Werbewirkung. (SCHWEIGER/WIKLICKY, 1985, S.4, BÄNSCH, 1983, S.17)
Die Aktivierungsmessung wurde noch vor einigen Jahrzehnten im Zusammenhang mit ihrem Einsatz als Lügendetektor belächelt oder angefeindet. Am Ordinariat für Werbewissenschaft und Marktforschung (WuM) hat man jedoch schon vor mehr als 20 Jahren die Bedeutung dieses Verfahrens erkannt. Bereits in den 60er Jahren wurde ein tragbarer Polygraph (ein **'Deceptograph'** der Firma Stölting) angeschafft. Inzwischen hat die Aktivierungsmessung auch als Methode zur Messung der Werbe-wirkung Eingang in die Tagespresse gefunden. Im Eco-Journal der Presse vom 28.3.1986 wird unter der Bezeichnung **SUPREMA** das Meßinstrument des Marktforschungsinstitutes Fessel+GfK vorgestellt. (o.V., S.15)

Wiewohl manche 'Kritiker' den eigentlichen Zweck von Pretests und hier insbesondere solcher unter Anwendung apparativer Methoden der Werbewirkungsmessung nicht verstehen oder nicht verstehen wollen bzw. bewußt die Zielsetzung solcher Tests mißinterpretieren, ist sich das Gros der unmittelbar betroffenen Praktiker in Agenturen und Marktforschungsinstituten der Bedeutung dieser Verfahren sehr wohl bewußt. Daß sie trotzdem nur in geringem Umfang eingesetzt werden, liegt nicht zuletzt auch am hohen Investitionsvolumen dieser technischen Apparaturen.

In einer Befragung von LENZ und FRITZ aus dem Jahr 1986 werden vor allem zwei Kriterien für die **praktische Brauchbarkeit** der Aktivierungsforschung angeführt: [1)]

- um die relativ beste Werbeanzeige auszuwählen
- zur Ableitung von Gestaltungsempfehlungen für die Werbepolitik.

Im Vergleich zur Befragung sprechen für die Aktivierungsmessung auch folgende Argumente:

- die Befragten können oder
- wollen keine verläßliche Auskunft über die ausgelöste Aufmerksamkeit und Emotionen geben. (KEITZ, 1986a, S.42)

Die **Bedeutung von Emotionen** manifestiert sich auf drei verschiedenen Ebenen: (ZEITLIN/WESTWOOD, 1986, S.35)

1) Emotionen können eine wichtige Rolle beim **Konsum** einer Marke oder eines Produktes spielen:
   - Sicherheitsgurte, um Angst zu reduzieren
   - Videospiele aus Vergnügen
   - Biertrinken mit Freunden, um 'dazuzugehören'
2) Man kann versuchen, in einem emotionalen **Umfeld** die Botschaft (effizienter) zu vermitteln
3) Emotionen können **direkt** Einstellungen beeinflussen (vgl. die Ausführungen zur 'emotionalen Konditionierung' bei KROEBER-RIEL (1984a) bzw. GHAZIZADEH (1987)).

---

1) Die Erhebung wurde in den Monaten August/September 1984 durchgeführt. An 40 Unternehmen (26 Agenturen + 14 Marktforschungsinstitute) wurden Fragebogen geschickt. Der Rücklauf betrug ungefähr 58%.
Die Aussagen lassen sich auch auf TV-Spots übertragen. (vgl. HORWATH, DA an der WUW, in Vorbereitung)

Manche Ausführungen zur Aktivierungsmessung sind nicht sehr ermutigend und lassen vielleicht Zweifel an der Brauchbarkeit dieser Methode aufkommen. So schreibt etwa FAHRENBERG zusammenfassend:

> 1) Die Korrelation zwischen verschiedenen physiologischen Maßen ist mäßig.
> 2) Es spricht wenig für eine eindimensionale Betrachtung des Phänomens 'Aktivierung'; vielmehr scheint das Konzept der Aktivierung als ein Prozeß aus mehreren Komponenten aufzufassen zu sein, mit einer Reihe unterschiedlicher Kombinationsmöglichkeiten der unterschiedlichen Antwortparameter (Meßgrößen). (FAHRENBERG et al., 1983, S.188)

Auch GROLL-KNAPP und HAIDER betonen, "daß die meisten Untersuchungen bei jedem Probanden eine Vielzahl von Indikatoren herangezogen haben. Dies wird in Zukunft noch viel stärker herausgearbeitet werden müssen, um individuelle Reaktionsmuster erfassen zu können." (GROLL-KNAPP/HAIDER, 1975, S.501)

COLES bezeichnet die niedrigen Korrelationen zwischen unterschiedlichen Maßen ebenfalls als das größte Problem physiologischer Messungen. (COLES, 1983, S.176)
Niedrige Korrelationen zwischen Individuen aber auch innerhalb eines Individuums deuten auf eine zumindest teilweise vorhandene Unabhängigkeit zwischen den verschiedenen Maßen hin.
Falls keine unterschiedlichen Verlaufsmuster der physiologischen Aktivität für qualitativ unterschiedliche Emotionen gefunden werden können, ist es schwer zu verstehen, warum daraus verschiedene emotionale Erfahrungen abgeleitet werden können. (COLES, 1983, S.181)
Die Schlußfolgerung aus allen Aussagen kann aber nur sein, daß es sich bei Emotionen um komplexe Phänomene handelt, die eben nur mit komplexen Meßansätzen erhoben werden können. Weiters ist der Einsatz der Aktivierungsmessung nur auf Basis einer fundierten Theorie sinnvoll, die im folgenden auszugsweise vorgestellt werden soll.

9.1. Emotionstheorie als Basis der Messung von Aktivierung

Die Anwendung der Methode der Aktivierungsmessung zur Kontrolle der Werbewirkung beruht auf der Annahme, daß **Emotionen sich in körperlichen Reaktionen manifestieren** und durch die Messung von physiologischen Indikatoren erfaßt werden können.

Die gegenwärtig wohl aktuellste **Übersicht über Emotionstheorien** gibt PLUTCHIK (1980). Er beschreibt 24 Theorien, die er nach fünf Gesichtspunkten ordnet: (zit. nach STEMMLER, 1984)

1. **Behavioristische Ansätze:**
   - LANG
   - ÖHMAN/HYGGE
   - SKINNER

2. **Aktivierungstheoretische Ansätze:**
   - SCHLOSBERG
   - WENGER

3. **Kognitionstheoretische Ansätze:**
   - SCHACHTER

4. **Evolutionstheoretische Ansätze:**
   - IZARD
   - PLUTCHIK

5. **Hirnfunktionstheoretische Ansätze:**
   - PRIBRAM
   - McLEAN [1)]

In frühen Theorien bedürfen vollausgebildete Gefühle entweder einer Rückmeldung der peripheren Gefühlsäußerung ins Zentralnervensystem (JAMES, 1884) oder es wird der zentralnervöse Ursprung von Gefühlen betont (CANNON, 1927 und 1929). (zit. nach: BIRBAUMER, 1983, S.45 und GROSSMAN, 1973, S.274)

---

1) Der Neurologe McLean faßt die Hirnstrukturen nach ihrem entwicklungsgeschichtlichen Alter zusammen und unterscheidet folgendermaßen: (STEMMLER, 1984, S.11)
   - Reptilhirn
   - Rhinencephalon: Riechhirn, ältester Teil, sollte sensorische Informationen mit viszeralen Reaktionen verknüpfen, es erhielt folglich den Namen 'visceral brain' und später 'Limbisches System') und
   - Neokortex/Cerebrum.

Das Hauptanliegen der **Emotionstheorie von JAMES** besteht somit in einer Umkehrung der Annahme, daß emotionale Körperreaktionen, wie Lachen oder Weinen, aber auch physiologische Vorgänge, wie die Veränderung der Atmung oder Pulsfrequenz, eine Adrenalinausschüttung oder Schweißabsonderung, die kausale Folge von Emotionen seien. (GROSSMAN, 1973, S.276)
Nach JAMES sind solche Körperreaktionen die direkte Folge der Wahrnehmung von emotionserregenden Objekten. [1)]
(OSWALD, 1981, S.134-140)

Ausgehend von **CANNON** lassen sich in weiterer Folge zwei unterschiedliche Positionen abgrenzen:

- eine Forschergruppe, die den energetischen Aspekt von Gefühlen betont, der durch die Aktivität der Retikulärformation vermittelt wird. Die Intensität von Gefühlen steht im Vordergrund (zB LINDSLEY und DUFFY).
- eine weitere Gruppe um PAPEZ und PRIBRAM, für die von Bedeutung ist, daß die Reizung des limbischen Systems zu klar unterscheidbaren Gefühlen in Abhängigkeit vom Ort der Reizung führt.

1) Fraglich ist, ob es sich bei dem Begriff 'Objekte' nur um physikalische oder auch um gedankliche Erscheinungen handeln kann. Mit dem Begriff 'emotionale Körperreaktionen' sind im Sinne von JAMES sowohl viscerale Reaktionen (Puls,EDR) aber auch Reaktionen der Skelettmuskulatur (Mimik, Kniezittern) gemeint.
Neuerdings wird wieder die Vermutung geäußert, daß Feedback-Mechanismen die Wahrnehmung der physiologischen Aktivität bewußt machen; hatten JAMES-LANGE doch Recht mit ihrer Aussage: 'Wir weinen nicht, weil wir traurig sind, sondern wir sind traurig, weil wir weinen ?'
Insbesondere (manchmal nur vorgetäuschte) Biofeedback-Analysen scheinen das zu bestätigen; wir spüren, daß unser Herzschlag schnell geht und fragen uns nach dem 'WARUM ?' Wir stellen fest, daß wir aufgeregt sind und versuchen, die Reaktion (Herzschlag) zB durch tiefes Durchatmen zu beruhigen !

Diese unterschiedlichen Ansichten führten in weiterer Folge zu einer lang andauernden Diskussion zwischen Anhängern einer **Typologisierung** unterschiedlicher Emotionen (IZARD) mit Vertretern einer Linie, die der Meinung sind, daß Emotionen auf einem **bipolaren Kontinuum** zwischen 'stark' und 'schwach' oder 'angenehm' und 'unangenehm' einzuordnen sind (SCHLOSBERG). (BUCK, 1984, S.86/87) [1]

Als derzeit **'modernste' Theorie** gelten die Ausführungen von **SCHACHTER:** (OSWALD, 1981, S.135) [2]

1) Physiologische Erregungszustände sind eine notwendige, wenn auch nicht hinreichende Bedingung für das Auftreten von Emotionen.
2) Physiologische Erregungszustände führen nur dann zu Emotionen, wenn Kognitionen über Objekte oder Ereignisse der Umwelt vorliegen, die eine emotionsspezifische Interpretation des physiologischen Erregungszustandes ermöglichen.
3) Ist nur die Erregung aber keine Kognition für die Interpretation vorhanden, dann beginnt eine Suche. Die Etikettierung eines Erregungszustandes zB als Ärger oder Furcht wird durch die verfügbaren Kognitionen determiniert.

SCHACHTER verbindet sowohl physiologische als auch kognitive Faktoren: Emotionen ergeben sich seiner Auffassung nach aus der Interaktion physiologischer Erregungszustände mit Kognitionen. (OCHSMANN/HENRICH, 1984, S.287 und WEINER, 1972, S.282)
Die **Kognition** interpretiert den Input und die **affektive** Komponente kontrolliert das Erregungsniveau. (REISENZEIN/ GATTRINGER, 1982 und ROYCE, 1984, S.285)

---

1) Eine Betrachtung des neurochemischen Systems zeigt, daß beide Strukturen auftauchen:
Das Retikularsystem variiert in der Intensitätsdimension; Hypothalamus und Limbisches System sind gleichzeitig die Zentren unterschiedlicher emotionaler Zustände wie Furcht oder Ärger.

2) Ansätze zur Vereinheitlichung verschiedener Theorien sind zwar vorhanden (vgl. zB TRUAX, 1984), waren aber bislang nicht sehr erfolgreich.

Abbildung 36 zeigt das affektive System als multidimensional, hierarchisch organisiertes System, das Informationen in Aktivierungsniveaus umwandelt.

Abbildung 36: Die hierarchische Struktur des affektiven System

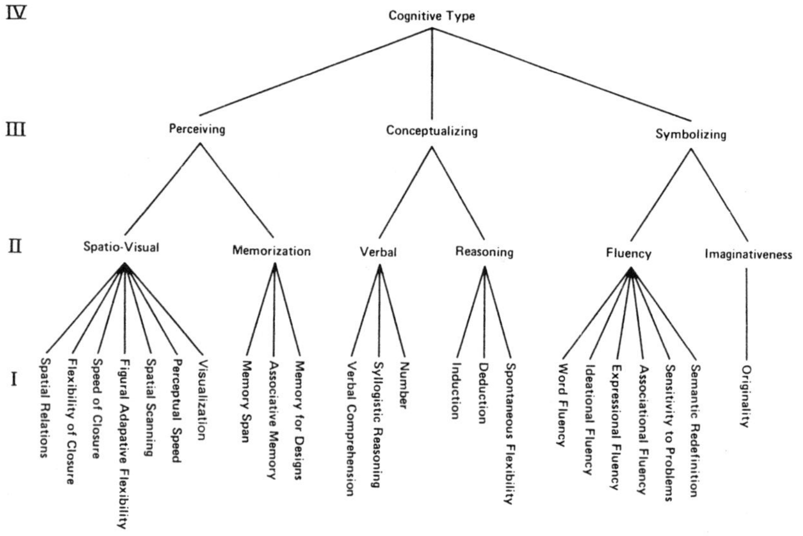

Quelle: ROYCE (1984, S. 289)

SCHACHTER hat mit seiner Theorie auch auf die Bedeutsamkeit hingewiesen, die der situative Kontext für die Interpretation emotionaler Empfindungen besitzt bzw. besitzen kann. (OSWALD, 1981, S.139)

Nicht immer konnte allerdings der empirische Nachweis für seine Theorie erbracht werden. In einem Experiment von OCHSMANN und HENRICH wurde festgestellt, daß unterschiedliche körperliche Erregungszustände die Bewertung der subjektiven Gefühle nicht beeinflußten. [1] (1984, S.288) (siehe Abbildung 37)

1) Am Beispiel der Reaktionen auf einen humorvollen Film. Als Erklärung für den fehlenden Zusammenhang werden 'Präkognitionen' der Apn über das Stimulusmaterial angeführt.

Abbildung 37: Zusammenhang zwischen expressivem Verhalten und Stimulation

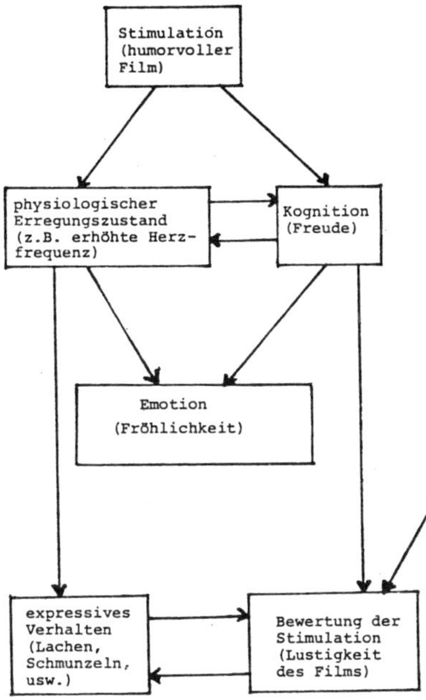

Quelle: OCHSMANN/HENRICH (1984, S.289)

WM

PLUTCHIK registriert, ähnlich wie vor 100 Jahren die Debatte zwischen JAMES und älteren Gefühlstheorien um die Frage, was kommt zuerst, die Emotion oder die körperliche Reaktion, erneut eine aus seiner Sicht nicht sinnvolle Diskussion, diesmal zwischen den Ansichten von LAZARUS und ZAJONC, ob zuerst die affektive Komponente oder die Kognition auftritt. (PLUTCHIK, 1985, S.197)
Nach Auffassung von PLUTCHIK liegt dies bis zu einem gewissen Grad auch daran, daß die verwendeten Begriffe, insbesondere der Terminus 'Kognition', unscharf definiert sind. (1985, S.198)

Während LAZARUS behauptet, daß **alle** Emotionen **vorher eine kognitive Verarbeitung** oder Interpretation des Stimulus benötigen, unterstellt ZAJONC, daß dies zwar für die meisten Situationen zutrifft, daß es aber sehr wohl auch Situationen gibt, in denen die **Emotion eine direkte Reaktion** auf einen Stimulus darstellt.
Große Schwierigkeiten bereitet die genaue Abgrenzung dessen, was eigentlich Gegenstand der Theorie sein sollte: Was sind eigentlich Emotionen ?
Kann es sich überhaupt um ein und dasselbe Konstrukt handeln, das als intervenierende Variable ('Arousal') den Einfluß auf das Verhalten von einer Reihe von scheinbar unzusammenhängenden Faktoren vereinigt:
lauter Lärm, Belohnungen, Schlafentzug, Tageszeit, Streßvariable, Introversion-Extraversion, und eine Vielzahl von stimulierenden und beruhigenden Drogen.
Wen wundert es, daß dieses Konstrukt als 'amorphous' and 'to be used in a variety of different senses' bezeichnet wird. (EYSENCK, 1983, S.187)

Aus der Sicht der Konsumverhaltensforschung scheint dieses Problem nicht zu existieren:
Gemäß einer Arbeitsdefinition von KROEBER-RIEL sind Emotionen "subjektiv wahrgenommene innere Erregungsvorgänge, die sich nach den Merkmalen Stärke bzw. Intensität, Richtung, Erlebnisqualität und Bewußtsein erfassen lassen." (1983, S.31, zit. nach GHAZIZADEH, 1987, S.48)
Ähnlich BÄNSCH in seiner Definition: "Emotionen sind Konstrukte zur Erklärung von Aktivierungs- und Passivierungsvorgängen beim Individuum. Die Einteilung von Emotionen erfolgt nach Stärke, Richtung und Inhalt. Emotionen sind Mittel zur Erreichung von Reaktionsbereitschaft beim Konsumenten, mit ihnen soll und kann der Käufer für Informationen geöffnet werden. (BÄNSCH, 1983, S.14)

Weit größeren Raum nimmt die Problematik in der psychologischen Literatur ein. Ausgehend von 92 Definitionen und 9 skeptischen Aussagen werden **elf unterschiedliche Ansätze zur Definition von Emotionen** herausgearbeitet:
(KLEINGINNA/KLEINGINNA, 1981b, S.345ff; zur Definitionsvielfalt von Emotionen vgl. auch BOTTENBERG, 1972 und EULER/MANDL, 1983)

(1) Affektive Definition: (Erregung, Lust/Unlust)
(2) Kognitiv (Ursachenzuschreibung von wahrgenommenen Erregungszuständen)
(3) Situativ (besondere Beachtung der Reize)
(4) Psychophysiologisch (Abhängigkeit der Emotionen von physiologischen Mechanismen)
(5) Expressiv (emotionale Ausdrucksreaktion)
(6) Disruptiv (desorganisierende oder dysfunktionale Wirkung)
(7) Adaptiv (bedürfnissichernde Wirkung)
(8) Syndromisch (miteinander verknüpfte Komponenten: physiologisch, kognitiv, behavioral-expressiv und subjektiv)
(9) Restriktiv (Abgrenzung dieses Konzepts von anderen psychischen Prozessen oder Erscheinungsformen)
(10) Motivational (Betonung der Beziehung zwischen Emotion und Motivation)
(11) Skeptisch (Bezweifeln den Wert des Emotionskonzepts)

Gemäß einer aus diesen Ansätzen abgeleiteten **Arbeitsdefinition** von KLEINGINNA und KLEINGINNA versteht man unter **Emotion** "ein komplexes Interaktionsgefüge subjektiver und objektiver Faktoren, das von neuronal/hormonalen Systemen vermittelt wird, die

(a) affektive Erfahrungen, wie Gefühle der Erregung oder Lust/Unlust, bewirken können;
(b) kognitive Prozesse, wie emotional relevante Wahrnehmungseffekte, Bewertungen, Klassifikationsprozesse, hervorrufen können;
(c) ausgedehnte physiologische Anpassungen an die erregungsauslösenden Bedingungen in Gang setzen können;
(d) zu Verhalten führen können, welches oft expressiv, zielgerichtet und adaptiv ist."

In weiterer Folge nennen EULER und MANDL **vier zentrale Komponenten** von Emotionen: (1983, S.8)

- **subjektive** Komponenten: Empfindlichkeiten, die vom betroffenen Individuum selbst als Emotion bezeichnet und mitgeteilt werden.
- **kognitive** Komponente: zB Wahrnehmung und Bewertung der emotionalen Situation.
- **physiologische** Komponente: Ist jedes Gefühl mit einem bestimmten Profil physiologischer Reaktionen verbunden ?
- **behavioral-expressive** Komponente: motorisches Verhalten und Ausdruckserscheinungen.

Der Vielfalt an unterschiedlichen Ansätzen trägt auch ein Vorschlag von PLUTCHIK Rechnung. Er definiert Emotion als eine **Kette** von Ereignissen, die bestimmte, lose zusammenhängende Elemente in einem Feedback-System darstellen. Der ganze Prozeß wird initialisiert durch einen bedeutsamen Reiz im Leben des Individuums. Die Emotionskette hat nach PLUTCHIK nun die Aufgabe, mit dem Reiz zu interagieren, um einen körperlichen Gleichgewichtszustand (Hömöostase) zu erreichen.
Als Vorteil dieser Betrachtungsweise, führt PLUTCHIK an, daß es nunmehr möglich ist, die Aufmerksamkeit auf verschiedenen Elemente (Glieder) dieser Kette zu lenken: man kann Theorien formulieren, die zB die führende Rolle des 'arousal' (der Erregung/Aktivierung) herausstreichen oder das geäußerte Verhalten in den Vordergrund stellen. (PLUTCHIK, 1985, S.199)

Es scheint auch notwendig, den Begriff 'Emotion' von der 'Motivation' abzugrenzen. In einer umfangreichen Literaturstudie haben KLEINGINNA und KLEINGINNA eine Vielzahl von Definitionen des Begriffes **'Motivation'** herausgearbeitet, die in neun Kategorien eingeteilt wurden, je nachdem, ob zB mehr interne phänomenologische bzw. physiologische Gesichtspunkte im Vordergrund standen oder zB mehr funktionale Kriterien wie etwa Antrieb oder Steuerung eines Verhaltens. (1981a, S. 263)
(vgl. Tabelle 5 im Anhang)

PLUTCHIK (1980) nennt u.a. für das Entstehen eines Motivs das 'Fehlen von irgendetwas', während Emotionen typischerweise durch das 'Vorhandensein von irgendetwas' entstehen. (zit. nach KLEINGINNA/KLEINGINNA, 1981a, S.275)
Als dominierende Theorie im Rahmen der Psychophysiologie ist die **'Arousal-Theorie'** anzusehen. (COLES, 1983, S.175)

Die wichtigsten Annahmen sind folgende:

(1) Es gibt ein **Erregungskontinuum** vergleichbar mit der Schlaf - Wach - Dimension, das mit dem Grad der Aktivität des zentralen und autonomen Nervensystems beschrieben werden kann.
Maße wie EEG, EDR, EMG (Muskeltonus), Herzfrequenz etc. gelten als Indikatoren für den allgemeinen Erregungszustand des Organismus.

(2) Erregung/Aktivierung und Leistung stehen in einem **verkehrt U-förmigen** Zusammenhang zueinander.

(3) Die neurophsiologische Basis für diese Beziehung ist das Retikulare Aktivierungs-System (**RAS**).

(4) Der Grad an externer und interner (Fehlerquelle) **Stimulation** bestimmt den Grad an Aktivierung

(5) Aktivierung liegt den **Dimensionen** 'Anstrengung', 'Emotion, 'Antrieb' und 'Bewußtsein' zugrunde.

Ein Verdienst von BERLYNE in diesem Zusammenhang ist die Abgrenzung zwischen Aktivierung/Erregung und Aktivierungs-/Erregungspotential. Letzteres kann als intervenierende Variable aufgefaßt werden. (vgl. Abbildung 38 auf der folgenden Seite) (MADSEN, 1974, S.126 und WALKER, 1980, S.106)

Abbildung 38: Die unabhängigen Variablen in Berlyne's Theorie

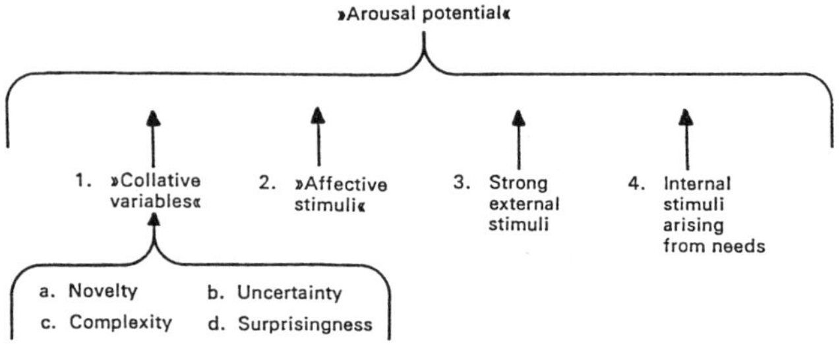

Quelle: MADSEN (1974, S.126)

Da der Frage der Modellbildung in der vorliegenden Arbeit breiter Raum gewidmet wird, soll auch das Entstehen von Emotionen und ihr Einfluß auf das Verhalten als Modell dargestellt werden. [1] (BUCK, 1984, S.64) (siehe Abbildung 39) Interne oder externe affektive Stimuli wirken direkt auf das neurochemische System ein. Die Auswirkung der affektiven Stimuli in einer bestimmten Situation hängt ab von

1) der Reagibilität des neurochemischen Systems, die wiederum vom jeweiligen Stand der Aktiviertheit und der Erregbarkeit im allgemeinen beeinflußt wird und von
2) den eigenen relevanten Erfahrungen des Individuums mit den affektiven Stimuli.

Affektive Stimuli werden durch **Erfahrungswerte** gefiltert. Die Wirkung zeigt sich sowohl auf dem kognitiven als auch dem emotionalen Level. (BUCK, 1984, S.65)

---
1) Die Abkürzung PRIMES steht für: primary motivational/ emotional system.

Abbildung 39: Allgemeines Emotionsmodell

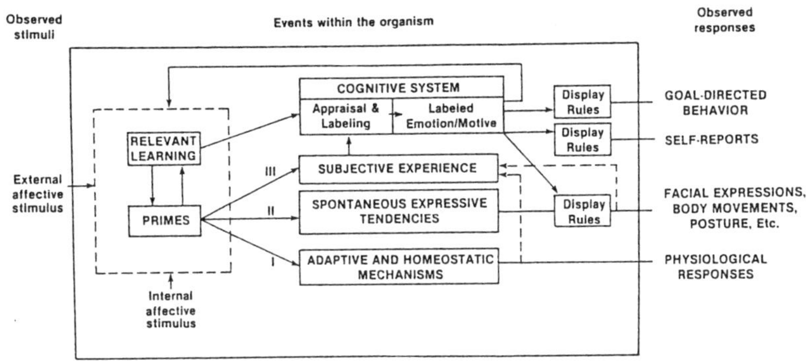

Quelle: BUCK (1984, S.64)

WM

Auf dem **emotionalen Level** werden adaptive und homöostatische Prozesse aktiviert (Emotion I). Es kommt zu Tendenzen für spontane Äußerungen (Emotion II); subjektive Erfahrungen spielen eine Rolle, sowohl direkt über die Aktivierung des neurochemischen Systems (Emotion III) als auch indirekt über den Feedback des viszeralen und Skelettmuskel-Systems (strichlierte Linien).

Auf dem **kognitiven Level**, kommt es zu einer kognitiv-physiologischen Interaktion, bei der das Individuum den affektiven Stimulus bezeichnet oder auf Grund bisheriger Erfahrungen oder der derzeitigen Situation abschätzt.

Im Rahmen dieser Arbeit soll lediglich das Modell der als Emotion III bezeichneten Prozesse dargestellt werden. Affektive Informationen gelangen in höherem Maße direkt in die rechte Hemisphäre (durchgezogene Linie) als in die linke Gehirnhälfte (strichlierte Linie).

Die linke Hemisphäre erhält demgegenüber vorrangig Informationen der Sinnesorgane. (vgl. Abbildung 40)

Abbildung 40: Ein Modell des 'Emotion III' Prozesses

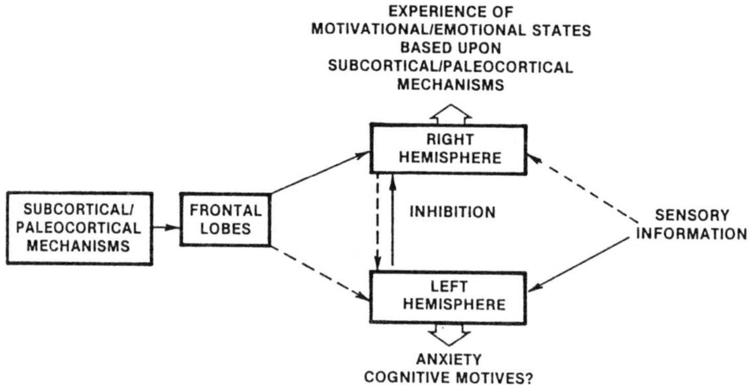

Quelle: BUCK (1984, S.117)

WM

Für die in weiterer Folge diskutierte Möglichkeit, Aktivierung anhand von physiologischen Indikatoren zu messen, scheint anstelle einer Definition von Emotionen der von IZARD (1979) vorgestellte **'Minimalkonsens'** ein brauchbarer Ansatz: (zit. nach STEMMLER, 1984, S.30)

1) Es gibt verschiedene und operational unterscheidbare Emotionen oder Emotionskonzepte.
2) Jede Emotion hat einen neurophysiologisch/biochemischen Unterbau, ein subjektives Gefühl oder einen Erlebnisaspekt und eine Ausdrucks- oder Signalfunktion, die nach innen und nach außen wirkt.
3) Emotionen motivieren oder beeinflussen Verhalten bedeutsam; Emotionen haben auf das Verhalten einer Person vermutlich stets einen organisierenden Effekt.
4) Keine Emotion kann mit der Kategorie 'gut' oder 'schlecht' beschrieben werden. Interesse kann penetrant, Lachen spöttisch, Furcht lehrreich, Schüchternheit attraktiv sein.
5) Emotion und Kognition hängen eng zusammen. Kognitive Prozesse können Emotionen auslösen und einen Anteil an ihrer Regulation haben. Emotionen können umgekehrt Wahrnehmung und Kognition beeinflussen.
6) Das neurophysiologische Emotionssubstrat kann nicht einfach als undifferenzierte Erregung und auch nicht einzig als Funktionsmechanismus oder Regelkreis des Autonomen Nervensystems beschrieben werden.
7) Menschen sind sehr verschieden darin, wie sie Emotionen ausdrücken oder verschlüsseln, ebenso darin, wie sie einen Ausdruck interpretieren oder entschlüsseln.
8) Emotionen haben eine grundlegende Bedeutung für Fantasie und spielerische Imagination, für die Entwicklung des einzelnen sowie für die persönliche und soziale Reife.

9.2. Aktivierungsindikatoren

Eine **Messung** der Aktivierung ist anhand folgender Indikatoren möglich:

- verbale Indikatoren (zB über inneres Erleben: Angst)
- physiologische Indikatoren / somatische Reaktion (Herzschlag)
- motorische Indikatoren / sichtbares Verhalten (Flucht).

(BÄNSCH, 1983, S.18 und RÖTZER/ZIMMER, 1983, S.307)

Auf der **somatischen** Ebene sind v.a. Versuche zu nennen, negative Emotionen - wie Angst oder Depression - durch Konsum von Alkohol oder Drogen zu überdecken. (RÖTZER/ZIMMER, 1983, S.309)
Physiologische Indikatoren können in folgende Bereiche eingeteilt werden: (KROEBER-RIEL, 1979, S.243)

1) elektrophysiologische
2) Blutkreislauf, Atmung, aufgewendete Energie
3) biochemische

Dementsprechend werden als Aktivierungsindikatoren herangezogen: (FAHRENBERG et al., 1983, S.190/191)

- Pulsrate
- Pulsvolumen [1]
- Elektrodermale Reaktion (EDA)
- Elektroenzephalogram (EEG)
- Atmung [2]
- Elektromyogram (EMG)
- Lidschlag

An weiteren Maßen sind denkbar:

- Fingervolumen
- Hauttemperatur
- Pupillengröße
- Magenmotilität
- Mikrovibrationen (-tremor)

---

1) Das Pulsvolumen kann über Photoplethysmographie-Aufnehmern erhoben werden. (LEONARD et al., 1984, S.454)
2) Die Tiefe und/oder Frequenz der Atmung wird meist zu Kontrollzwecken gemessen. (BELCH et al., 1982, S.424)

Das in der **Werbeforschung** gebräuchlichste Maß ist die **Elektrodermale Reaktion**, gemessen als Hautleitfähigkeit oder Hautwiderstand. (GROSSMAN, 1973, S.278)
Die verwendeten Abkürzungen sind **PGR** (Psychogalvanische Reaktion), **EDA** oder **EDR** (Elektrodermale Aktivität bzw. Reaktion) und in der englisch-sprachigen Literatur meist **SCR** (Skin Conductance Reaction) und **SRR** (Skin Resistance Reaction). [1)]

Schon 1911 wurde eine Korrelation zwischen der Intensität von Gefühlen und den Amplitudenwerten der psychogalvanischen Reaktion gefunden. Vor allem konnte auch eine enge Beziehung zwischen Angst und PGR gefunden werden, die sowohl antizipatorisch als auch als Reizantwort nachweisbar war. (GROLL-KNAPP/HAIDER, 1975, S.500)
Da auch Intensität und Überraschungswert bzw. Neuheit von Reizen die Reaktionsgrößen der hautelektrischen Erscheinungen beeinflussen, scheint dieser Parameter zur Erfassung psychischer Streßsituationen besonders geeignet. (GROLL-KNAPP/HAIDER, 1975, S.500)

Die Erhebung physiologischer Maße als Indikatoren emotionaler Prozesse ist nur dann sinnvoll, wenn zwischen emotionaler Aktivierung und physiologischer Aktivierung ein ausreichend hoher korrelativer Zusammenhang besteht. (BEYER, 1984, S.351)
Während für körperlich induzierte Aktivierungsveränderungen ein solcher Zusammenhang nachgewiesen werden konnte, werden im Bereich der Aktivierungs- und Streßforschung auch Zweifel laut. So bezeichnet etwa RYAN die EDR zwar als Indikator für die Aktivität des ANS ('autonomic nervous system') bezweifelt aber, daß sie auch als Maß für den Zustand der Erregung einer Person anzusehen ist. [2)] (1982, S.170)

1) Weniger gebräuchlich ist die Abkürzung EDL für Elektrodermale Leitfähigkeit bei LAUTERBACH/EIFERT (1984, S.264).
2) Die Replik von KROEBER-RIEL auf eine kritische aber sachlich nicht ganz gerechtfertigte Anmerkung zu einem Artikel in der Zeitschrift JCR trägt übrigens den bezeichnenden Titel 'Ryans's bad trip into psychobiology'.

Es ist notwendig, zwischen 'Anstrengung' und 'Aktivierung' zu unterscheiden. Self report-Nennungen der Aktivierung und physiologische Messungen zeigen unterschiedliche Spitzen im Tagesablauf. (HUMPHREYS et al., 1980, S.45) [1)]
Nach EYSENCK/FOLKARD besteht auch ein elementarer Unterschied zwischen Aktivierung als Reaktion auf die Konfrontation mit 'weißem Rauschen', Elektroschocks, Zeigen von Werbedias und Aktivierung als Nebenprodukt eines Verarbeitungsprozesses (Durchführung einer Rechenoperation). (1980, S.39)
In einer anderen Studie wurde die größte Aktivierung durch Kopfrechnen und durch die Interviewsituation ausgelöst (durchgeführt wurde eine Art TAT, mit Fragen aus dem erotischen Bereich, Fragen nach möglichen Reaktionen bei einem Verkehrsunfall, sowie Fragen über die Art und Durchführung der Studie). (FAHRENBERG et al., 1983, S.192)

Die Messung physiologischer Funktionen verfolgt verschiedene **Ziele:** (SCHANDRY, 1983, S.104)

(1) Durch die Beobachtung einer Veränderung soll das Auftreten emotionalen Geschehens markiert werden.
(2) Aus der Stärke dieser Veränderung soll ein Schluß auf die Intensität des emotionalen Prozesses ermöglicht werden.
(3) Die Art der physiologischen Veränderungen soll Rückschlüsse auf den Typ der ausgelösten Emotion zulassen.

Während für den ersten und zweiten Fall zahlreiche empirische Belege sprechen, sind sie für den dritten deutlich geringer.

---

1) Insofern erscheint es problematisch, wenn REISENZEIN und GATTINGER ihre Apn Radfahren lassen, um die 'Aktivierung' zu steigern (1982, S.315-328)

Im Gegensatz zur Befragung ist es bis heute nicht gelungen, **Reaktionsmuster** für bestimmte Emotionen zu analysieren. Insbesondere für solche, die sich als brauchbar im Bereich des Konsumverhaltens erweisen. Vielversprechende Ansätze existieren bei der Messung des EEG, aber auch bei diesem Maß ist man erst in der Lage zwischen Furcht und Ärger zu differenzieren, da der Quantitätsaspekt der Stimuli überwiegt. (GROSSMAN, 1973, S.276) Durch die Messung der Mikroausschläge des Fingers scheint es möglich zu sein, unterschiedliche Kurvenverläufe für Basisgefühle (Freude, Trauer, Interesse, Furcht, Wut und Ekel) zu registrieren. (BIRBAUMER, 1983, S. 48)

In einer Studie von STEMMLER wurden 34 physiologische Variablen einer Diskriminanzanalyse unterzogen. (1984, S.310)
Die erste Diskriminanzfunktion trennte das 'Angstprofil' vom 'Ärger-' und 'Freudeprofil', die zweite Funktion die Profile von 'Ärger' und 'Freude'.

Zur Überprüfung der Divergenzvalidität wurde die Frage gestellt, ob die einzelnen induzierten Phasen (Ärger, Angst und Freude) zB von der Ruhephase, Sprechphase bzw. Lösung von Zahlenaufgaben unterschieden werden können. Für 'Angst' und 'Ärger' konnte dies bestätigt werden; 'Freude' konnte jedoch zB nicht von 'Ruhe' unterschieden werden. [1] (STEMMLER, 1984, S.332)

In einer anderen Studie erbrachten die Ergebnisse einer Multiplen Regression dürftige Ergebnisse, was die Vorhersagbarkeit der individuellen Aktivierungsunterschiede betrifft. (FAHRENBERG et al., 1983, S.193)
Es gibt wenige Stimuli, die bei allen Menschen dieselbe Emotion auslösen: Dunkelheit als Auslöser von Angst ist eine solche Situation. (GROSSMAN, 1973, S.273)

---

1) Um Zufallseinflüsse abschätzen zu können, wurde die komplette statistische Verarbeitung der physiologischen Daten mit Zufallszahlen wiederholt. Die Analyse der Versuchsdaten erwies sich den Zufallszahlen weit überlegen. (STEMMLER, 1984, S.311)

Vielmehr ruft die Bedeutung des Stimulus für den Einzelnen eine Reaktion hervor, obwohl der Stimulus vielleicht weder neu noch intensiv ist. [1] (GROSSMAN, 1973, S.276)
So erzielten in einer Studie von BEN-SHAKHAR, bedeutungsvolle Wörter im Vergleich mit Wörtern ohne spezifische Bedeutung für die Probanden, einen höheren Aktivierungswert. (1985, S.295/96)

Jedes **physiologische Maß** ist darüber hinaus auch das Ergebnis von drei nicht gemessenen Faktoren: (LYKKEN et al., 1988, S.13)

$$P = G + C + E$$

wobei: P...Erscheinungsform (eines bestimmten Maßes; EDR)
G...Genetischer Effekt
C...'shared environmental effect' (gemeinsamer Effekt mehrerer Familienmitglieder; zB soziale Klasse)
E...'unshared environmental effect' (nur dem Individuum eigener Effekt; zB zufällige Vorkommnisse)

9.3. Physiologische Erklärung der Aktivierung

Eine elektrochemische Störung in einer Nervenzelle wird als Impuls oder als Aktionspotential bezeichnet. Die Energie stammt aus der Zelle selbst und nicht vom Stimulus, der die Störung hervorgerufen hat. Die Stimulation einer Zellmembran erzeugt einen Anstieg der Durchlässigkeit für Na+, so daß Natrium in die Zelle fließen kann. (GROSSMAN, 1973, S. 20)
Abbildung 41a stellt das einfache Modell eines **elektrischen Schaltkreises** der Haut dar, wie es von Montagu-Coles vorgeschlagen wird. (BOUCSEIN/BALTISSEN/EULER, 1984)

1) Die Verknüpfung der Veränderung eines Reizes mit der Bedeutung dieses Reizes ist additiv. (SIDDLE/O'GORMAN/WOOD, 1979, S.520-527)

Das Modell enthält einen <u>seriellen Widerstand</u> R_1 (repräsentiert die Haut und den inneren Körper ('body core')) und zwei Arten von <u>parallelen Widerständen</u>: R_2 (simuliert die Hornhaut) und eine größere Anzahl von Schweißdrüsen (r_1 bis r_n).

Zu beachten ist insbesondere im Vergleich von Ergebnissen über mehrere Studien hinweg, daß durch größere Elektroden auch mehr Schweißdrüsen erfaßt werden. (MAHON/IACONO, 1987, S.216)

In Abbildung 41b sind die Schweißdrüsen der Einfachheit halber durch einen variablen Widerstand X ersetzt worden.
In Klammer stellt das Modell die korrespondierende Erklärung für die Hautleitfähigkeit dar: (C_1, C_2 und Y)

Abbildung 41: Elektrisches Modell der Haut

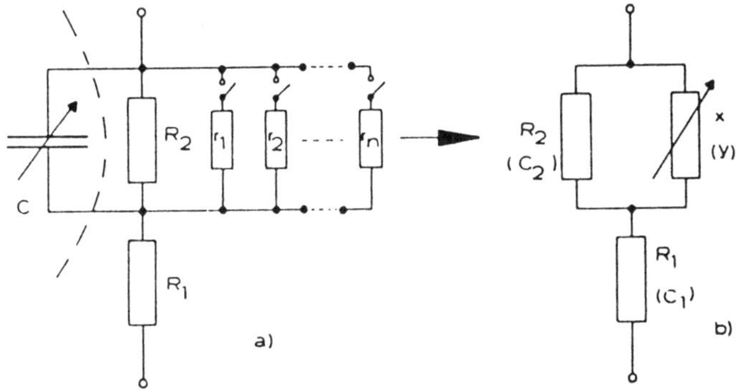

Quelle: (BOUCSEIN/BALTISSEN/EULER (1984, S.216)

WM

Die gesamte **Leitfähigkeit** der Haut ergibt sich gemäß folgender Formel: (BOUCSEIN/BALTISSEN/EULER, 1984, S.217)

$$C = C_1 (C_2 + Y) / C_1 + C_2 + Y$$

Die **Veränderung** der Leitfähigkeit folgt als 1. Ableitung nach Y:

$$dC = [C_1^2 / (C_1 + C_2 + Y)^2]\ dY$$ 1)

Faktoren, die die Messung der EDA beeinflussen sind die

- Aktivität der Schweißdrüsen
- Flüssigkeitsmenge in den Schweißkanälen
- Feuchtigkeit der Haut
- Aktivität von Zellmembranen.

(MAHON/IACONO, 1987, S.216)

---

1) Die letzte Gleichung bestätigt eine Abhängigkeit der Hautleitfähigkeit (und auch des Hautwiderstandes) vom jeweiligen Niveau und spricht somit für die Gültigkeit des Ausgangswertgesetzes. (BOUCSEIN/BALTISSEN/EULER, 1984, S.217) Für den Fall der Widerstandsmessung sind die Symbole C (durch R) und Y (durch X) zu ersetzen:
R_1 steht für einen seriellen Widerstand
R_2 steht für einen parallelen Widerstand
X ist der gemeinsame Widerstand aller Schweißdrüsen r_i

9.4. Zwei unterschiedliche Meßansätze: Messung des Hautwiderstands vs Hautleitfähigkeit

Die Verwendung einer **konstante Spannung** (constant voltage) mißt die Hautleitfähigkeit (skin conductance), **konstante Stromstärke** (constant current) mißt den Hautwiderstand (skin resistance). (MAHON/IACONO, 1987, S.216)

LYKKEN/VENABLES haben theoretische Gründe für die **Überlegenheit** der **Methode der konstanten Spannung** (SC) herausgearbeitet. Das wichtigste Argument für die Präferenz gegenüber der Methode der konstanten Stromstärke bezieht sich auf mögliche nichtlineare Effekte, d.h. **Abweichungen vom Ohm'schen Gesetz.** Solche Effekte können dann auftreten, wenn das Hautwiderstandsniveau groß ist und eine hohe Spannung verwendet wird, um eine geeignete Stromstärke zu erreichen. (BOUCSEIN/BALTISSEN/EULER, 1984, S.212)
Vor allem bei Anwendung höherer Stromintensitäten (>10 μA) ist keine Linearität mehr zwischen Spannungsdifferenz und Stromstärke vorhanden. (GROLL-KNAPP, 1969, S.259)

BOUCSEIN und HOFFMANN konnten in ihrer Studie keinen **Unterschied** zwischen Leitfähigkeit und Widerstand weder bei der Amplitude noch bei den Reliabilitätsmaßen feststellen. Einzig die '<u>recovery time</u>' (Zeitspanne bis zur Rückkehr der Werte auf das Ausgangsniveau) war im Falle der Hautleitfähigkeit signifikant kürzer. (1979, S.66)

Äußerst uneinheitlich wird die **Plazierung der Elektroden** gehandhabt, wie die folgende Literaturübersicht zeigt:

1) am 4. und 5. Finger der 'nicht-dominanten' Hand (ZURAWSKI/HOUSTON, 1983, S.303)
2) am Kleinfinger- und am Daumenballen **beider** Hände (LEONARD et al., 1984, S.453)
3) zwei an der linken Handinnenfläche angebrachte Elektroden (ERDMAN/JANKE/BISPING, 1984, S.526)
4) 2 palmar links befestigte Elektroden (KRÖNER, 1984, S.619)

5) zwischen dem Kleinfinger- und Daumenballen der linken Hand (LEONARD, 1985, S.127)
6) palmare Seite der nicht dominanten Hand (LANZETTA/BIERNAT/KLECK, 1982, S.53)
7) an der Innenseite der linken Hand (ZEIER, 1985, S.685)
8) 2. und 3. Finger (Kuppe) (an **jeder Hand** !!) (LYKKEN et al., 1988 , S.7)
9) 2. und 4. Finger der 'nicht-dominanten' Hand (CONTE/KINSBOURNE, 1988, S.66)
10) mittlere volare Phalangien von Zeige- und Mittelfinger der linken Hand (STEMMLER, 1984, S.174)
11) Handfläche der linken Hand (central and upper) (VERBATEN et al., 1986, S.255)
12) 1 Paar an der Innenseite des linken **Fußes** 2 cm unter dem Knöchel [1] (WOODSON et al., 1986, S. 274)
13) linke und rechte Hand der Vp (**bilateral**) (HUGDAHL/BROBECK, 1986, S.493)
14) Mitte der Handfläche und am dritten Finger der linken Hand (MICHIHIRO/MURANAKA/MIYATA, 1986, S.643)
15) Zeigefinger und Mittelfinger (GOLDWATER, 1987, S.143)
16) Mittel- und Zeigefinger der linken Hand (OCHSMANN/HENRICH, 1984, S.299)
17) Fingerkuppe des Zeigefinger und Ringfinger. (LYKKEN et al., 1988, S.7)
18) 15 cm vom Handgelenk entfernt an der dorsalen Seite des Unterarmes mit Uhrbändern befestigt (MORAWETZ et al., 1981, S.457)

MAHON und IACONO haben zB Unterschiede in der **SCL-Aktivität** in Abhängigkeit von der Plazierung der Elektroden festgestellt. Die beste Leitfähigkeit wurde bei Plazierung gegenüber dem Daumenballen (Hypothenar) festgestellt, gefolgt von Thenar (Daumenballen) und den mittleren Fingergliedern. In ihrer Studie war allerdings der Bereich mit den meisten Schweißdrüsen, nämlich die vordersten Fingerglieder (Fingerspitzen), nicht einbezogen. (MAHON/IACONO, 1987, S. 221)

---

1) Aufgrund der Aufgabenstellung mußten die Probanden eine Hand zum Rauchen frei haben.

Die Elektroden werden meist mittels selbstklebenden Ring unter Verwendung einer Elektrodenpaste angebracht. (vgl. zB LYKKEN et al., 1988 , S.7) [1]

Bei den Elektroden handelt es sich in der Regel um **Silber-Silberchlorid Elektroden** (Ag-AgCl Elektroden). [2] (CONTE/KINSBOURNE, 1988, S.66, LANZETTA/BIERNAT/KLECK, 1982, S.53, ERDMAN/JANKE/BISPING, 1984, S.526 bzw. LYKKEN et al., 1988, S.7).

Von MAHON und IACONO wird die Hypothese eines linearen Zusammenhanges zwischen skin conductance und **Elektrodengröße** untersucht. (1987, S.216)

6 verschiedene Elektrodengrößen von .131 qcm bis .786 qcm wurden überprüft. Als abhängige Variable wurden gemessen:

- **SCL**
- **SCR**
- **Latenzzeit** (Zeitspanne vom Setzen des Stimulus bis zum Beginn der Reaktion)
- **Anstiegszeit** (Zeitspanne vom Beginn der Reaktion bis zum Maximum)
- **Halbwertszeit** der ersten Reaktion (Zeitspanne, die die Reaktion über dem halben Maximum verbleibt)

Ein linearer Zusammenhang zwischen Elektrodengröße und SCL konnte bestätigt werden. Die Elektrodengröße hatte zwar keinen Einfluß auf die Latenzzeit, sehr wohl aber auf die anderen zeitbezogenen Faktoren.

Größere Elektroden sind sensitiver, bergen aber die Gefahr, daß man auch mehr unspezifische Reaktionen mit erfaßt.

(MAHON/IACONO, 1987, S.219/220)

---

1) Die bei den beiden am Ordinariat für WuM durchgeführten empirischen Projekten (PÖHN, 1986 bzw. JIRAS 1986) verwendeten Elektroden entsprechen ebenfalls dieser Beschreibung. In der Studie zur dynamischen Aktivierungsmessung (HORWATH, DA an der WUW, in Vorbereitung) wurden Klebe-Elektroden der Marke 3M eingesetzt.

2) Den Zusammenhang zwischen Beschaffenheit, Material und Bauweise von Elektroden erläutert PROHASKA (1983) am Beispiel von Elektroden für die Hirnforschung.

BOYD und MALTZMAN haben die Auswirkung verschiedener **Elektrodenpasten** auf den Wasserhaushalt der Haut überprüft und kommen zu der Empfehlung, daß ein Gel auf Glykol-Basis der Reduktion und dem Rückgang des Skin Concuctance Level (SCL) entgegenwirkt. (1983, S.223)

Eine Überprüfung der Auswirkung von vier unterschiedlichen Elektrodengels an vier unterschiedlichen Plazierungen auf die Messung der elektrodermalen Reaktion zeigt auch eine Auswirkung auf unterschiedliche Parameter der Aktivierung:
Zwei Gels unterschieden sich im Ausgangswert der Hautleitfähigkeit; alle anderen Parameter wie insbesondere Amplitude (als Reaktion auf bestimmte Reize) oder Latenzzeit und Veränderung des tonischen Niveaus während des Versuchs, wurden nicht beeinflußt. (GREY/SMITH, 1984, S.551)
Ähnlich argumentieren auch SCHNEIDER und FOWLES, die eine signifikante Interaktionswirkung zwischen der verwendeten Elektrodenpaste und der Zeit vom Anbringen der Elektroden bis zum Beginn des Versuchs registrieren konnten; vor allem Pasten auf Glykolbasis führen zu einer Erhöhung des Ausgangsniveaus und der Amplituden für SPR (skin potential), während sie für SCR genau das Gegenteil bewirken. (1979, S.59)

Empfohlen wird allgemein eine Elektrodencreme, die etwa in jener Konzentration NaCl (Natriumchlorid) enthält (NaCl Elektrolyt-Paste: LYKKEN et al., 1988 , S.7), wie es auch im menschlichen Schweiß enthalten ist. (GREY/SMITH, 1984, S.552 bzw. explizit '0.05M NaCl Elektrolyte' bei KROESE/SIDDLE, 1983, S.129)

9.5. Tonische und phasische Aktivierung

Das Studium des Aktivierungsprozesses verlangt gemeinsame psychologische und physiologische Betrachtungen. Man sollte unterscheiden zwischen psychophysiologischer Aktivierung als einen tonischen ZUSTAND, als Ereignis bezogene phasische REAKTION sowie als Reaktivität oder Disposition und somit als MERKMAL einer Person.
Trotz einer großen Anzahl an Publikationen zur Anwendung der EDA, scheinen die dahinter liegenden Phänomene noch nicht ausreichend erforscht, dies trifft zum Teil auch auf die mögliche Abhängigkeit der phasischen, stimulusbezogenen Reaktionen vom tonischen Niveau, das langsame Veränderungen im Tagesablauf widerspiegelt, zu. (BOUCSEIN/BALTISSEN/EULER, 1984, S.212)
In Abhängigkeit von der Stimulusintensität treten verschieden starke Ausprägungen der Nichtlinearität auf. Für niedrige Reizintensitäten ist beim SCR eher ein linearer Verlauf zu beobachten, dadurch überrascht es auch nicht, daß in früheren Studien Korrelationen von negativ bis positiv zwischen Reaktion und Niveau festgestellt werden konnten.

Die komplexe Interaktion zwischen den beiden Maßen zeigen auch Studien von DARROW. Im Rahmen eines Experiments geht das SRL, zum Teil wegen einer zunehmenden Schweißabsonderung, kontinuierlich zurück. Beim SCL hingegen ist mit zunehmenden Werten zu rechnen. Andererseits sind auch zunehmende SCR Werte zu erwarten, da das SCL-Werte als Funktion der Zeit ebenfalls zunimmt.

Abbildung 42 zeigt den Verlauf der Mittelwerte des SCR für unterschiedliche SCL und unterschiedlichen Reizqualitäten: verschiedene starke Töne (gemessen in dB). Zu beobachten ist ein S-förmiger und verkehrt U-förmiger Verlauf.

Abbildung 42: Durchschnittliche Widerstands- und Leitfähigkeitswerte bei unterschiedlichen Ausgangsniveaus und Stimulusintensitäten

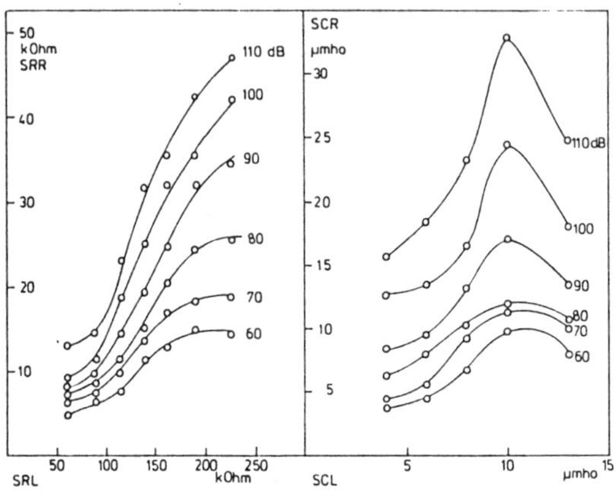

Quelle: BOUCSEIN/BALTISSEN/EULER (1984, S.215)

WM

In einer am Ordinariat für WuM durchgeführten Studie konnten drei unterschiedliche **Verläufe des tonischen Niveaus** im Laufe einer Reihe von 20 präsentierten Stimuli festgestellt werden. (siehe Abbildung 43)

Die größte Gruppe (n=38) zeigte einen u-förmigen Verlauf; 25 Personen einen linear sinkenden und 12 Personen einen linear steigenden Trend des tonischen Niveaus.

MALTZMAN, WEISSBLUTH und WOLFF berichten ebenfalls von einer Studie, in der das Leitfähigkeitsniveaus im Verlauf der Konditionierung zuerst anstieg, um in weiterer Folge wieder abzusinken. (1978, S.319)

Abbildung 43: Verlaufsmuster des tonischen Niveaus (aggregierte Werte)

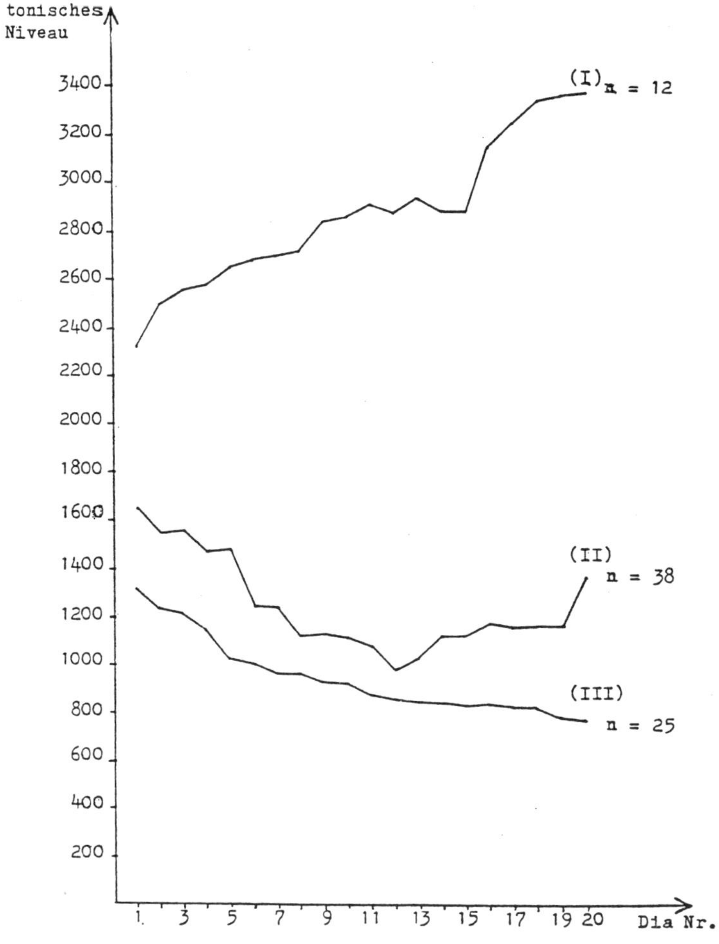

Quelle: WANSCH (1987, S.89)

WM

Besondere Beachtung verdient ein inhaltlicher Sonderaspekt der sequentiellen Abhängigkeit, nämlich eine möglicherweise systematische Abhängigkeit der Reaktionsausprägung vom jeweiligen Ausgangswert, wie sie von WILDER (1931,1967) in seinem Ausgangswertgesetz (AWG) postuliert wurde.
Das AWG besagt u.a., daß ein negativer Zusammenhang zwischen Reaktionsausprägung und Ausgangsniveau besteht.

Inkonsistente Ergebnisse existieren bezüglich der Gültigkeit des Ausgangswertgesetzes bei Hautleitfähigkeit, Pulsrate und Speichelabsonderung. Bestätigt werden konnte das AWG in einer Studie zur Messung der Fingertemperatur. (JAMIESON, 1987, S.666) Auch GROSSMAN spricht sich für die Gültigkeit des AWG aus (1973, S.278), während STEMMLER "das Vorliegen eines Ausgangswert-Gesetzes in psychophysiologischen Datensätzen eher als Ausnahme denn als Regel" ansieht. (1984, S.86; vgl. auch WANSCH, 1987)

9.6. Definition einer 'Reaktion': Stärke und Latenz

Bei Publikationen wird allgemein empfohlen, Skin conductance Maße in microSiemens/qcm anzugeben, um die Vergleichbarkeit über Studien hinweg zu gewährleisten. [1)]
(MAHON/IACONO, 1987, S.216)

---

1) Der Ausdruck SCL/qcm bzw SCR/qcm zur Dokumentation von SC - Werten darf trotz Vorliegen einer linearen Beziehung aber nur dann herangezogen werden, wenn die Regressionsgerade durch den Ursprung geht. Ein berechnetes Konfidenzintervall bestätigt, daß für die SCR Daten der 0-Punkt inkludiert ist, nicht aber für die SCL-Werte. Das ändert sich auch nicht, als der Ursprung als eigener Beobachtungswert (0 Elektrodengröße und 0 SCL) angenommen wird. (MAHON/IACONO, 1987, (S.219)
Als mögliche Erklärung wird angeführt, daß die Haut von der Elektrolyte-Paste Salz aufnimmt, dadurch wird die Leitfähigkeit der Haut in einem Bereich hergestellt, der etwas größer ist als die Oberfläche der Elektrode; dies wirkt sich bei kleineren Elektroden stärker aus. (MAHON/IACONO, 1987, S.221)

Die nachfolgende Tabelle enthält eine Zusammenstellung der in einer Reihe von Studien erwähnten Definitionen einer 'Reaktion'.

TABELLE 6

AUTOR	LATENZ	STÄRKE >
BOYD/MALTZMAN, 1983, S.199	1 - 5	k.a.
FAHRENBERG et al., 1986, S.327	n.v.	0.03 MikroS
GOLDWATER, 1987, S.144	1 - 4	k.a.
GROSSMAN, 1973, S.278	1 - 2	k.a.
HEIDE, 1986	1 - 5	0.1 MikroS
HUGDAHL/BROBECK, 1986, S.493	1 - 4	0.05 MikroS
HUGDAHL/KVALE/NORDBY, 1987, S.560	1 - 4	0.05 MikroS
IACONO/LYKKEN, 1983, S.71	≤ 10	0.05 μmhos
KROESE/SIDDLE, 1983, S.129	1 - 4	0.02 μmhos
LEONARD et al., 1984, S.454	1 - 5	500 Ohm
LEVIS/SMITH, 1987, S.348	≤ 5	0.2 MikroS
LYKKEN et al., 1988 , S.7	≤ 3	k.a.
MAHON/IACONO, 1987, S.218	1 - 3	0.05 MikroS
MALTZMAN/WEISSBLUTH/WOLFF, 1978, S.313	0.5-5.5	k.a.
MICHIHIRO/MURANAKA/MIYATA, 1986, S.643	1-4.5	0.16 MikroS
SIDDLE/HIRSCHHORN, 1986, S.310	1 - 4	0.02 MikroS
SIDDLE/PACKER, 1987, S.183	1 - 5	0.05 MikroS
SIDDLE/BOND/FRISWELL, 1987, S.442	1 - 5	0.05 MikroS
SIDDLE et al., 1983, S.137	1 - 5	0.02 μmhos
STEMMLER, 1984, S.174	k.a.	0.01 MikroS
VERBATEN et al., 1986, S.254	0.6-6	0.01 MikroS
ZURAWSKI/HOUSTON, 1983, S.307	≤ 4	k.a.

Legende:

k.a. ..... keine Angabe

n.v. ..... Werte nicht vergleichbar (zB dynamisches Material)

MikroS ... Mikro-Siemens

Zusätzlich wird auch noch die Forderungen einer **Minimalsteigung** von 0.08 MikroS/s erhoben. (STEMMLER, 1984, S.174)

Die von CONTE und KINSBOURNE erhobene Forderung, wonach als unspezifische Reaktionen jene Veränderungen von mehr als 100 μmhos bezeichnet wurden, die mit keinem Stimulus korreliert waren, löst das eigentliche Problem nicht, sondern verlagert es lediglich auf eine andere Ebene: Wann ist eine Reaktion mit keinem Stimulus korreliert? (1988, S.66)

9.7. Weiterverarbeitung der Rohdaten

Die Darstellung analoger physiologischer Signale in Form eines Meßstreifens, der von einem Polygraphen (Mehr-Kanal-Schreiber) ausgegeben wird und die nachträgliche Berechnung von Kenngrößen ist zeitaufwendig und fehleranfällig und wird in der modernen Forschung nur noch in Ausnahmefällen praktiziert. Meistens werden die Signale in einem ersten Schritt digitalisiert. So etwa bei CONTE/KINSBOURNE mit einer Rate von 5Hz (1988, S.66) oder bei KRÖNER mit 32 Hz (1984, S.619).

Zur Aufzeichnung spontaner Hautwiderstandsänderungen wird eine konstante Stromstärke verwendet. Die zitierten Werte liegen meistens im Bereich von $0.8 \mu A/cm^2$ (ERDMAN/JANKE/BISPING, 1984, S.526) bis $8 \mu A/cm^2$. (LEONARD et al., 1984, S.453; 2 Mikroampere bei KRÖNER, 1984, S.619) Gemessen wird in Ohm bzw. Kilohms (ZURAWSKI/HOUSTON, 1983, S.307).

Die Hautleitwertreaktionen werden mit konstanter Spannung aufgezeichnet; üblich ist ein Wert von 0.5 Volt. (LEONARD, 1985, S.127, ZEIER, 1985, S.685) Die Dokumentation der Meßgrößen erfolgt in Microsiemens (μSiemens).

In die Datenmatrix geht meist als Kenngröße der Aktivierung die **Amplitude** ein. Dabei handelt es sich um den Abstand zwischen dem Niveau zum Zeitpunkt des Stimulus bis zum 'peak' also bis zur stärksten Reaktion (meist innerhalb eines bestimmten Zeitraumes (HEIDE, 1986; MICHIHIRO/MURANAKA/MIYATA, 1986, S.643))

Eine umfangreiche Diskussion und Beurteilung verschiedener Reaktionsmeßwerte im physiologischen Meßmodell bietet STEMMLER: (1984, S.83-95)

a) **Unmodifizierte** Verlaufswerte (Hautleitwert)
b) **Ungewichtete Differenzwerte** (vorher/nachher; Amplitude)
c) **Gewichtete Differenzwerte** (zur Beseitigung des Ausgangswert-Effekts empfohlen)
d) **Verhältniswerte** (Reaktionswert wird durch den Ausgangswert dividiert; selten angewendet)
e) **Prozentwerte** (Differenz (post - prae) wird durch den Ausgangswert (prae) dividiert)
f) **Range-Wert** (post - 'vita minima' dividiert durch 'vita maxima' - 'vita minima')(SIDDLE/HIRSCHHORN, 1986, S.311, SIDDLE/PACKER, 1987, S.183 und SIDDLE/BOND/FRISWELL, 1987, S.442)
g) **Normalverteilungswert** (NV): Die Meßwerte aller Personen werden in eine Normalverteilung transformiert und dann ungewichtete Differenzwerte zwischen Ausgangs-(prae) und Reaktionswerte (post) gebildet.
h) **Differenz-Normalverteilungswert:** Vor Durchführung der NV-Transformation muß - ähnlich wie beim Range-Wert - die Schätzung des individuellen Basalwertes von jedem Meßwert abgezogen werden.

Die <u>NV-Transformation</u> wird in den meisten Fällen mit der Begründung angewendet, anormale Verteilungen gemäß den Voraussetzungen parametrischer Teststatistiken zu normalisieren. (STEMMLER, 1984, S.90)

Zur Annäherung an eine Normalverteilung wird entweder eine **Quadratwurzeltransformation** (DIMBERG/ÖHMAN, 1983, S.162, VERBATEN et al., 1986, S.254, MICHIHIRO/MURANAKA/MIYATA, 1986, S.643, SIDDLE/HIRSCHHORN, 1986, S.311, SIDDLE/PACKER, 1987, S.183 oder SIDDLE/BOND/FRISWELL, 1987, S.442) oder eine **Logarithmierung** durchgeführt. (MALTZMAN/WEISSBLUTH/WOLFF, 1978, S.314, KROESE/SIDDLE, 1983, S.130 bzw. BOUCSEIN/HOFFMANN, 1979, S.67)

Im Zuge der NV-Transformation werden durch die Rang-Transformation auch extreme Meßwerte (Ausreißer) an die Verteilung herangezogen (STEMMLER, 1984, S.97 sowie PÖHN und JIRAS, 1986) bzw. die Heterogenität der Varianz reduziert. (ZURAWSKI/HOUSTON, 1983)

Individuelle Unterschiede in der Reaktivität werden dann zum Problem, wenn die Ergebnisse von Gruppen (zB in Form eines Vergleichs von Mittelwerten verschiedener Teilstichproben) miteinander verglichen werden sollen. Ein Zusammenfassen individueller Resultate zu Gruppen ist nur dann zulässig, wenn die individuellen Ergebnisse eine ähnlich Streuung aufweisen. In der Regel ist dies nur nach Transformation der Rohdaten möglich. (BEN-SHAKHAR, 1985, S.292)

Die zwei häufigsten Transformationsmöglichkeiten werden von STEMMLER näher erläutert: (1987, S.244)

- **Paintal Transformation oder 'Range-Korrektur':**
  Für das tonische Niveau werden die individuellen Werte durch die Differenz zwischen maximalem und minimalem tonischen Niveau innerhalb einer Versuchsanordnung dividiert.
  Für die phasische Reaktion erfolgt die Divison der Rohdaten durch den Maximalwert.

- **Transformation in z-Werte** [1]

In einer Replik auf Stemmler führt BEN-SHAKHAR zwei weitere Möglichkeiten an: (BEN-SHAKHAR, 1987, S.248)

- Anstelle der Standardabweichung wird eine Subtraktion oder Division durch den individuellen Mittelwert vorgeschlagen.
- Erhebung der individuellen Reaktivität der Probanden unabhängig von der Testreihe; Schätzung von Mittelwert und Standardabweichung aufgrund eines unabhängigen Datensatzes.

LYKKEN ist der Ansicht, daß es sich bei der Berechnung des 'vita maxima' tatsächlich um den Maximalwert der Person handeln muß (zB hervorgerufen durch einen starken unangenehmen Reiz) und nicht um den innerhalb der Versuchsreihe mit dem verwendeten Stimulusmaterial (zB Anzeigen, sinnlose Silben etc.) erzielten höchsten Wert. [2] (BEN-SHAKHAR, 1985, S.294)

---

1) Den z-Wert erhält man aus einem ursprünglichen Wert, indem man den Mittelwert der Stichprobe abzieht und die so erhaltene Zahl durch die Standardabweichung der Stichprobe dividiert; die Gesamtheit aller z-Werte hat aufgrund dieser Transformation den Mittelwert 0 und die Standardabweichung 1. Standardwerte sind ähnlich den z-Werten, doch werden diese noch mit 10 multipliziert und anschließend 100 dazugezählt. Die Gesamtheit der Standardwerte hat dementsprechend den Mittelwert 100 und die Varianz 10. (WOTTAWA, 1980, S.112)

2) Das am Ordinariat verfügbare Softwarepaket bietet die Möglichkeit, die Hautleitfähigkeitswerte an den Reaktionen auf einen sog. 'Normierungsreiz' (zB lautes Reifenquietschen) zu relativieren.

Als Maximalwert gilt etwa die Amplitude beim Zerplatzen eines Luftballons. Beim Aufblasen durch die Apn zerplatzt der Ballon bei einer bestimmten Größe für die Apn völlig unvermutet durch einen Nagel an der Decke. (LYKKEN et al., 1988, S.6/7 und LEVIS/SMITH, 1987, S.351) [1]

Als Begründung für Durchführung einer '<u>range correction</u>' führen LYKKEN et al. folgende Punkte an: (1988, S.12)

Die beobachtete Variable ist ein Korrelat der psychologischen Variable, die eigentlich im Mittelpunkt des Interesses steht. Bezüglich des funktionalen Zusammenhanges dieser beiden Größen wird unterstellt, daß er monoton und einfach (zB linear) ist. Wenn man mit @ die psychologische Wirkung eines Stimulus bezeichnet, dann wird unterstellt, daß

$$SCR = a + b\,@$$

wobei die beiden Parameter von den physiologischen Eigenschaften des Individuums beeinflußt werden. [2]
b ist ein Ausdruck der Reagibilität des physiologischen Maßes, d.h. wie gut oder wie schlecht ist der periphere Hautwiderstand in der Lage, das zentrale psychologische Ereignis abzubilden. Da gleichzeitig auch gilt, daß

$$SCR_{max} = b\,@\,max$$

dient die range-correction (Divison aller SCR-Werte durch SCR_{max}) dazu, den Parameter b (als physiologische Quelle der Variation) zu eliminieren.

---

1) Die Reaktion auf das Platzen eines Luftballons gemessen über SCR und Pulsrate wurde in einer anderen Studie auch herangezogen, um zu entscheiden, ob in weiterer Folge die Hautleitfähigkeit oder die Pulsrate während der Durchführung des Experiments gemessen werden soll. Diese Vorgangsweise reduziert sign. die 'Nonresponder' unter den Vp. Es konnten vier Gruppen unterschieden werden: Reaktionen bei beiden Indikatoren hoch, bei beiden niedrig, Puls hoch, SCR hoch. (LEVIS/SMITH, 1987, S.351; IACONO/LYKKEN, 1983, S.75)

2) a sollte eigentlich Null sein, da davon ausgegangen wird, daß keine SCR ensteht, wenn keine Orientierunsgreaktion hervorgerufen wird oder kein Stimulus gesetzt wurde.

Die Weiterverarbeitung der Rohdaten hat auch Auswirkungen auf die eingesetzten statistischen Auswertungsverfahren. So ist etwa die von BEN-SHAKHAR berechnete mittlere Differenz des SCR zwischen relevanten und neutralen Stimuli dividiert durch den Standardfehler der Mittelwertsdifferenzen ein parametrisches Maß, während die Fläche unter der Reaktion ein parameterfreies Maß ist. (BEN-SHAKHAR, 1985, S.293)
Der empirisch arbeitende Psychologe steht nach der Datenerhebung häufig vor der Frage, ob er seine Daten mittels eines parametrischen oder eines nonparametrischen oder verteilungsfreien Tests auswerten soll. [1] (HAGER/LÜBBEKE/HÜBNER, 1983, S.347)

Die statistische Nullhypothese der Gleichheit zweier Mittelwerte aus normalverteilten Populationen wird mit dem **t-Test** überprüft. (HAGER/LÜBBEKE/HÜBNER, 1983, S.349)
Für seine valide Anwendung sind die folgenden **Annahmen** als gültig vorauszusetzen: (HAGER/LÜBBEKE/HÜBNER, 1983, S.350)

(1) Unabhängigkeit der Beobachtungen innerhalb der und zwischen den beiden Stichproben.
(2) Gleichheit der beiden Populationsvarianzen.
(3) Normalverteilung der Rohwerte in beiden Populationen.
(4) Aus (3) folgt die Kontinuität der Populationsverteilungen.

1) Die Begriffe 'nonparametrisch' und 'verteilungsfrei' werden hier austauschbar benutzt.

Das bekannteste nonparametrische Homologon des t-Tests ist der **U-Test** nach Wilcoxon und Mann & Whitney. Während allerdings HAGER/LÜBBEKE/HÜBNER (1983, S.353) Intervallskalenniveau der Daten auch bei Anwendung des U-Tests zur Überprüfung von Mittelwertshypothesen fordern, findet sich bei NORUSIS (1983, S.125) der Hinweis, daß der Mann-Whitney-Test auch bei ordinalskalierten Variablen eingesetzt werden kann. Generell wird empfohlen, unter der Voraussetzung, daß alle Anforderungen an die Daten erfüllt sind, den t-Test zur Überprüfung heranzuziehen, da dieser mehr Informationen über die zugrunde liegenden Daten nutzt und deshalb als der 'mächtigere' Test anzusehen ist. Bei Unsicherheit oder offensichtlicher Prämissenverletzung sollte aber einem verteilungsfreien Test der Vorzug gegeben werden. Diese Forderung gilt unabhängig von der 'Robustheit' einiger statistischer Auswertungsverfahren, die trotz Vorliegen von Prämissenverletzungen keine wesentlich verzerrten Schätzwerte liefern. [1]
Die Verwendung von z-Werten führt im Vergleich zur Divison durch den Maximalwert oder Mittelwert zu trennschärferen t-Werten und damit auch zu statistisch signifikanten Unterschieden. [2]
(BEN-SHAKHAR, 1985, S.297)

Von den zahlreichen Auswertungsvorschlägen, soll lediglich auf die Vorteile der Methode, Reaktionswerte mit Hilfe orthogonaler Polynomkoeffizienten zu beschreiben, näher eingegangen werden:
(WEYER/BLYTHE, 1983, S.503)

- Die Veränderungswerte sind ohne Bezug auf eine bestimmte Stichprobe vom jeweiligen Niveau unabhängig.
- Zu einem Niveauwert können mehrere Veränderungswerte gebildet werden, die die Form des Reaktionsverlaufs beschreiben.

---

1) Ein Signifikanztest zur Prüfung einer bestimmten Hypothese heißt dann 'robust', wenn die Verletzung einer bestimmten Annahme zu keinen bzw. zu keinen nennenswerten Abweichungen der faktischen von den nominellen Fehlerwahrscheinlichkeiten führt. (HAGER/LÜBBEKE/HÜBNER, 1983, S.348)

2) Es stellt sich allerdings die Frage, ob eine stärkere Diskriminierungsleistung allein als Kriterium für die Beurteilung eines Verfahrens oder eines Testergebnisses herangezogen werden darf, wenn nicht eindeutig sichergestellt ist, daß beide Tests (Verfahren) im Sinne einer Diskriminanzvalidität auch tatsächlich dasselbe Konstrukt messen.

Die Überlegungen werden am Beispiel einer fiktiven Verlaufskurve in Abbildung 44 erläutert.

Abbildung 44: Fiktive Verlaufskurve für Vp i und 6 Messungen

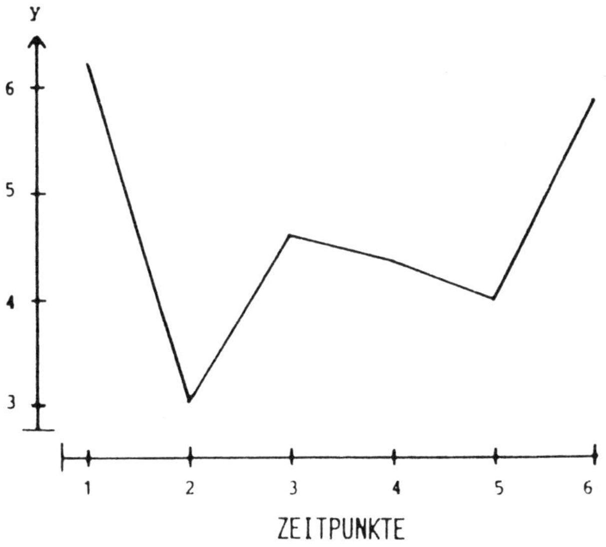

Quelle: WEYER/BLYTHE (1983, S. 507)

WM

Mit 6 Messungen (y_i) ergeben sich die in Tabelle 7 enthaltenen Orthogonal-Polynom-Transformationen:

Tabelle 7: Beispiel einer Orthogonal-Polynom-Transformation

	$a_{0i}\varphi_0(x_t)$ Niveau	$a_{1i}\varphi_1(x_t)$ Lin.Komp.	$a_{2i}\varphi_2(x_t)$ quadr.K.	$a_{3i}\varphi_3(x_t)$ kub.Komp.	$a_{4i}\varphi_4(x_t)$ quart.K.	$a_{5i}\varphi_5(x_t)$ quint. K.
	4.69	- 0.1	1.05	- 0.2	0.32	0.03
	4.69	- 0.06	- 0.21	0.28	- 0.96	- 0.15
	4.69	- 0.02	- 0.81	- 0.16	0.64	0.3
	4.69	0.02	- 0.81	0.16	0.64	- 0.3
	4.69	0.06	- 0.21	- 0.28	- 0.96	0.15
	4.69	0.1	1.05	0.2	0.32	- 0.03
a_i	4.69	0.02	0.21	- 0.04	0.32	- 0.03
a_{si}		0.05	0.71	- 0.22	0.63	- 0.19
a_{si}^2		0.003	0.51	0.05	0.40	0.04

Quelle: WEYER/BLYTHE (1983, S. 508)

WM

Die Zeilensummen sind gleich dem jeweiligen y-Wert des Verlaufs, d.h. die Originalmeßwerte werden komplett reproduziert.
Die Interpretation der Koeffizienten erfolgt wie bei 'gewöhnlichen' Regressionskoeffizienten. Die drittletzte Zeile enthält die unstandardisierten Koeffizienten, die vorletzte Zeile die Beta-Gewichte (standardisierte Werte), die eine unmittelbare Vergleichbarkeit der jeweiligen Bedeutung erlauben. In der letzten Zeile steht das Quadrat der standardisierten Werte: im Beispiel erklären die quadratische und quartische Komponente 91 % der Varianz.
Sämtliche durch die Polynom-Transformation gewonnenen Reaktionswerte sind nicht mit dem Niveauwert korreliert. (WEYER/BLYTHE, 1983, S.513)

Die meisten bisherigen Ausführungen beziehen sich auf Reaktionen im Anschluß an die Präsentation von statischen Stimuli. Durch die kontiuierliche Reizdarbietung und damit auch kontinuierliche Erfassung der Reaktionen ergibt sich einerseits das Problem der Wahl des 'besten' Indikators und andererseits das Problem der Zuordnung einer Reaktion auf einen ganz bestimmten Reiz bzw. eine Reizkomponente (Bild / Wort / Musikuntermalung).
(vgl. die Diskussion bei von KEITZ, 1983, insbes. die Seiten 88ff sowie bei HORWATH, DA an der WUW, in Vorbereitung)

Als Parameter der physiologischen Erregung dienen bei dynamischem Stimulusmaterial der **Maximalwert**, d.h. der größte Wert im Meßintervall, der **Integralwert**, der sich aus der kontinuierlichen Integration des Signals im Meßintervall ergibt (OCHSMANN/HENRICH, 1984, S.299) sowie die **Veränderung des tonischen Niveaus** (HORWATH, DA an der WUW, in Vorbereitung). Meistens wird jedoch der **Anzahl der spontanen Reaktionen** pro Zeiteinheit der Vorzug gegeben. [1)] (GEEN/McCOWN, 1984, S.234, FAHRENBERG et al., 1986, S.327 und ERDMAN/JANKE/BISPING, 1984, S.526)
Auch WALSCHBURGER (1976) kommt nach einer gründlichen Diskussion von 22 Parametern elektrodermaler Aktivität zu dem Ergebnis, daß "für die Abbildung von Aktivierungsverläufen...die SCR-Anzahl zu bevorzugen sei." (zit. nach STEMMLER, 1984, S.174)

---

1) Um als Reaktion zu gelten, mußten bei GEEN und McCOWN zwei Kriterien erfüllt sein:
   - eine absolute Größe von wenigstens 500 ohm
   - eine Rückkehr zum Ausgangsniveau innerhalb von 2 Sekunden. (1984, S.234)

9.8. Validität physiologischer Messungen

Die Objektivität der Auswertung ist bei elektrophysiologischen Maßen in vollem Umfang gesichert. (HAIDER, 1969, S.138)
Bei der Überprüfung der Zuverlässigkeit durch Meßwiederholungen schneidet das EEG mit Retestkoeffizienten zwischen 0.82 und 0.93 relativ günstig ab. Geringere Werte wurden für die Hautwiderstandsmessungen erzielt; dies ist im wesentlichen auf das große Ausmaß funktioneller Schwankungen zurückzuführen, da die jeweiligen Werte den momentanen Zustand des Organismus reflektieren. (HAIDER, 1969, S.139/S.140) [1)]

Im folgenden sollen nur jene Einflußfaktoren kurz erwähnt werden, die bei Durchführung einer Aktivierungsmessung zu beachten, zu kontrollieren und ggf. zu eliminieren sind.

Unterschiedliche Befunde liegen zu der Frage vor, ob die Reaktionen vom Anbringen der Elektroden am linken oder rechten Arm abhängig sind. MORAWETZ beobachtete bei Reizung des linken Armes einen signifikant niedrigerer Wert als bei Reizung des rechten Armes. Für ihn steht dies "im Einklang mit dem Konzept der Spezialisierung der rechten Hemisphäre zur Bewertung emotionaler Reize". (1981, S.454)
IACONO/LYKKEN stellten eine größere Anzahl von spontanen Reaktionen an der rechten Hand fest. (1983, S.78)

1) Bei Betrachtung der bereits erwähnten (teilweise begründbar) nicht übereinstimmenden physiologischen Indikatoren, scheint die Aussage: "Die Gültigkeit bzw. Validität (der Elektrodermalen Reaktion; Anm. d. Verf.) kann zB durch Korrelationen mit anderen Aktivierungsindikatoren überprüft werden" etwas gewagt. (HAIDER, 1969, S.139/S.140)
Auf die grundsätzliche Problematik der Validierung von Aktivierungswerten insbes. mit verbalen Indikatoren wurde bereits hingewiesen. (vgl. dazu auch HOSSINGER, 1982, S.117ff)

In weiteren Studien wird berichtet, daß sowohl für SCL als auch SCR keine signifikanten Unterschiede zwischen rechter und linker Hand festgestellt werden konnten. (MAHON/IACONO, 1987, S.219 und LEONARD et al., 1984, S.454) [1])

BOYD/MALTZMAN überprüften die Frage, ob sich die unterschiedliche Aktivität der beiden Hemisphären, auch in unterschiedlichen rechts/links-Aktivitäten der EDR niederschlägt. (1983, S.196)

Während eines auditiven Experiments konnten aufgabenbezogene Asymmetrien in der EDA festgestellt werden. [2])

Die Stimulus x Hand-Interaktion erbrachte das postulierte Ergebnis: das Verhältnis von Reaktionen der linken und rechten Hand war größer für die Aufgaben der linken Hemisphäre. [3])

Im visuellen Experiment konnte keine signifikante Interaktion zwischen Hand und Stimulus festgestellt werden, jedoch eine Interaktion Hand x Stimulus x Geschlecht: Männer zeigten hypothesenkonforme Reaktionen, Frauen jedoch nicht. [4])

Die aufgabenbezogene Unterschiede (Asymmetrien) kamen beim visuellen Experiment aufgrund von Unterschieden in der linken Hand zustande. In der rechten Hand zeigten sich keine Unterschiede. Beim auditiven Experiment war es genau umgekehrt.

---

1) LYYKEN et al. erwähnen größere SCR Amplituden in der linken Hand; allerdings verschwindet dieser Unterschied nach einer Range-Korrektur der Werte. (1988, S.6/7)

2) Auditive Stimuli waren Akkorde einer Elektronenorgel bzw. sinnlose Silben; mittels Pedal sollten die Apn anzeigen, ob zwei Akkorde ident sind bzw. ob zwei Reihen sinnloser Silben ident sind. (BOYD/MALTZMAN, 1983, S.198)

3) SCR waren in der linken Hand immer größer; nur die Größe der Differenz änderte sich zwischen den Aufgaben.

4) Visuelle Stimuli waren ein s/w-Fotos eines Mannes, drei einsilbige englische Wörter (2 davon reimten sich); mittels Pedaldruck mußte angezeigt werden, ob sich die Wörter reimen oder nicht bzw. mußte angezeigt werden, ob das Gesicht durch eine frühere Präsentation schon bekannt war oder nicht.

Auch die Angaben über den empfohlenen bzw. tatsächlich in den empirischen Studien eingehaltenen **Zeitraum zwischen Anbringen der Elektroden und Beginn der Meßwertaufzeichnung** schwanken sehr stark, sofern diese Daten überhaupt in den Publikationen angeführt sind:

"**3-minütige** Einstimmungsphase" (SIDDLE/BOND/FRISWELL, 1987, S.441)

"Haut mit warmen Wasser gewaschen und **5-minütige** Ruheperiode" (LAWLER/RIXSE/ALLEN, 1983, S.345) [1)]

"**5-minütige** Einstimmungsphase" (LANZETTA/BIERNAT/KLECK, 1982, S.53 sowie KROESE/SIDDLE, 1983, S.129 und JAMIESON, 1987, S.667)

"**7-minütige** Einstimmungsphase" (MICHIHIRO/MURANAKA/MIYATA, 1986, S.643)

"Testbeginn **15 Minuten** nach dem Anbringen der Elektroden" (CONTE/KINSBOURNE, 1988, S.66)

"**20-minütige** Einstimmungsphase nach Plazierung der Elektroden" (MAHON/IACONO, 1987, S.217)

"Nach ca **20 min** stabilisierte sich der Hautwiderstand bei einem Wert zwischen 10 und 50 Kiloohm." (MORAWETZ et al., 1981, S.457)

"Die Messung der Elektrodermalen Reaktion (EDA) innerhalb der ersten **30 Minuten** nach Anbringen der Elektroden sollte vermieden werden." (BOYD/MALTZMAN, 1983, S.223)

Erwähnenswert ist auch die unterschiedliche Größe und Dauer der Präsentation. So streut etwa die **Darbietungszeit** der Stimuli von einigen Hunderstelsekunden (MAYERHOFER, 1980) über fünf Sekunden (BOYD/MALTZMAN, 1983, S.196) bzw. 6 Sekunden (PÖHN und JIRAS, 1986) bis zu 10 Sekunden. (LAUTERBACH/EIFERT, 1984) [1)]

---

1) An unterschiedliche Reinigungprozeduren werden auch noch berichtet:
Haut mit **Aceton** gereinigt (CONTE/KINSBOURNE, 1988, S.66)
Haut mit **Aceton** entfettet (MORAWETZ et al., 1981, S.457)
Hände mit **Seife** gewaschen (LYKKEN et al., 1988 , S.7)
Meßstellen mit **Seife und lauwarmen Wasser** gewaschen. (STEMMLER, 1984, S.174)

Langzeitmessungen, wie sie etwa von BOYD und MALTZMAN über einen Zeitraum von 7 Stunden hinweg durchgeführt wurden und bei denen Biosignale kontinuierlich aufgezeichnet werden, um aus den Kurvenverläufen Reaktionen auf bestimmte, während des Verlaufs eintretende Ereignisse (Reize) abzulesen, bringen vor allem Probleme bei der Weiterverarbeitung der so entstandenen Meßwertreihen mit sich. (BOYD/MALTZMAN, 1983, S.221 und WEYER/BLYTHE, 1983, S.501)
Häufig wird auch auf die Problematik des **Trends** in psychophysiologischen Daten bei längeren Aufzeichnungen hingewiesen. (STEMMLER, 1984, S.97 und SCHITTL, 1980).
Als Ursachen werden circadiane Schwankungen, die Adaption an den Versuch, Ermüdung oder Temperaturveränderungen angeführt und die Durchführung einer individuellen Trendkorrektur empfohlen. (STEMMLER, 1984, S.140+198)

Bei physiologischen Messungen insbesondere bei der Registrierung der Elektrodermalen Reaktion werden die Vp meist instruiert, sich während der Messung nicht zu bewegen, um **Bewegungsartefakte** also Reaktionen, die nicht auf Stimuli zurückzuführen sind, sondern lediglich das Ergebnis von Körperbewegungen darstellen, zu vermeiden. HARE berichtet zB von einem Absinken des Hautwiderstandes und der Pulsrate bei Bewegungsartefakten. (1975; zit. nach ZURAWSKI/ HOUSTON, 1983)
Insofern scheint es verwegen, wie dies in einer Studie von AAKER, STAYMAN und HAGERTY gemacht wurde, gleichzeitig physiologische Daten zu erheben und den Vp mit der anderen Hand eine motorische Tätigkeit ausführen zu lassen. (1986, S.369)
Es wurde gleichzeitig am 1. und 3. Finger der nicht-dominanten Hand in Sekunden-Abständen der Hautwiderstand gemessen, während mit der dominanten Hand ein '**Warmth-Monitor**' bedient wurde. (vgl. die folgende Abbildung 45)

1) Zu beachten ist aber nicht nur die Dauer der Präsentation, sondern auch die Zeitspanne zwischen den Darbietungen, weil es durch fixe Intervalle zwischen den Stimuli **zu einer Konditionierung** kommen kann. (MARTIN, 1983, S. 137)

Während der Betrachtung eines Spots werden die Vp gebeten, durch Ziehen eines Bleistiftstriches auf einer bewegten Papierrolle anzugeben, "how warm his or her feelings are at any given time." (AAKER/STAYMAN/HAGERTY, 1986, S.370) 1)

Abbildung 45: Aufzeichnungsprotokoll eines 'Warmth Monitor'

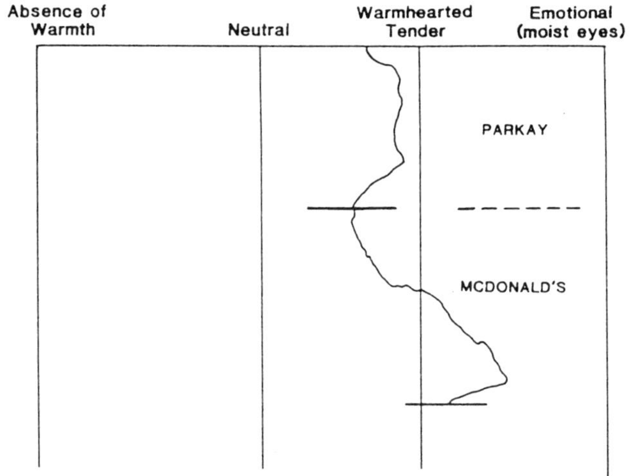

* Subjects are also shown a sample warmth monitor which is described, and told to try to keep a constant rate of speed down the page and not look down at the paper while watching the commercials.

Quelle: (AAKER/STAYMAN/HAGERTY, 1986, S.368)

WM

KROESE und SIDDLE berichten über eine Studie, in der die Apn mit dem Zeigefinger der rechten Hand einen kleinen Knopf drücken mußten und keine Artefakte zu verzeichnen waren. (1983, S.129)

---

1) Die Spots wurden in 10 gleiche Sequenzen zerlegt; zu dieser Vorgangsweise ist anzumerken, daß die Gliederung der Spots eher nach inhaltlichen Gesichtspunkten oder Gestaltungskriterien erfolgen sollte. (HORWATH, DA an der WUW, in Vorbereitung)

Auch SCR, die gemeinsam mit überdurchschnittlichen **Atemveränderungen** verbunden sind (bzw. von diesen ausgelöst werden), werden nicht ausgewertet. (SIDDLE/BOND/FRISWELL, 1987, S.441 und PÖHN, JIRAS, WANSCH, 1986)

In einigen Studien wird auch über signifikante **geschlechts-spezifische** Unterschiede berichtet:

- Männer sind reagibler. (SIMONS et al., 1983, S.500)
- bei weiblichen Probanden ein geringerer Hautwiderstand; also Frauen sind reagibler. (MORAWETZ et al., 1981, S.454)

In der bereits erwähnten Studie von LYKKEN et al. verschwinden die geschlechtsspezifischen Unterschiede nach einer Range-Korrektur. (1988, S.8)
Auch in der Studie von WANSCH konnten keine Unterschiede in der Stärke der Reaktion zwischen Männern und Frauen festgestellt werden. (1987, S.68/69)

Ein Einfluß der **Tageszeit** auf die Höhe der Aktivierungswerte konnte nicht festgestellt werden. (CONTE/KINSBOURNE, 1988, S. 67 und WANSCH, 1987, S.68/69)
In der erwähnten Studie von WANSCH bleiben auch die **Schulbildung** und die **Raumtemperatur** (unter 23 Grad vs 23 Grad und höher) ohne Einfluß auf die Aktivierung (WANSCH, 1987, S.68/69)
Hingegen konnte ein Einfluß der **Stimmungslage** vor Beginn des Versuchs festgestellt werden: (WANSCH, 1987, S.79)

Die (Selbst-)Einstufung als 'MISSMUTIG' bewirkte eine **höhere** Aktivierung bei drei Reizen; Personen mit 'SCHLECHTER LAUNE', als Kombination (Dimension / Faktor) gebildet aus den Items MISSMUTIG, UNBEHAGLICH, AUFGEREGT und NICHT GUT AUFGELEGT, zeigten bei 4 Stimuli eine höhere Aktivierung.

Alkohol war auf die Reduktion der Aktivierung und der negativen Empfindungen einer streßgeladenen Situation ohne Einfluß.
Sehr wohl aber hatte der Alkoholkonsum eine positive Auswirkung in einer nicht-streßgeladenen Situation. (BURISH/MAISTO/SHIRLEY, 1982, S.149)
MEHRABIAN berichtet von Studien bei Verwendern von **Pharmaka** (Nikotin, Kaffein, Kokain und Amphetaminen), bei denen eine Auswirkung dieser Stoffe auf das Aktivierungsniveau festgestellt wurde. (MEHRABIAN, 1986, S.1)
Tabelle 8 im Anhang enthält eine Aufstellung von **Chemischen Stoffen**, die emotionale Vorgänge beeinflussen. Zu beachten ist, daß die Auswirkungen von Drogen auf das Aktivierungsniveau und individuelle Unterschiede miteinander interagieren. (JANKE, 1983, S.134/135)
Für Extrovertierte verbesserte Kaffee zB die Leistungsfähigkeit bei einer Vigilanz-Aufgabe. Bei auditiven Stimuli reduzierte Kaffee die Habitualisierungsrate des GSR. (REVELLE et al., 1980, S.5 und 6) [1)]
Unter **Habitualisierung** versteht man die Möglichkeit, die Reaktion auf einen Stimulus einzustellen, der keinen Signalwert besitzt und seine Bedeutung verloren hat. Wenn der Stimulus durch wiederholte Präsentation seine Bedeutung verliert, kommt es zu Habitualisierung. [2)] (IACONO/LYKKEN, 1983, S.71 und GROSSMAN, 1973, S.278)

Das Gegenteil dazu stellt die **Orientierungsreaktion** (OR) dar. Darunter versteht man einen Mechanismus, durch den man auf Ereignisse der Umgebung aufmerksam wird; die Bedeutung dieser Ereignisse beeinflußt das weitere Verhalten. Wird der Stimulus als bedeutungsvoll identifiziert, kann er ein Such-, Flucht- oder in anderer Weise geeignetes Verhalten hervorrufen. Darüber hinaus kann er auch eine emotionale Reaktion hervorrufen. (IACONO/LYKKEN, 1983, S.71)

---

1) Die Tests wurden jeweils 45 Minuten nach dem Kaffeegenuß durchgeführt.

2) EDR scheinen schneller zu habitualisieren: Nach 56 Reizwiederholungen nahm die Hautleitfähigkeit um 65% ab, die Amplitudenreaktion des EEG nur um 15% der Maximalamplitude. (RÖSLER, 1982, S.213)

Nach Sokolov ist das wesentliche Charakteristikum zur Auslösung einer OR eine Veränderung der Reizgegebenheiten, wobei die Amplitude der OR zur Größe der Abweichung proportional sein soll. Der für die OR verantwortliche zentralnervöse Mechanismus ist somit ein 'Neuigkeitsdetektor'. [1] (RÖSLER, 1982, S.208) Beide Fähigkeiten werden übrigens als gleich wichtig für den menschlichen Organismus angesehen. (LYKKEN et al., 1988, S.4) Die Bewertung der **Bedeutung eines Stimulus** spielt eine wichtige Rolle für die Habitualisierung; aber auch die Frage, ob eine OR entsteht oder nicht, hängt von der Interaktion zwischen Stimuluseigenschaften und der Beurteilung der Bedeutung dieses Stimulus ab. (IACONO/LYKKEN, 1983, S.78)

Auswirkungen unterschiedlicher **Instruktionen** an die Vp auf die **Habitualisierung** konnten beobachtet werden:

- Ignore Gruppe: "Wir messen, wie schnell sie die körperliche Reaktion auf diesen für Sie bedeutungslosen Ton einstellen; konzentrieren sie sich nur auf die Story im Vordergrund".
- Attend Gruppe: "Ihre Aufgabe ist es, sich auf diese Töne zu konzentrieren. Schenken Sie diesen Tönen Aufmerksamkeit. Zählen Sie die Töne sorgfältig."
- Neutrale Gruppe: "Wir zeichnen Ihre körperlichen Reaktionen auf, während sie eine Reihe kurzer Töne hören, die in unregelmäßigen Abständen aus den Lautsprechern ertönen."

Eine neutrale Instruktionen an die Vp kann unvorhersehbare Auswirkungen auf den Prozeß der Habitualisierung haben. Wenn man möchte, daß Vp die Reaktionen auf bedeutungslose Stimuli einstellen, dann sollte man die Vp entsprechend anweisen, am besten, indem man ihre Aufmerksamkeit nach Möglichkeit auf einen alternativen Reiz richtet. (IACONO/LYKKEN, 1983, S.78)

---

1) Zur Unterscheidung zwischen 'Adaption Reflex' und 'Defense Reflex' vgl. SIDDLE/KUIACK/STENFERT-KROESE (1983, S.150f).

Die Manipulation der Aufmerksamkeit hatte eine Auswirkung auf die phasische Reagibilität und auf das tonische Niveau. (IACONO/LYKKEN, 1983, S.78)
In Situationen, in denen die Aufmerksamkeit auf die Umgebung gelenkt wurde, wie zB um einen Lichtblitz zu beobachten oder auf ein Tonbandgerät zu hören, stiegen die Hautleitfähigkeit und der Blutdruck an, während die Pulsrate sank. (DAVIES, 1983, S. 20)

Abschließend soll noch erwähnt werden, daß es eine Gruppe von Personen gibt, die bei den verschiedenen physiologischen Maßen unterschiedlich reagibel sind. Nicht ganz gerechtfertigt wird von **'responder/nonresponder'** gesprochen, da diese Klassifikation meistens nur auf ein Maß bezogen wird. [1)]
Wichtiger wäre die Suche nach dem **'dominant autonomic response system'** einer jeden Person. (LEVIS/SMITH, 1987, S.347)

Non-responder scheint auch eine Art Erbanlage zu sein, da bei 75 % der getesten eineiigen Zwillinge auch der andere Teil (d.h. somit beide Personen) 'non-responder' waren. (LYKKEN et al., 1988, S.6)
Es gibt sogar Ansätze, die davon ausgehen, daß EDA-Nonresponder als Risikogruppe für späteren auffälligen Befund im Bereich der Psychopathologie anzusehen sind. (SIMONS et al., 1983, S.503)
Die SCR-Nonresponder zeigten ein schnelleres Wechseln von Verminderung zu Beschleunigung der Pulsrate während einer wiederholten Stimuluspräsentation. Die Autoren interpretieren diese Daten so, daß solche Vp eine geringere Schwelle für defensives Verhalten (Abwehrreaktion) und/oder ein spezifisches Defizit an Orientierungsreflexen aufweisen. (SIMONS et al., 1983, S.504)

---

1) Personen werden zB als Nonresponder bezeichnet und ihre Daten von der weiteren Berechnung exkludiert, wenn die max. Reaktion über die gesamte Versuchsreihe kleiner als 0.5 μS ist. (LYKKEN et al., 1988 , S.11)
Eine effizientere Vorgangsweise besteht darin, Personen bereits vor Beginn der eigentlichen Versuchsreihe als 'non-responder' zu identifizieren. So war zB eine Reaktion von mindestens 0.2 microSiemens auf einen Lichtblitz notwendig, um nicht als 'non-responder' von der eigentlichen Versuchsreihe ausgeschlossen zu werden. (HUGDAHL/KVALE/ NORDBY, 1987, S.560)

9.9. Hemisphärenforschung und Elektroenzephalogram (EEG)

"Äußerlich eine gleichförmige, unscheinbare Ansammlung von Nerven- und Stützzellen, übertrifft das Gehirn selbst bei einfachen Rechenleistungen vielfach die schnellsten Computer." (PALM, 1988, S.54)
Die Gehirnrinde enthält grob geschätzt etwa zehn Milliarden Nervenzellen mit - soweit dies experimentell geprüft worden ist - ziemlich einfachen Eingangs-Ausgangs-Beziehungen: Jedes Neuron empfängt über eine in der Regel fünfstellige Zahl von Eingängen Signale von anderen Nervenzellen, verarbeitet sie und gibt selbst über einen Ausgang nur ein einziges Signal ab. Dieses wird seinerseits über mehrere zehntausend Synapsen (Schaltstellen zwischen Neuronen) an etwa ebensoviele Nervenzellen weitergeleitet. (vgl. die folgende Abbildung 46)

Vielfältig sind die Studien und Aussagen im Zusammenhang mit Gehirntheorien. WEINSTEIN spricht von **'neuromythology'** und meint damit die vielen Spekulationen, die seiner Meinung nach .. "should be restricted to cocktail parties." (WEINSTEIN, 1982, S.60)
Gesichert scheint lediglich, daß sich beide Hemisphären in der Tat aufgrund ihrer normalen Funktionen voneinander unterscheiden.

Untersuchungen durch Einspritzen von radioaktiven Material (XENON 133) und Messung der Durchblutung, bestätigen eine stärkere Durchblutung der **linken Hemisphäre**, wenn die Personen in eine verbale Aufgabe involviert sind; die **rechte Hemisphäre** ist stärker durchblutet bei Lösen einer bildlichen Aufgabe.
Trotz divergierender Befunde belegen die meisten Studien eine Überlegenheit des linken Ohres (rechte Hemisphäre) für das Wiedererkennen von nicht-sprachlichen Reizen (Musik oder emotionale Töne und Geräusche). (DAVIDSON, 1983, S.207 und GALE/EDWARDS, 1983, S.120)

Abbildung 46: Eine Nervenzelle als Schaltstelle

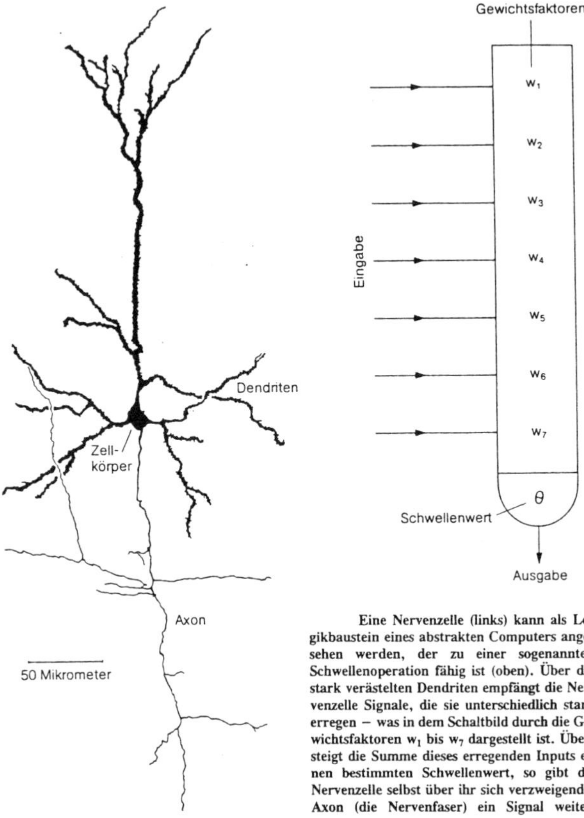

Eine Nervenzelle (links) kann als Logikbaustein eines abstrakten Computers angesehen werden, der zu einer sogenannten Schwellenoperation fähig ist (oben). Über die stark verästelten Dendriten empfängt die Nervenzelle Signale, die sie unterschiedlich stark erregen – was in dem Schaltbild durch die Gewichtsfaktoren w_1 bis w_7 dargestellt ist. Übersteigt die Summe dieses erregenden Inputs einen bestimmten Schwellenwert, so gibt die Nervenzelle selbst über ihr sich verzweigendes Axon (die Nervenfaser) ein Signal weiter.

Quelle: PALM (1988, S. 56)

WM

Die Aktivität der Hemisphären hängt aber nicht zuletzt von der Aufgabenstellung und der Stimulusbeschaffenheit ab. (PARASURAMAN, 1983, S.46)

Es gibt viele Indizien, die beweisen, daß die **linke** Gehirnhälfte besonders mit dem Verarbeiten sequentieller verbaler Stimuli beschäftigt ist. Die **rechte** Gehirnhälfte ist besonders geeignet zur Verarbeitung ganzheitlicher Stimuli, inklusive einer Art von Mustererkennung. [1)]
Die **rechte** Gehirnhälfte ist empfänglich für die emotionale Bedeutung von solchen ganzheitlichen Gebilden. [2)] (BUCK, 1984, S.279)
Frühe Stufen der Verarbeitung, die mit der Gewinnung von rein physikalischen oder sensorischen Erkenntnissen befaßt sind, laufen in beiden Hemisphären gleich ab. Weitere Stufen kann man sich als relativ getrennte aber verbundene Informationsverarbeitungskanäle von getrennter Kapazität vorstellen.
Zu beachten ist, daß es sich **nicht** um eine **ausschließliche Zuständigkeit** handelt, sondern daß diese Hemisphären nur in höherem Maße involviert sind. (WEINSTEIN/DROZDENKO/WEINSTEIN, 1984, S.67-71 oder BUCK, 1984, S.118)
Unbekannte **Gesichter** und sinnlose **Formen** werden zuerst von der **rechten** Hemisphäre verarbeitet und **Wörter** zuerst von der **linken** Hemisphäre. (MOSCOVITCH/KLEIN, 1980, S.590-604)
Jüngste Studien haben bestätigt, daß sich diese Überlegenheit noch verstärkt, wenn es um Gesichter mit einem emotionalen Ausdruck geht. [3)] (BUCK, 1984, S.279)

---

1) Wenn wir uns an etwas zu erinnern suchen, möchten wir in der Regel aus ein paar bruchstückhaften Hinweisen den vollständigen Sachverhalt rekonstruieren. Dies ist der klassische Fall einer Mustervervollständigung. (PALM, 1988, S.61)

2) Vermutungen und Spekulationen gibt es auch darüber, ob die rechte Hälfte positive und die linke Hälfte negative Emotionen auslöst. (WEINSTEIN, 1982, S.62)

3) In einer Studie wurden 2 Gesichter mit spiegelverkehrten Gesichtshälften präsentiert. Trotzdem behauptete die Mehrheit der Apn, daß Gesicht A glücklicher aussieht. (WEINSTEIN/DROZDENKO/WEINSTEIN, 1984, S.68; Abb. 1)
Als Erklärung wird angegeben, daß Apn mehr auf die linke Gesichtshälfte reagieren, da dieser Teil direkt in die rechte Gehirnhälfte projiziert wird.

Zahlreiche Studien haben bestätigt, daß die Personen besser in der Lage sind, Wörter zu identifizieren, die im **rechten Gesichtsfeld** dargeboten werden (linke Hemisphäre) im Vergleich zu Wörtern, die dem linken Gesichtsfeld präsentiert werden (rechte Hemisphäre), während sie Gesichter, die ihnen im **linken Gesichtsfeld** präsentiert werden, rascher wiedererkennen als im rechten Feld. (DAVIDSON, 1983, S.207)
Studien zum **dichotomen Zuhören** zeigen, daß das **rechte Ohr** (d.h. die linke Hemisphäre) besser den Inhalt eines Gespräches folgt (**was** wird gesagt), während das **linke Ohr** (rechte Gehirnhälfte) besser den emotionalen Ausdruck eines Gesprächs analysieren kann (**wie** wird etwas gesagt). (BUCK, 1984, S.279)
Werden 2 verbale, auditive Stimuli gleichzeitig präsentiert (an jedem Ohr einer), werden die Reize, die dem rechten Ohr präsentiert werden, besser erinnert. (DAVIDSON, 1983, S.207)
Die Identifikation von peripher präsentierten Gegenständen war am schlechtesten, wenn sie zu einer gemeinsamen Klasse von Items gehörten, die üblicherweise zuerst von derselben Hemisphäre verarbeitet werden. (MOSCOVITCH/KLEIN, 1980, S.599)
Der Unterschied zwischen den beiden Hemispären liegt nicht in der Verarbeitung unterschiedlicher Stimuli (verbal vs non-verbal) sondern im Verarbeitungsprozeß. [1] (DAVIDSON, 1983, S.208)
Es gibt allerdings gewisse Aspekte der Verarbeitung visueller Reize, die die rechte Hemisphäre wirklich besser kann, wie etwa die Tiefenwahrnehmung. (SPRINGER/DEUTSCH, 1987, S.113)
Die linke Gehirnhälfte erhält zuerst Informationen, die über die Sinnesorgane hereinkommen. (BUCK, 1984, S.117)

---

1) Wie jüngste Forschungsergebnisse zeigen, ist bei Rechthändern die rechte Hemisphäre in der Lage, bestimmte linguistische Funktionen auszuführen, deshalb ist es nicht länger gerechtfertigt, die funktionalen Unterschiede zwischen den Hemisphären als verbale / nonverbale Dichotomie zu beschreiben. (DAVIDSON, 1983, S.205)

Ein relativ einfaches Modell der **Hemisphären-Spezialisierung** ist in der folgenden Abbildung 47 dargestellt:

Abbildung 47: Informationsfluß in den beiden Gehirnhälften

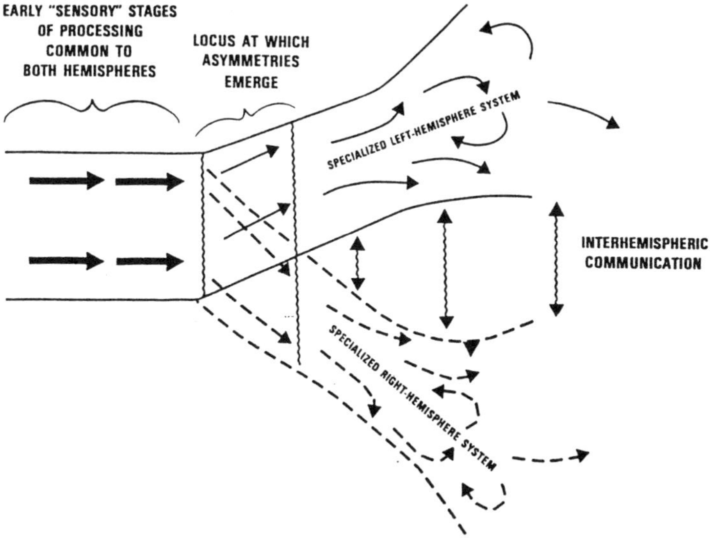

Quelle: MOSCOVITCH/KLEIN (1980, S. 591)

WM

Zu beachten ist eine Kreuzung der sensorischen Nervenbahnen, wie man sie auch bei der Kontrolle der Motorik findet. (vgl. die folgende Abbildung 48)

Abbildung 48: Kreuzung der Nervenbahnen im menschlichen Organismus

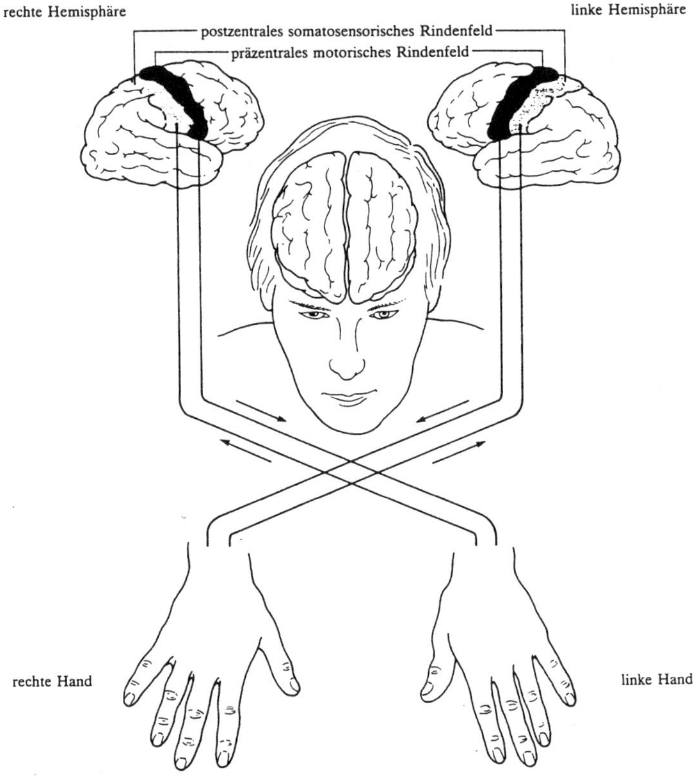

Quelle: SPRINGER/DEUTSCH (1987, S.2)

WM

Die am höchsten spezialisierte Theorie geht von einer Lokalisierung unterschiedlicher Funktionen aus. Gedacht ist eine direkte Beziehung zwischen der Gehirnstruktur und bestimmten Funktionen. (LeGARE, 1980, S.89)

MacLean's Theorie des dreigeteilten Gehirns aus dem Jahr 1970 ist bis heute die eindeutigste Aussage über die **Organisation der Gehirnstrukturen**. (LeGARE, 1980, S.101)

Mac Lean unterscheidet zwischen:

- Brainstem-striatal-pallidal-Komplex ('reptilian brain')
- Limbischer Cortex ('paleomammalian brain') und
- Neocortex ('neomammalian brain').

Im 'Reptilian brain' ist der Sitz des reflexartigen-stereotypen Verhaltens; das 'Limbische System' ist verbunden mit emotionalen und motivationalen Eigenschaften und 'Neocortex' ist die Grundlage der Vernunft oder Ratio.

Die Spezialisierung der Hemisphären könnte sich entwickelt haben, weil die Verwendung von Sprache zur Vermittlung von Information eine geringere Anzahl von Kategorien erfordert, in die der Informationsinput zerlegt werden muß. (vgl. die Studien von PENDSE auf S. 47 dieser Arbeit)
Möglicherweise ist die optimale Anzahl von Kategorien für die linke Hemisphäre kleiner als die der rechten Hemisphäre. [1)]

GLASSMAN warnt vor voreiligen Schlüssen über die Spezialisierung der Hemisphären, ehe nicht eine große Anzahl von physiologischen und anatomischen Messungen durchgeführt worden sind, die die Rolle der einzelnen Regionen in unterschiedlichen Verhaltenssituationen registriert haben. (1974, S.163)

Die überwiegende Mehrheit der Studien zur Gehirnforschung mit teilweise verblüffenden Ergebnissen stammt von sog. **'split**-brain-**Patienten'**, bei denen die Hemisphären operativ getrennt wurden.

---

1) In einer Studie zum Morse Alphabet zeigte sich folgender interessante Befund: Werden sieben oder weniger Elemente präsentiert, stellt man eine Überlegenheit des rechten Ohres (=linke Hemisphäre) fest; sind es mehr als sieben Elemente kommt es zu einer Überlegenheit des linken Ohres (=rechte Hemisphäre). (PENDSE, 1978, S.426)

Erwähnenswert sind zB Experimente zum Phänomen der Visuellen Komplettierung (Chimärentest). Gezeigt werden Bilder, die aus zwei unterschiedlichen Halbbildern zusammengesetzt sind (Chimäre). Die Präsentation erfolgt tachistoskopisch für 150 Millisekunden. Wenn die Vp gebeten werden, mündlich zu antworten und auszuwählen, welches Bild sie gesehen haben, wählen sie das Bild, das für die rechte Hälfte verwendet wurde. Wenn sie auf eines der Bilder zeigen sollen, wählen sie das, von dem die linke Hälfte des zusammengesetzten Reizes stammte. (vgl. Abbildung 49)

Abbildung 49: Chimärentest mit Split-Brain-Patienten

Quelle: SPRINGER/DEUTSCH (1987, S.37)

WM

Die Schädigung der rechten Hemisphäre führt zu einer halbseitigen Vernachlässigung (Hemineglekt), d.h. die linke Seite von Figuren wird beim Nachzeichnen vernachlässigt. (vgl. Abbildung 50) (SPRINGER/DEUTSCH, 1987, S.115)

Abbildung 50: Zeichnung eines Patienten mit Hemineglekt

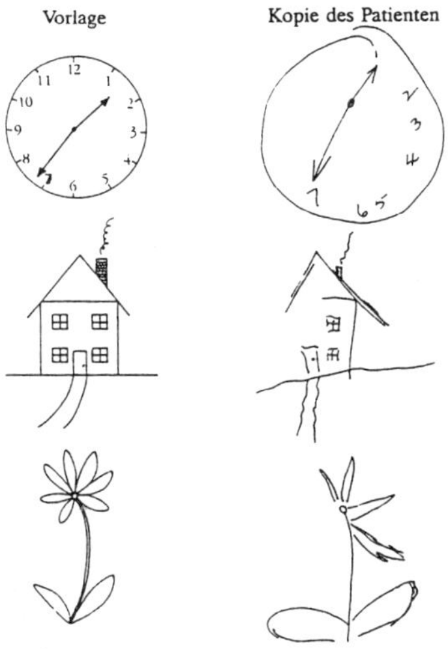

Quelle: SPRINGER/DEUTSCH (1987, S.115)

WM

Indizien sprechen dafür, daß die rechte Hemisphäre bei der Verarbeitung emotionaler Informationen eine wichtige Rolle spielt. Patienten mit einer Schädigung der rechten Gehirnhälfte haben Schwierigkeiten, die emotionale Botschaft zu erfassen, die beim Sprechen durch den Tonfall vermittelt wird.

Probanden mit Störungen der rechten Hirnhälfte hatten Schwierigkeiten bei der Einstufung von Stimmungen und Gefühlen oder beim Verstehen von emotionalen Gesichtsausdrücken. (WEINSTEIN, 1982, S.62)

'Split-brain-'Patienten konnten verbal über Informationen berichten, die von der linken Gehirnhälfte empfangen wurden, aber nicht von der rechten Gehirnhälfte. Die rechte Gehirnhälfte scheint aber in der Lage zu sein, selbst Emotionen zu erzeugen. Die Präsentation einer nackten Gestalt an die linken Hemisphäre erzeugt Lachen und eine exakte verbale Beschreibung. Bei Präsentation an die rechte Gehirnhälfte geben die Vp an, nichts gesehen zu haben, trotzdem reagieren sie mit Lachen und beginnen zu kichern: die emotionale Reaktion bleibt dieselbe. (BUCK, 1984, S.61)

Wie bereits erwähnt, werden die in traditionellen Modellen des Konsumverhaltens beschriebenen Prozesse, vorwiegend in der linken Gehirnhälfte ablaufen. (HANSEN, 1982, S.161)
Das von KRUGMAN nach wiederholter Konfrontation mit derselben **Werbung** festgestellte Absinken der Aktivität der linken Gehirnhälfte, während die Aktivität der rechten Hälfte annähernd auf dem selben Niveau bleibt, erklären CACIOPPO/PETTY mit dem stereotypen Charakter einmal gebildeter Einstellungen. Es kommt zu einer Polarisierung der gebildeten Meinung und damit zu keiner kognitiven Verarbeitung mehr, sondern nur mehr zum Abruf von positiven oder negativen Einstellungen. (CACIOPPO/PETTY, 1982, S.156-160)
Linksseitige Aufmerksamkeit ist genauer/sorgfältiger aber ermüdet auch rascher. Deshalb sollte mit der konzentrierten Aufmerksamkeit der linken Hemisphäre sparsam und sorgfältig umgegangen werden. (KRUGMAN, 1986, S.82)
Die von KRUGMAN aufgestellte Behauptung, wonach sich **TV** eher in Aktivitäten der rechten Gehirnhälfte manifestiert, führte in empirische Überprüfungen (zB WEINSTEIN und KRUGMAN selbst) zu teilweise widersprechenden Befunden.

Begründet wird die unterschiedliche Aktivität dadurch, daß Zeitunglesen eine hohe linksseitige Aufmerksamkeit erfordert. Starke Augenbewegungen sind einerseits aufgrund des Formats notwendig, andererseits erfordert die Fülle an Informationen eine selektive Aufmerksamkeit. Durch das Umblättern, durch das Suchen der Fortsetzung eines Artikels und durch das Lesen mehrerer verschiedener Artikel über unterschiedliche Themen, hat die Aufmerksamkeit Gelegenheit, sich auszuruhen und zu regenerieren.

Es gibt auch Spekulationen verschiedener Autoren, wonach **geschlechtsspezifische** Unterschiede in Studien zur Hemisphärenforschung auf unterschiedliche kognitive Verarbeitungsstrategien zurückzuführen sind. (BOYD/MALTZMAN, 1983, S.196-203)
Bei Frauen ist die Spezialisierung der Hemisphären weniger ausgeprägt als bei Männern. (ROSSITER, 1980, S.75)
Eine vom Institut für Gehirnforschung der Österreichischen Akademie der Wissenschaften durchgeführte Untersuchung bestätigt lt. ibf-Report vom 16.12.1987, daß die beiden Gehirnhälften bei der Lösung intellektueller Probleme bei Männern und bei Frauen verschieden stark involviert sind. Frauen sind 'linkslastig', die linke Hemisphäre, das Sprachzentrum, wird bei Frauen viel stärker in den Informationsverarbeitungsvorgang einbezogen als bei Männern. (o.V., 1987).
In einer jüngsten Studie des Instituts für Hirnforschung konnte bestätigt werden, daß das Hirn der Frau nach anderen Strategien als jenes des Mannes arbeitet. [1)] (NIEBAUER, 1989, S. 7)

Japanische Studenten zeigten in einem Wiedererkennungstest von Wörtern eine **Symmetrie des Wahrnehmungsfeldes**, während englische Studenten eine hochsignifikante **Bevorzugung des linken Gesichtsfeldes** zeigten. (HATTA/DIMOND, 1980, 368-374)

1) In derselben Studie zeigte sich auch ein für die nonverbale Imagemessung interessanter Befund. Bei der bildhaften Vorstellung eines abstrakten Begriffes wurde die größte Aktivität des Gehirns festgestellt; bei dieser Aufgabe handelte es sich offensichtlich um die für die Vp schwerste.

Beide Gruppen zeigten eine bessere (und im Vergleich über die Gruppen nicht unterschiedliche) Identifikation von Zahlen im **rechten** Gesichtsfeld.
MISHKIN und FORGAYS (1952) bestätigten eine Überlegenheit des rechtes Gesichtsfeldes beim Wiedererkennen von englischen Wörter und eine Überlegenheit des linken Gesichtsfeldes für jiddische Wörter bei zweisprachigen Personen.
ORBACH (1967) zeigte Israelis englische und hebräische Wörter und konnte feststellen, daß von allen Personen englische Wörter signifikant besser im rechten Gesichtsfeld wahrgenommen wurden, während hebräische Wörter in diesem Gesichtsfeld schlechter erkannt werden konnten. (beide Quellen zit.nach HATTA/DIMOND, 1980)

Als Erklärung für den ersten Befund wird angeführt, daß das japanische ideographische Schreibsystem nicht so stark mit dem Sprachzentrum in der linken Hemisphäre verbunden ist wie das englische Schreibsystem.

Abschließend soll noch auf die Bedeutung der Hemisphärenforschung im Zusamenhang mit dem Informationsverarbeitungsprozeß und der Aktivierung hingewiesen werden.
Traditionelle Ansätze basieren darauf, daß Probanden ihr Tun parallel oder retrospektiv beschreiben. Der Nachteil dieser Vorgangsweise liegt darin, daß der eigentliche Informationsverarbeitungsprozeß bereits abgelaufen ist. (RÖSLER, 1982, S. 2)

Die Frage lautet also, ob einzelne Teilprozesse der menschlichen Informationsverarbeitung durch die Beobachtung hirnelektrischer Potentiale voneinander abgegrenzt werden können.

In einer Studie sollten identische Reize (Ansichtskarten) auf drei unterschiedliche Arten verarbeitet werden: (DAVIDSON, 1983)

(1) sich die Szene bildlich vorzustellen, die auf der Postkarte abgebildet ist: verstärkte Aktivität der rechten Gehirnhäfte wurde beobachtet.
(2) sich vorzustellen, daß ein Brief an einen Freund über dieses Bild geschrieben wird: verstärkte Aktivität in der linken Hälfte.
(3) beides soll vorgestellt werden: **Aktivität in beiden Hemisphären.**

Die Ergebnisse deuten auf spezifische - auch interindividuelle - Unterschiede zwischen den Hemisphären in der Art der Informationsverarbeitung. (DAVIDSON, 1983, S.209)

Räumlich emotionale Fragen riefen die stärkste rechtsseitige Aktivität hervor, während verbale nicht-emotionale Fragen, die größte Reaktion in der linken Hemisphäre hervorriefen. [1)] (DAVIDSON, 1983, S.212)

Manche Daten sprechen für die Vermutung, daß die linke Hemisphäre auf die Verarbeitung von bestimmten positiven Emotionen spezialisiert ist, während die rechte auf bestimmte negative Emotionen spezialisiert ist. Emotionale Dias wurden als angenehmer eingestuft (riefen in höherem Maß Glück hervor), wenn sie dem rechten Gesichtsfeld präsentiert wurden. Glückliche Gesichter werden rascher wiedererkannt, wenn sie dem rechten Gesichtsfeld dargeboten werden; genau umgekehrt verhält es sich mit traurigen Gesichtern. (DAVIDSON, 1983, S.213)
Die linke Hemisphäre kann eher positiv (hell, analytisch), die rechte eher negativ (dunkel, ganzheitlich) getönte Gefühle vermitteln. (BIRBAUMER, 1983, S.46)

---

1) Eine typische räumlich emotionale Frage lautete: `Stellen Sie sich die letzte Situation vor, in der Sie geweint haben und beschreiben Sie sie'.
Eine typische verbale nicht-emotionale Frage war: 'Was ist der Unterschied zwischen Freiheit und Demokratie?'

Die vom Individuum bevorzugte Information bei simultaner Präsentation von divergierenden Informationen an das rechte und linke Ohr, sollte auch ein Indikator für Rechts- bzw. Links-Dominanz sein. (HANSEN, 1983, S.182) [1]

9.9.1. Messung von Gehirnströmen

Bei **Messungen mittels EEG** unterscheidet man zwei Vorgangsweisen

- Brain Wave Measures (Aktivierungsprotokoll der Aktivität der beiden Hemisphären)
- Evozierte Potentiale: Reaktion auf einen ganz bestimmten Stimulus (Lichtblitz, Geräusch).

(WEINSTEIN, 1982, S.60)

Die Erfassung ereigniskorrelierter Potentiale im menschlichen EEG und die Beziehung zwischen Potentialmerkmalen (wie Latenz, Amplitude und Verlaufsform), Reizbedingungen und Merkmalen der Wahrnehmungsantwort stehen im Mittelpunkt des Interesses. (RÖSLER, 1982, S. III)

1) Wenn man die Schwierigkeiten der Hemisphärenforschung unter Einsatz von EEG-Messungen betrachtet, scheint es verwegen, zu versuchen, Rechts-Links-Dominanz mittels Fragebogen zu erheben. (HANSEN, 1983, S.183)

Geräte, die zur Verfügung stehen, um den vielzitierten und begehrten Blick ins Gehirn durchführen zu können, lassen sich folgendermaßen einteilen: (TZSCHASCHEL, 1986, S.25)

1) **EEG (Elektroenzephalograph):** Elektroden am Kopf messen Gehirnströme in Form verschiedener Wellen.
2) **BEAM (Brain Electric Activity Mapping Machine):** Setzt die Gehirnaktivität in 'Karten' um; an Stelle von Kurvenverläufen werden die gleichen Informationen in Form von farbigen, anschaulichen Mustern dargestellt.
3) **Supraleitende Magnetometer:** Ströme im Gehirn erzeugen ein Magnetfeld; derartig genaue Messungen sind möglich, daß sogar der Weg von Sinnesreizen zum Gehirn verfolgt werden kann.
4) **Computertomographie:** Das Gehirn wird mit Röntgenstrahlen oder Radiowellen aus vielen verschiedenen Richtungen aufgenommen und die einzelnen Bilder zu einer Einheit zusammengesetzt.
5) **PET-Scanner** (Positronen-Emissions-Tomographen): Erstmals ist es gelungen, das Gehirn beim Denken zu beobachten; arbeitende Gehirnbereiche verbrauchen mehr Glukose (Zucker) als ruhende. Den Testpersonen wird eine radioaktive Zuckerlösung gespritzt; bei Denkarbeit zerfallen die radioaktiven Bestandteile der Lösung, wobei unter anderem positiv geladene Teilchen (Positronen) frei werden. Ein Computer verwandelt die Strahlung in farbige Bilder.

Die <u>Vorteile des Elektroenzephalogramm</u> sind nach RÖSLER: (1982, S. 3)

- Die Spannungsschwankungen können ständig erfaßt werden, auch wenn keinerlei Verhaltensäußerungen (Sprache, motorische Aktionen) beobachtbar sind.
- Hoher zeitlicher Auflösungsgrad in Sekundenbruchteilen und
- durch die Messung wird die Informationsverarbeitung nicht beeinflußt.

Zwei unterschiedliche **Verlaufsformen** lassen sich grundsätzlich unterscheiden:
schnelle, niedrig amplitudige, unregelmäßige Beta-Aktivitäten
langsame, höher amplitudige, spindelförmige Alpha-Aktivitäten [1)]

Ereigniskorrelierte Potentiale haben eine wesentlich geringere Amplitude (0.5 bis 20 Mikrovolt) als die spontan auftretenden Spannungsschwankungen, die als **'Rauschen'** bezeichnet werden.
Da sich beide Prozesse überlagern, kommt es zu Schwierigkeiten bei der Isolation. (RÖSLER, 1982, S.10)
Zu unterscheiden ist auch beim EEG zwischen phasischen und tonischen Komponenten. (RÖSLER, 1982, S. 20)
Es existiert eine **inverse Beziehung** zwischen dem Alpha-Rhythmus und kognitiver Aktivität bzw. Aufmerksamkeit.
Alphawellen werden bei Setzen eines **visuellen** Stimulus unterdrückt; die 'recovery' time (die Zeit bis zur Rückkehr zum Ausgangsniveau) ist abhängig vom Inhalt des Stimulus und vom Interesse für diesen Reiz. **Auditive** Stimuli lösen weniger Blockierung aus und zeigen eine schnellere Erholungsrate und schnellere Habitualisierung. (ROTHSCHILD, 1983, S.184)

Entspannung ist charakterisiert durch regelmäßige große Wellen mit einer Frequenz von 8-10 Schwingungen pro Sekunde. Jeder plötzliche, neue oder intensive **Stimulus** blockiert dieses Muster an Alpha-Wellen und ersetzt es durch ein Muster von Wellen mit kleiner Amplitude und hoher Frequenz. (DAVIDSON, 1983, S.208) (vgl. Abbildung 51)
Häufig wiederholte Stimuli verlieren ihre Eigenschaft, den Alpha-Rhythmus zu blockieren es sei denn, sie sind sehr intensiv oder haben eine spezielle Bedeutung. (GROSSMAN, 1973, S.280)

---

1) Die Messung erfolgt im Frequenzbereich von 0 bis 40 Hz; die Amplitude liegt bei Maximal 200 Mikrovolt (im Mittel zwischen 10 und 40 Mikrovolt). (RÖSLER, 1982, S. 8 und DAVIDSON, 1983, S.208)
Die am häufigsten untersuchte Frequenz sind die sog. 'alpha-Wellen' zwischen 8 und 13 Hz bei 25 bis 100 Mikrovolt. (ROTHSCHILD, 1983, S.184 und VERBATEN et al., 1986, S.254)

Abbildung 51: EEG-Aufzeichnungen bei unterschiedlichen emotionalen Zuständen

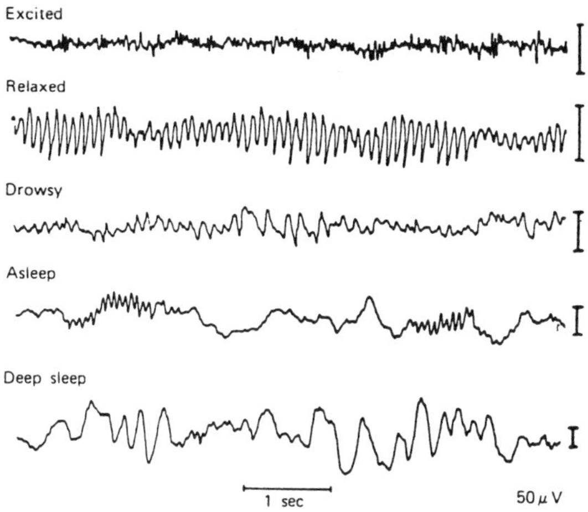

Quelle: GROSSMAN, 1973, S.30)

RÖSLER berichtet über eine Studie, nach der Effekte, die rein auf die unterschiedlichen Farben (rot, grün, blau; Qualität der Stimuli) zurückgehen, isoliert werden konnten.

Eine weitere Studie untersuchte die Auswirkung von emotionalem Erleben auf die Hirnstromaktivität mittels Spektralanalyse sowie die Gültigkeit unterschiedlicher Theorien zur Erklärung von EEG-Veränderungen. [1] (SCHWIBBE/BECKER/RÄDER, 1984, S.141)

1) Eine weitere Anwendungen der Spektralanalyse zur Auswertung physiologischer Meßdaten am Beispiel der Pulsrate enthält BUCK. (1984, S.327ff)
Eine Anwendungen der Faktorenanalyse zur Auswertung ereigniskorrelierter Hirnpotentiale finden sich zB bei KORTE/TROSIENER/EYFERTH (während der Verarbeitung von Stimuli; 1984, S.232) und bei SCHWIBBE/BECKER/RÄDER (zur Überprüfung eines Zusammenhanges zwischen emotionalem Erleben und der Hirnstromaktivität; 1984, S.139).

Unterschiedliche Zusammenhänge konnten zwischen Stimuluskomplexität und EEG Amplituden festgestellt werden:
Bei GALE/EDWARDS war die EEG Amlitude bei höherer Komplexität geringer, (1983, S.114) während NICKI einen verkehrt U-förmigen Zusammenhang zwischen EEG Aktivierung und Komplexität feststellen konnte. (1983, S. 221)

EEG Reaktionen sind weiters abhängig von endogenen Komponenten (Erwartung, Instruktion, etc.) (RÖSLER, 1982, S. 26/27)
und von der Entscheidungssicherheit: Die Amplitude war größer, wenn eine Entscheidung, bezüglich der die VP sich sicher fühlte, nicht bestätigt wurde, und sie war gering, wenn eine subjektiv sichere Entscheidung bestätigt wurde. (RÖSLER, 1982, S.175)

Im Vergleich zur Elektrodermalen Reaktion zeichnet sich die EEG-Reaktion durch eine größere **'Habituationsresistenz'** aus; "die Amplitude nimmt keineswegs bereits nach wenigen Signalwiederholungen ab, sondern kann auch nach mehreren hundert Replikationen mit fast gleichem Niveau registriert werden." (RÖSLER, 1982, S.177)

Für GALE/EDWARDS bietet das EEG somit alle Voraussetzungen für ein ideales Maß: (1983, S.107)
Das EEG reagiert rasch, ist mit verschiedenen Regionen des Gehirns verbunden, kann ebenfalls tonisch und phasisch und ev. auch telemetrisch gemessen werden.

9.10. Sonstige physiologische Meßverfahren

Aus der Fülle an weiteren physiologischen Indikatoren sollen nur einige wenige knapp kommentiert werden.
Die **Atemfrequenz** kann zB mittels eines Termisthors, der in die Nase eingeführt wird, erfaßt werden. "Durch die Schwankungen der Temperaturkurve beim Ein- und Ausatmen wird eine unaufwendige und reliable Erfassung der Anzahl der Atemzüge ermöglicht." (KRÖNER, 1984, S.619)
Für Zwecke der Werbewirkungsmessung wird das Erfassen der Atembewegungen über einen Gurt, den die Vp auf der Höhe des Oberbauches um ihren Rumpf herum trägt und der mit einem Dehnungsmeßstreifen versehen ist, eher anzuraten sein. Der Dehnungsmeßstreifen erzeugt ein Analogsignal, das parallel zu den Atemexkursionen an- und absteigt. (ZEIER, 1985, S.685)
Auch die **Pulsrate**, erhoben als Zeit zwischen den Herzschlägen, wird gemessen. (HEIDE, 1986, LEVIS/SMITH, 1987, S.348 und PÖHN bzw. JIRAS, 1986)
Beide Indikatoren üben meist die Funktion von Kontrollvariablen im Rahmen der Messung der Elektrodermalen Reaktion aus.

Ein Ansatz, der noch am Beginn eines Forschungsprozesses steht, ist die Messung der **Hauttemperatur**, insbesondere der Gesichtstemperatur. Begründet wird diese Vorgangsweise damit, daß sich innere Spannungen und Motive in einer Veränderung der Temperatur manifestieren. Mit der Infrarot-Messung gibt es bereits erste Experimente, so zB auch von KROEBER-RIEL. Darüberhinaus sind noch folgende Verfahren denkbar:
Über das größte Auflösungsvermögen aller bekannten Temperaturmeßverfahren verfügt ein Quarz-Kristall Thermometer. Die Methode basiert auf dem Prinzip der Sensitivität eines Quarz-Kristalls gegenüber Temperaturschwankungen und verdient vor allem wegen der hohen Auflösung (Empfindlichkeit) von ungefähr 0.0001 Grad Celsius Beachtung. (MYERS, 1977, S.165)

Vorteile der Quarz-Thermometer sind u.a.

- **ihre hohe Sensitivität**
- ihre lineare Beziehung über einen weiten Meßbereich
- **Schnelligkeit des Reagierens**
- **Stabilität über einen langen Meßzeitraum.**

Hauptnachteil sind die hohen Kosten. (MYERS, 1977, S.166)

Einmal mehr war es ein Österreicher, nämlich Friedrich Reinitzer, der im Jahr 1888 die Möglichkeiten einer Chemischen Temperaturmessung mittels Flüssigkristallen erkannte. Temperaturunterschiede von 0.1 Grad Celsius können erfaßt werden. Veränderungen der Farbe sind reversibel; die Latenzzeit auf Veränderungen der Hauttemperatur beträgt 0.2 sec. Der Meßbereich und die Sensitivität können durch das Mischen verschiedener Substanzen in unterschiedlichen Mengenverhältnissen verändert werden. Ein Nachteil ist darin zu sehen, daß sich die Farbe mit dem Blickwinkel verändert, deshalb müssen stark gewölbte Körper in kleinen Bereichen abgetastet werden. (MYERS, 1977, S.167)

Auch die Messung der **Temperatur des Ohres** kann als Maß für die Körpertemperatur herangezogen werden. Es besteht keine große Interaktion mit den normalen Bewegungen einer Person; der Anschluß an ein Telemetrie-Gerät ist möglich. (MYERS, 1977, S.174/175)
Wegen der Beeinflussung des Ohres durch die Umgebungstemperatur können allerdings nur Temperaturveränderungen erhoben werden; dies wäre aber für Zwecke der Werbewirkungsmessung voll ausreichend.

Ähnlich wie die Elektrodermale Reaktion schwankt auch die Körpertemperatur im Tagesablauf. Es gibt allerdings keinen eindeutigen 24 h Zyklus, sondern mehrere einander überlagernde Zyklen; ein sehr ausgeprägter Zyklus der Körpertemperatur liegt interessanterweise nahe bei 25 Stunden. [1] (FOLKARD/MONK, 1983, S. 59/60)

Nach FOLKARD und MONK gibt es wenig Anhaltspunkte dafür, daß die Temperatur ein Maß für die Erregung oder Aktivierung darstellt. Die beiden Kurvenverläufe von Aktivierung und Körpertemperatur verlaufen im Tagesablauf aber häufig parallel. (FOLKARD/MONK, 1983, S.65) (vgl. Abbildung 52)

Abbildung 52: Zusammenhang zwischen Tageszeit und Leistung bzw. Tageszeit und Körpertemperatur bei Morgen- und Abendmenschen

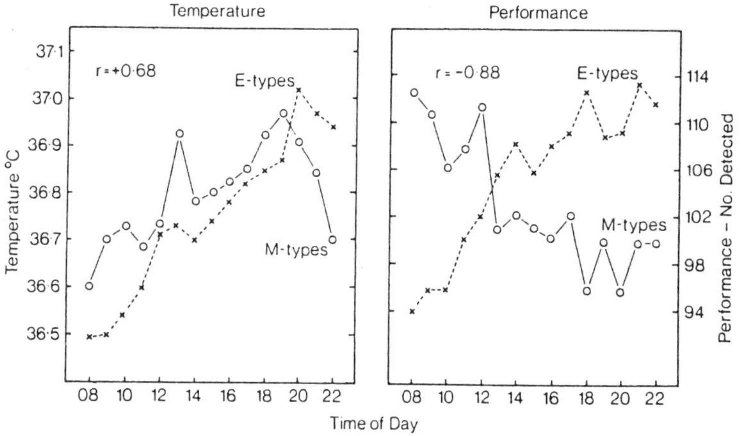

Quelle: FOLKARD/MONK (1983, S.72)

WM

1) Dadurch ist es notwendig, von Zeit zu Zeit die innere Uhr nachzustellen: In Ermangelung eines adäquaten Begriffes findet sich in der anglo-amerikanischen Literatur der Begriff 'zeitgebers' mit dem Hinweis "German for 'time giver' or 'synchronizer'". Diese 'Zeitgeber' sind
   - physikalischer Natur (Sonnenaufgang oder -untergang) oder
   - soziale 'zeitgeber' (Uhrzeit oder Essenszeiten).
   (FOLKARD/MONK, 1983, S.65)

Zwei Faktoren beeinflussen grundsätzlich die **Leistungskurve** eines Menschen im Tagesablauf: (FOLKARD/MONK, 1983, S.71)

- Die Einteilung als Morgen- oder Abendmensch und
- der Grad an Extro- oder Introvertiertheit.

Allerdings können nur rund 20% der Bevölkerung eindeutig als M oder E Typen klassifiziert werden.

Morgen- und Abendtypen unterschieden sich in Bezug auf Temperatur und Leistung: Morgenmenschen scheinen im Vergleich zu Abendmenschen etwas mehr introvertiert zu sein.

Auch die **Pupillengröße** ist ein Indikator der Gehirnaktivität ('mental effort'). In einer Studie von DAVIES wurde eine stärkere Verengung bei einer schwierigeren Problemstellung festgestellt. (1983, S.25)
Die Verengung begann nach der Präsentation der Aufgabenstellung an die Vp und erreichte kurz bevor die Vp die Lösung präsentierte ein Maximum. Empirisch bestätigt wurde somit, daß die Veränderung der Pupillengröße mit der kognitiven Anstrengung korreliert. (DAVIES, 1983, S.26)

Messungen der **Mikroausschläge** des Fingers führten zu unterschiedlichen Kurvenverläufen für Basisgefühle wie Freude, Trauer, Interesse, Furcht, Wut und Ekel. (BIRBAUMER, 1983, S. 48)
Die rechte Gesichtshälfte zeigt stärkere **Muskulations-Potential-Amplituden** (EMG) bei negativen Gefühlen. (BIRBAUMER, 1983, S.46)

Mittels EMG eines Gesichtsmuskels (die Plazierung der Elektroden erfolgte über den Augenbrauen) konnte eine größere Aktivität des Stirnmuskels bei unangenehmen Stimuli registriert werden. [1)] (SULLIVAN/BRENDER, 1986, S.182) Eine Darstellung von Ableitungsstellen für die Erfassung des EMG im Gesicht findet sich zB bei FRIDLUND und CACIOPPO (Abbildung 53).

Abbildung 53: Die wichtigsten Plazierungsmöglichkeiten für Elektroden zur Erfassung des EMG

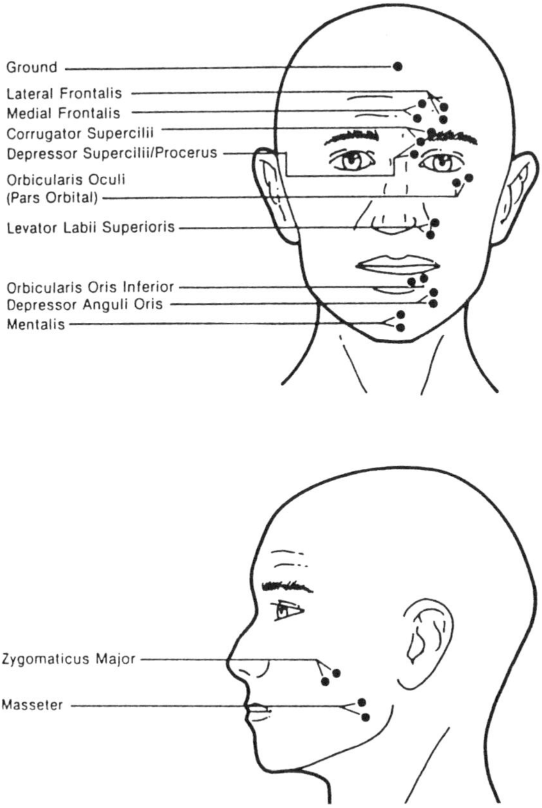

Quelle: FRIDLUND/CACIOPPO (1986, S.571)

WM

1) Gemäß der Versuchsanordnung konnte diese Reaktion sowohl bei sexueller Erregung als auch nicht sexuell bedingter Erregung festgestellt werden. Bei sexueller Erregung war die Aktivität des linken Muskels stärker ausgeprägt. (SULLIVAN/BRENDER, 1986, S.182)

Über unterschiedliche Plazierungen können verschiedene Muskelgruppen und damit unterschiedliche mimische Reaktion festgestellt werden.

Von vier möglichen Ansatzpunkten für die **Stimmfrequenzanalyse** wurden der Mikrotremor der Kehlkopfmuskulatur und die Grundtonfrequenz als Indikatoren der Aktivierung herangezogen. (BACKHAUS/KLEINSCHMIDT/VOLLMER, 1983, S.115)
Sowohl wegen theoretischer Begründungprobleme als auch wegen aktueller Meßprobleme wird beim gegenwärtigen Stand von einer Verwendung der Mikrovibration als Aktivierungsindikator abgeraten. [1] (BACKHAUS/KLEINSCHMIDT/VOLLMER, 1983, S.116)

Obwohl die Analyse des Grundtenors erfolgversprechender ist, bleiben auch hier eine Reihe von Fragen und Problemen ungelöst. BACKHAUS/KLEINSCHMIDT/VOLLMER führen insbesondere folgende Kritikpunkte an: (1983, S.119/120)

- Emotionale Reaktion kann sich auch in Nicht-Reden äußern.
- Zeitliche Verzögerungen bei der Rückkehr des Grundtons in die Durchschnittslage (kurz aufeinanderfolgende Aktivierungen sind nicht mehr erkennbar).
- Analyse erschwert möglich, wenn mehrere Personen gleichzeitig sprechen.

Zusammenfassend kann gesagt werden daß es kaum Studien in der Werbeliteratur gibt, die einen Zusammenhang zwischen unterschiedlichen physiologischen Maßen untersucht hätten. (BELCH et al., 1982, S.424)
Ein Problem stellt sicherlich die unterschiedliche Sensitivität der Apn dar. Einige Probanden sind zB reaktiver bei der Pulsrate andere beim Hautwiderstand. Diese Unterschiede bewirken eine größere Fehlervarianz und eine reduzierte Teststärke, d.h. eine geringere Aussagekraft der statistischen Tests. (LEVIS/SMITH, 1987, S.347)

---

1) Die auf dem Markt angebotenen Meßgeräte basieren auf der These, daß mit zunehmender Aktivierung die Mikrovibration verschwindet. Das widerspricht allen Testergebnissen, die Mikrovibrationen nachweisen konnten. (BACKHAUS/KLEINSCHMIDT/VOLLMER, 1983, S.116)

Einen modellhaften Ansatz, der die vielfältigen Zusammenhänge zwischen psychophysiologischen Variablen (insbes. SCR und Pulsrate), Verhaltensvariablen sowie biochemischen und Persönlichkeitsvariablen abzubilden versucht, präsentieren ZAHN, SCHOOLER und MURPHY. (1986, S.521)

Zur Überprüfung der Tauglichkeit des Modells wurde die konfirmatorische Faktorenanalyse (LISREL-Ansatz) herangezogen. (ZAHN/SCHOOLER/MURPHY, 1986, S.524)
Die vielfach festgestellte schwache Korrelation zwischen den physiologischen Maßen und den kognitiven Reaktionen (so zB bei BELCH et al., 1982, S.426) kann u.a. auch mit der unterschiedlichen Angstverarbeitung bzw. Angstabwehr zwischen Repressern, die ihre subjektive Erregung unterdrücken und den Sensitizern, die ihre subjektive Beeinträchtigung übersteigert darstellen, begründet werden. [1)] (BEYER, 1984, S.352)
Auch anspruchsvollere verbale Indikatoren, wie etwa das Musterzuordnungsverfahrens nach MEYER-HENTSCHEL weisen einen Zusammenhang mit der EDR zwischen r=+0.33 und r=+0.43 auf. [2)]
(BERNHARD/SCHILLINGER, 1987, S.26)
Als Ursache für niedrige Zusammenhänge wird ein 'Soziales Potential der Anzeigen' vermutet. [3)]
Nach SCHWARTZ und WEINBERGER sprechen vor allem Unstimmigkeiten in der Verbalbeurteilung für den Versuch, über psychophysiologische Reaktionsmuster die einzelnen Emotionsqualitäten unterscheiden zu können.

---

1) Ein weiterer Grund ist in der für diese Aufgabenstellung unangebrachten Berechnung von interindividuellen Korrelationen anstelle von intraindividuellen Korrelationen zu sehen, die zu einem völlig verzerrten Ergebnis führen können. (BEYER, 1984, S.354/355 sowie das Beispiel auf Seite 361f)

2) Je nachdem welche EDR Werte herangezogen wurde: Durchschnitt des ersten Amplitude, Median ohne bzw. mit Null-Reaktionen.

3) Zu diskutieren wäre in diesem Zusammenhang, ob nicht das 'Soziale Potential' eines Sujets davon abhängig ist, in welcher Produktgruppe es eingesetzt wird: Die Darstellung einer nackten Frau im Zusammenhang mit Zigaretten, Waschmittel, Unterwäsche, Autoreifen, Sonnencreme oder in einer Werbung gegen Alkohol- oder Drogenmißbrauch.

Obwohl die beiden Autoren eine Polarisierung zwischen positiven und negativen Emotionen bestätigen konnten, wurde festgestellt, daß auch die Emotionen 'Glück' und 'Angst' einiges gemeinsam haben. (SCHWARTZ/WEINBERGER, 1980, S.187) (vgl. Abbildung 54) Situationen, die ein wenig 'Angst' auslösen, rufen auch 'Glück' und 'Furcht' hervor, aber kaum 'Traurigkeit', 'Ärger' oder 'Depression'. 1)
Zusätzlich wurde noch festgestellt, daß ein stärkeres 'Glücksgefühl' auch mit stärkerer 'Angst' verbunden war.

Abbildung 54: Zuordnung von Gefühlen auf den Begriff 'Glück' in Abhängigkeit von der Intensität der Situation

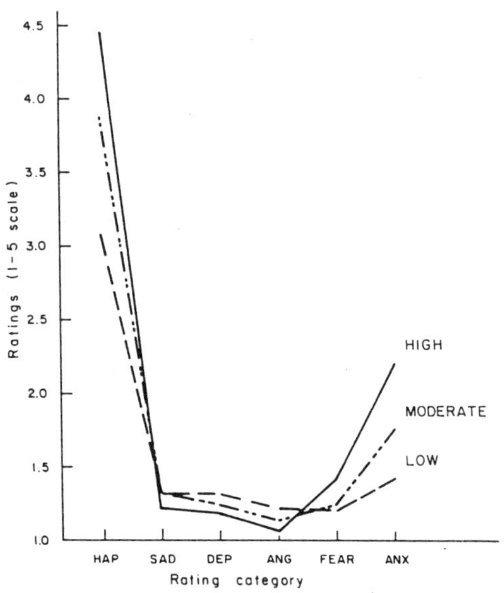

Quelle: SCHWARTZ/WEINBERGER (1980, S. 184)

WM

---

1) Man denke etwa an einen Drachenflieger; vielleicht trifft dies aber auch auf das Rauchen, den Alkoholkonsum oder undiszipliniertes Autofahren zu.

Interessanterweise wurde über mehr 'Ärger' in 'Furcht'- als in 'Angst'-Situationen berichtet, obwohl 'Furcht' und 'Ärger' üblicherweise als Gegenpole angesehen werden.

Der höchste Komplexitätsgrad wurde für die Emotionen **'Traurigkeit'** und **'Depression'** gemessen; beide bestehen wahrscheinlich aus einer Kombination aller anderen Emotionalitäten.

Im Zusammenhang mit dieser Beobachtung hat bereits JAMES darauf aufmerksam gemacht, daß die Beziehung zwischen Erregung und expressivem Verhalten nicht unproblematisch ist. Schauspieler ahmen den Ausdruck von Gefühlen nach, ohne erregt zu sein. Auch die Trauer ist nicht immer ein natürlich auftretendes Gefühl; sie wird oftmals von außen als Pflicht auferlegt. (OCHSMANN/HENRICH, 1984, S.301)
BUCK stellte fest, daß Personen, die ihre Expressivität willkürlich unterdrückten, eine größere Emotionalität zeigten als diejenigen, die ihre expressiven Reaktionen nicht unterdrückten. (OCHSMANN/HENRICH, 1984, S.303)
Ähnlich waren auch die Ergebnisse von LANZETTA, BIERNAT und KLECK, die die Frage untersuchten, ob die Anwesenheit eines Spiegels, in dem die Apn ihre mimischen Reaktionen sehen konnten, zu höheren Aktivierungswerten führt. (1982, S.55)

Abschließend soll nochmals darauf hingewiesen werden, daß die Anwendung psychophysiologischer Messungen auf der Annahme basiert, daß sie die Aktivität unterschiedlicher Prozesse der Informationsverarbeitung reflektieren, die den psychologischen Phänomenen Wahrnehmung und Aufmerksamkeit zugrunde liegen. (TURPIN, 1986, S.1)

Die Informationsaufnahme hängt von der Aktivierung und der Aufmerksamkeit ab. Für die Informationsverarbeitung sind **mittlere** Ausprägungen der Aktivierung optimal. [1] (vgl. Abbildung 55) (STERNTHAL/CRAIG, 1982, S.61 und GALE/EDWARDS, 1983, S.115)

Abbildung 55: Zusammenhang zwischen Aktivierung und Informationsverarbeitung

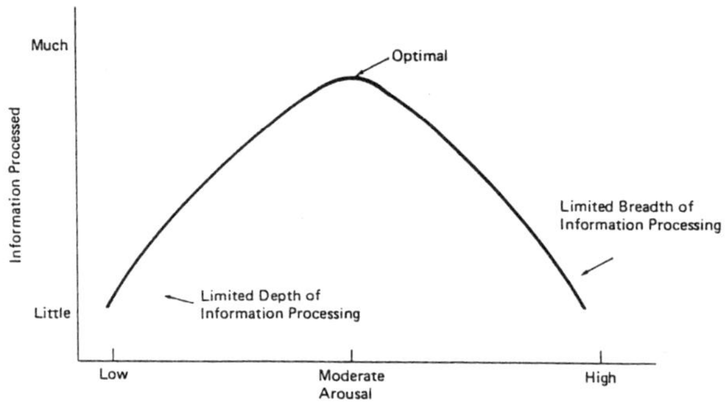

Quelle: STERNTHAL/CRAIG (1982, S.61)

WM

1) So bewirkte etwa eine höhere Aktiverung während des Lernens eine bessere Lernleistung vor allem im Langzeitrecall. (24 Stunden nachher oder noch später) (YESAWICH, 1976, S.48)

10. Methode der Blickregistrierung

Die Wahrnehmung eines Phänomens ist eine notwendige Bedingung für dessen Berücksichtigung in mentalen Verarbeitungsprozessen.
Der Wahrnehmungsvorgang ist nicht beobachtbar, es ist daher nur möglich, von Indikatoren auf das Phänomen zu schließen.
(BÖCKER/SCHWERDT, 1981, S.353)
Als Indikatoren der nicht-beobachtbaren Wahrnehmungsvorgänge nennnen BÖCKER und SCHWERDT: (1981, S.354)

1) 'think-aloud-technique'
2) Information-Diplay-Matrix [1)]
3) Beobachtungen von Verhaltensäußerungen: Veränderungen der Augestellung, Lidbewegungen, etc.

RUSSO vergleicht die Methode der Blickregistrierung mit vier Alternativen:

- Verbale Protokolle (nicht in Form von begleitenden Äußerungen, sondern als Erinnerungsmaße)
- Information-Display-Matrix
- Input-output Analyse
- Chronometric analysis: Registriert wird die gesamte Zeit, die für einen Prozeß benötigt wird. Diese Methode scheint eher für einfachere Aufgabenstellungen und weniger für die Analyse von Kaufentscheidungen geeignet zu sein.

(RUSSO, 1978, S. 561-570)

Lediglich die Methoden Blickregistrierung, verbale Protokolle und Information-Display-Matrix versuchen einen 'Prozeß' abzubilden.

---

1) Eine Matrix aus Produkteigenschaften und Marken wird präsentiert, wobei auf jeder Zelle der Matrix (verdeckt) Karten mit den gewünschten Informationen liegen und von den Apn aufgedeckt werden; vgl. auch ARCH/BETTMAN/KAKKAR, 1978, S. 555-560.

Der Vergleich dieser Methoden erfolgt anhand von 7 Beurteilungskriterien mit Hilfe einer 5-stufigen Skala von 'excellent' bis 'poor': 1)

Tabelle 9: Vergleich von Methoden zur Erfassung des Informationsverarbeitungsprozesses

	Performance Attributes						
	Data Quality			Breadth of Applicability		Cost	
Method	Detail Revealed	Informa-tiveness	Validity	Range of Settings	Unobtru-siveness	Ease of Use	Equipment Price
Chronometic Analysis	1. poor	6. good	11. v. g.	16. good	21. fair	26. v. g.	31. good
Eye Fixations	2. exc.	7. fair	12. exc.	17. fair	22. good	27. fair	32. poor
Information Boards	3. fair	8. poor	13. good	18. v. g.	23. fair	28. exc.	33. exc.
Input-Output Analysis	4. poor	9. v. g.	14. good	19. exc.	24. v. g.	29. exc.	34. exc.
Verbal Protocols	5. v. g.	10. exc.	15. fair	20. exc.	25. poor	30. good	35. v. g.

Quelle: RUSSO (1978, S. 565)

WM

Das obige Schema führt laut RUSSO zur Empfehlung, mehrere Verfahren gemeinsam einzusetzen, um dadurch deren Nachteile auszugleichen. Der gemeinsame Einsatz kann entweder 'parallel' oder 'interaktiv' erfolgen. 'Parallel' bedeutet einen Einsatz an getrennten aber vergleichbaren (strukturgleichen) Subsamples, während 'interaktiv' zB den gleichzeitigen Einsatz von Blickregistrierung und 'Denke-laut-Protokollen' meint. (RUSSO, 1978, S.567)

1) Die etwas überraschend gute Beurteilung der Blickregistrierung bei dem Kriterium Validität mit 'excellent' wird von RUSSO damit begründet, daß "..evidence suggests that subjects soon forget that their eye fixations are being recorded, i.e., that eye fixations recording does not alter the ongoing cognitive process." (RUSSO, 1978, S.568)

Die Blickaufzeichnung zeigt die Aufnahme und indirekt die Verarbeitung von visuellen Informationen an. (KROEBER-RIEL, 1983, S.283 und 1986b, S.83 sowie RUSSO, 1978, S.562)
Aufnahme und Verarbeitung sind allerdings nicht problemlos zu trennen. (BERNHARD, 1977, S.179)

Die Anwendung der Methode der Blickregistrierung in der Werbewirkungsforschung steht erst am Beginn, während es bereits eine Reihe von Studien über den Einsatz in anderen Wissenschaftsdisziplinen gibt. So wird die Blickregistrierung etwa in der Medizin zum Registrieren des Wahrnehmungsverlaufs beim Betrachten bzw. bei der Auswertung von Lungenröntgen durch Ärzte herangezogen. (PAPIN 1984b, S.323-330)
Bei der Ausbildung von Sportlern hat man festgestellt, daß es zB Unterschiede in der Betrachtung des Bewegungsablaufs eines Kugelstoßers gibt: Experten schauen auf andere Punkte (zB Kniehaltung, Schulter, usw.); Studenten müssen lernen, ihre Blickverhalten auf diese Elemente des Bewegungsablaufs zu konzentrieren, um eine Leistungssteigerung zu erzielen. (MÖCKEL/HEEMSOTH, 1984, S.335-342)
Fast möchte man sagen 'natürlich', finden sich auch Beispiele im militärischen Bereich, so etwa zur Ausbildung von Piloten. (PAPIN, 1984a, S.367-371)

10.1. Physiologische Grundlagen

Augen kommen in einer wunderbaren Vielfalt in der Natur vor: (GROSSMAN, 1973, S.69)

- als 'Eyespots', die über die ganze Oberfläche des Tieres verteilt sind.
- 'Compound Eyes' sind zusammengesetzt aus mehreren hunderten, manchmal sogar tausenden Facetten, die keine scharfe Abbildung ermöglichen, aber sehr gut geeignet sind, um Bewegungen wahrzunehmen.

Fische, Vögel und Säugetiere verfügen über die <u>komplizierteste Form:</u>

- Focussierbare Linsen und eine Reihe von Photorezeptoren.

Die äußere transparente Hülle des Auges wird als **Cornea** bezeichnet.

Abbildung 56: Schnitt durch das (rechte) menschliche Auge

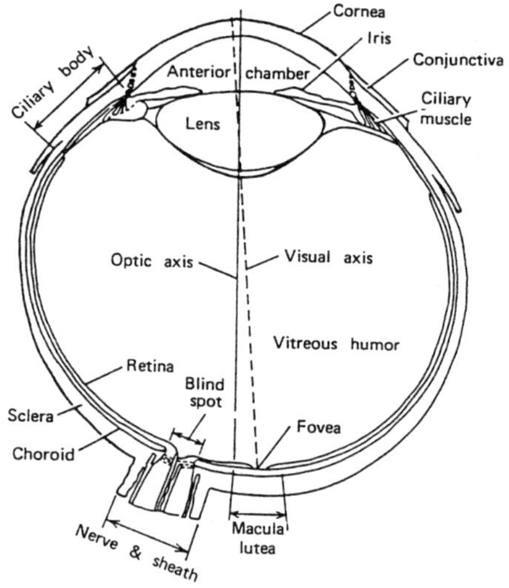

Quelle: GROSSMAN (1973, S.70)

WM

Die Netzhaut ist regional unterschiedlich empfindlich:
Die 'Fovea centralis' ist durch eine hohe und die Netzhautperipherie durch eine niedrige Auflösung charakterisiert.

Die unterschiedliche Auflösungsfähigkeit resultiert daraus, daß

- der für das Tageslichtsehen wichtige Fotorezeptortyp (die Zapfen) in der Fovea centralis konzentriert ist,
- innerhalb der Fovea centralis einzelne Zapfen mit jeweils einer Nervenfaser verbunden sind; außerhalb laufen bis zu 1000 Fotorezeptoren in einer Ganglienzelle zusammen,
- die kortikale Repräsentation der Fovea centralis den größten Bereich des visuellen Cortex ausmacht.

Die Fovea centralis hat einen Durchmesser von 0.5 bis 1 mm. (LEVEN, 1986b, S.75) Das ist ein Bereich von 2 Grad des ca. 160 Grad umfassenden Gesichtsfeldes in dem das Auge scharf wahrnehmen kann. (LEVEN, 1983, S.13 und LOFTUS, 1983, S.362)
Hält der Leser eine Anzeige im Leseabstand von 30 cm, so sieht er innerhalb einer Fixation einen Kreis von 1cm scharf; der Rest bleibt verschwommen. [1)] (BARTON-KEITZ, 1981, S.8)

Das Auge muß über eine Vorlage bewegt werden, damit jeweils neue Details in den Bereich des scharfen Sehens (Fovea centralis) gelangen. Die Schnelligkeit und Genauigkeit des visuellen Systems ist allen anderen Sinnesorganen weit überlegen. (RUSSO, 1978, S.562)
Aufgrund der geringen Ausdehnung der Fovea im Vergleich zum gesamten Gesichtsfeld, ist das foveale Sehen von geringem Nutzen. (BOUMA, 1978, S.117)
Das restliche Gesichtsfeld dient der allgemeinen Orientierung und der Registrierung neu auftretender Reize. Besondere Bedeutung hat die fovea centralis für die Informationsaufnahme deshalb, da dieses relativ kleine Gebiet der Netzhaut kortikal weit überrepräsentiert ist und von hier aus die meisten Verbindungen zu anderen Hirnzentren bestehen. (ZSCHOCKE, 1983, S.21)

Wie bereits im Kapitel zur Hemisphärenforschung erwähnt, kommt es zu einer Kreuzung der Sehnerven, d.h. Informationen vom rechten Auge gelangen in linke Gehirnhälfte und umgekehrt.
(vgl. die folgende Abbildung 57)

---

1) Andere Beispiele finden sich zB bei BERNHARD: Bei einem Leseabstand von ca. 60 cm entspricht dabei 1 Grad etwa 1 cm der visuellen Vorlage (1977, S.176) bzw. bei HAJOS: Auf 1m Entfernung bedeutet eine Abweichung von 1 cm etwa 1 Grad. (1972, S.158; Fußnote 22)

Abbildung 57: Die Sehbahnen in einer horizontalen Projektion

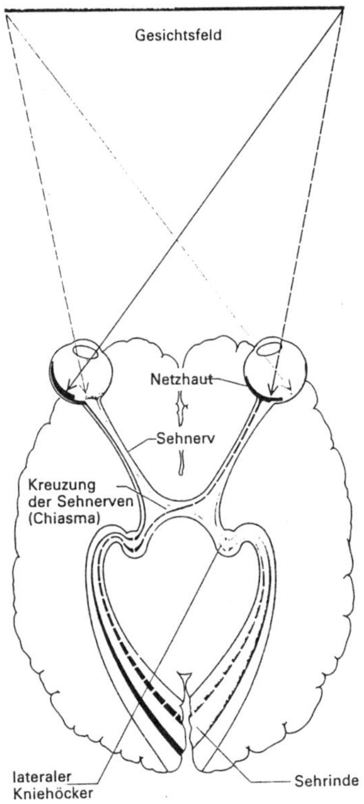

Die Sehbahnen in einer horizontalen Projektion. Die Nervenfasern der linken Netzhauthälften enden in der linken Gehirnhälfte, und entsprechend werden die rechten Netzhauthälften auf die rechte Hemisphäre des Gehirns projiziert. Dabei wird auf den linken Netzhauthälften die rechte Hälfte des Gesichtsfeldes abgebildet.

Quelle: ROCK (1985, S.6)

WM

10.2. Blickverlauf: Unterscheidung zwischen Fixationen und Saccaden

Das Auge gleitet nicht kontinuierlich über eine Vorlage, sondern verweilt für einen kurzen Zeitraum (Fixation) und springt dann mit extrem hoher Geschwindigkeit (pro Grad der Augenbewegung werden 2 bis 10 msek benötigt) zu einem weiteren Detail (Saccade), um diesen Teil zu fixieren. (LEVEN, 1983, S.13) Uneinig ist man sich darüber, wie lang dieses Verweilen dauern muß, damit man von einer Fixation sprechen kann, wie die folgende Tabelle zeigt: 1)

- zumindest 100 msec	(VERBATEN et al., 1986, S.256)
- 220 msec	(McCONKIE, 1983, S.68)
- 230 msec	(RUSSO, 1978, S.564)
- 200-350 msec	(ZSCHOCKE, 1983, S.21)
- 200-400 msec	(BERNHARD, 1977, S.173)
- 200-400 msec	(BÖCKER/SCHWERDT, 1981, S.355)
- ca. 200-500 msec	(LEVEN, 1983, S.13)
- 487 msec	(LEVEN, 1986a, S.163) 2)
- 200-800 msec	(BOUMA, 1978, S.116)

Wie sehr durch die unterschiedliche Definition einer Fixation das Ergebnis eines Wahrnehmungsverlauf beeinflußt wird, zeigt die folgende Darstellung. Abbildung 58 zeigt die Veränderungen des Fixationspfades bei einem zeitlichen Fixationskriterium der Auswertungsroutine von 60msec (A) und 100msec (B).

---

1) Auch auf einer im September 1985 durchgeführten 'Conference on Eye-Movements' wurde die geringe Übereinstimmung bei der Definition von Fixationen deutlich: Die Angaben schwanken zwischen 80 msec bis 250 mesec (vgl. die Aufstellung unterschiedlicher Studien und die dort angeführten Fixationskriterien in Tabelle I bei SCHROIFF, 1986, S.72)

2) Es handelt sich dabei um die mittlere Dauer einer Fixation. Als Fixation wurde im Rahmen einer Studie bei 35 Vp und 22 Anzeigen jeder Stillstand der Augen, der mindestens 160 msec dauerte, definiert. (LEVEN, 1986, S.163)

Abbildung 58: Veränderung des Fixationspfades bei unterschiedlichen zeitlichen Fixationkriterien

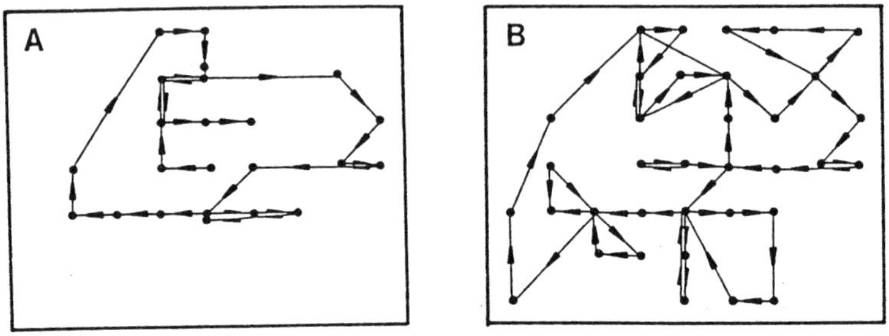

Quelle: SCHROIFF (1986, S.73)

WM

Obwohl dieser Vorgang nicht beobachtbar ist, wird davon ausgegangen, daß 60msec nach der Fixation die Informationen im visuellen Zentrum des Gehirn verfügbar sind. (McCONKIE, 1983, S.69)
Auch eine Fixation ist eigentlich nicht statisch, sondern ein Prozeß aus 'Zielankunft', 'Verarbeitung', 'Vorbereitung' der nächsten Saccade und 'Aufbruch' zur nächsten Fixation. (Abbildung 59) (McCONKIE, 1983, S.68)

Die Identifikation von Fixationen geschieht anhand der Festsetzung eines räumlichen und zeitlichen Fixationskriteriums. (SCHROIFF, 1986, S.60)
Meist werden hintereinander liegende Meßpunkte, deren (euklidscher) Abstand unter einer wählbaren Toleranzschwelle liegt und deren Anzahl eine vorzugebende Mindestanzahl übersteigt, zu einer Fixation aggregiert. In einer Studie von LEVEN bestand eine **Fixation** aus mindestens sieben hinter einander liegenden Meßpunkten, deren Abstand kleiner als 0.27 Grad war. Durch die Festlegung der Mindestdauer einer Fixation auf sieben Messungen oder 0.28 Sekunden wurden alle kürzeren Augenstillstände eliminiert und es verbleiben nur noch die längeren Zielpunktfixationen. (LEVEN, 1988, S.118)

Abbildung 59: Ablaufschema einer Fixation beim Lesen

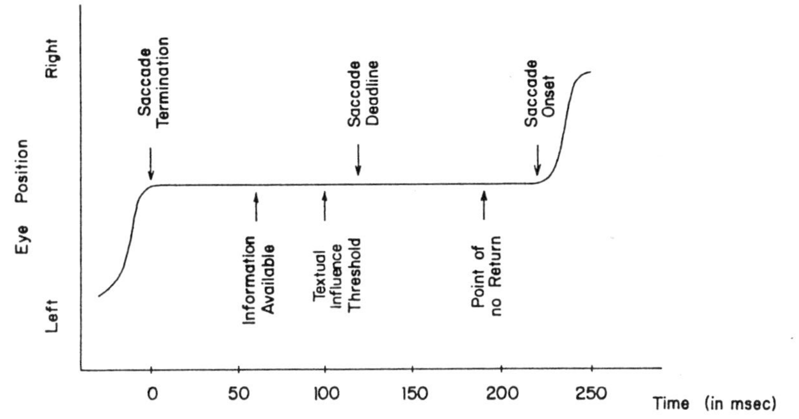

Quelle: McCONKIE (1983, S.68)

WM

Man unterscheidet zwei Typen von Saccaden:

- zeitlich und örtlich lange Saccaden, die von einem Element der Reizvorlage zu einem anderen Element wandern und
- kurze Saccaden (Korrektursaccaden), die nur dazu dienen, die nach einer langen Saccade erreichte Fixation zu korrigieren, zum Beispiel damit die Informationsaufnahme unter optimalen optischen Bedingungen stattfinden kann. (RHENIUS/HEYDEMANN, 1984, S.312)

Es gibt auch 'regressive Saccaden', d.h. ein Zurückspringen, wie es beim Lesen von Texten häufig beobachtet wird. Im allgemeinen geht man von 4 Sprüngen/Saccaden pro sec mit einer Länge von 30-90 msec aus. (RAYNER/McCONKIE/EHRLICH, 1978 bzw. BERNHARD, 1977, S.173 und ZSCHOCKE, 1983, S.21)

Das Ausmaß einer Saccade kann etwa 100-200 msec vor der Ausführung durch visuelle Informationen beeinflußt werden; Informationen rechts von der Fixation wie zB Wortlänge oder Leerräume zwischen den Wörtern können das Ausmaß der nächsten Saccade beeinflussen. (BOUMA, 1978, S.137)

Auch die Wortlänge steuert die Größe der Saccaden; für die effiziente Steuerung des Blicks beim Lesen genügt es, wenn das Auge über die nächsten 15 Buchstaben rechts von der derzeitigen Fixation Informationen besitzt; genaue Informationen über die Buchstaben werden lediglich für die jeweils nächsten zwei Wörter benötigt. (RAYNER, 1983, S.105)

Die getroffene Unterscheidung zwischen Fixationen und Saccaden ist deshalb von Bedeutung, **weil Informationen (im wesentlichen) nur während der Fixationen aufgenommen werden.** (LEVEN, 1983, S.13 und RHENIUS/HEYDEMANN, 1984, S.312)

Wenn jemand weiß, wo sich bestimmte visuelle Informationen befinden, werden die Augen in diese Richtung bewegt. Man spricht von 'cognitive guidance', weil dieses Hinführen auf dem Wissen der Vp basiert. Das Ziel besteht darin, die Informationsaufnahme mit dahinter stehenden kognitiven Strategien zu verbinden. (RUSSO, 1978, S.562)
Die kognitive Lenkung bleibt dabei nicht auf einzelne Saccaden beschränkt, sondern kann auch komplexe Strategien, wie Problemlösungsprozesse oder Verfahren der Mustererkennung betreffen. (BOUMA, 1978, S.135)
Geprägt wurde in diesem Zusammenhang der Begriff 'scanpath' (Blickverlauf); wobei 'scanning' in der Bedeutung über das reine Betrachten hinausgeht. (GRONER/WALDER/GRONER, 1984, S.525)

Bei der Informationsaufnahme werden aufgrund der fixierten Reize umfassende Informationseinheiten ('information chunks') gebildet und in das Gehirn transportiert. (KROEBER-RIEL, 1984a, S.230 und SCHROIFF, 1986, S.60; bei RUSSO, 1978, S.563: 3 hintereinander liegende Fixationen)
In Anlehnung an JUST/CARPENTER (1980) und RUSSO (1978) werden hintereinanderliegende Fixationen auf dasselbe Element ('dieselbe Sinneinheit') als **Gaze** bezeichnet. (LEVEN, 1986b, S.83; vgl. auch die Tabelle über die Beziehungen zwischen Beobachtungseinheiten und Werbezielen, die durch Blickregistrierung allein erhoben werden können).

Tabelle 10: Beziehung zwischen Beobachtungseinheiten und Werbezielen

Werbe-ziele	Auffäl-ligkeit	Betracht-dauer	Fix.-orte	Fix.-häufigk.	Fix.-reihenf.	Gaze-größe	Saccad.-länge
	Beobachtungseinheiten						
Kontakt							
Gesamt	X			X	X	X	X
Detail			X	X	X	X	X
Aufmerksamkeit							
Gesamt	(X)	X					
Detail				X	X	X	X
Wahrnehmung							
Gesamt	X	X					
Detail			X	X	X	X	X
Verstehen			(X)	(X)	X	X	X
Lernen (2. 1)				(X)	(X)	(X)	

Vereinfachte Darstellung der Beziehungen zwischen Beobachtungseinheiten und Werbezielen (X = Meßbarkeit gegeben; (X) = Meßbarkeit vermutet)

Quelle: LEVEN (1986, S.86)

Wird in einer als Coca-Cola Anzeige identifizierten Werbung der Wortbereich 'mach mal' fixiert, so wird aufgrund dieser Fixation die umfassendere Information 'mach mal Pause' aufgenommen. Aufgrund vorhandener kognitiver Mechanismen werden die fixierten Informationen zu möglichst sinnvollen und umfassenden Einheiten zusammengefaßt. Somit besteht eine Abhängigkeit des Blickverhaltens vom vorhandenen Kontext und vom vorhandenen Wissen. (KROEBER-RIEL, 1984a, S.232)

Das Wahrnehmen einer Anzeige ist als Abfolge von Fixationen aufzufassen, bei dem nacheinander verschiedene Anzeigendetails angesehen und bearbeitet werden. [1)]

1) Große Diskussionen gibt es darüber, wie durch die Abfolge von Fixationen eine 'Wahrnehmung' entsteht. Um diese Diskussionen zu vermeiden, schlagen RAYNER, McCONKIE und EHRLICH vor, die Stimuli tachistoskopisch zu präsentieren. Bei einer durchschnittlichen Anzahl von 4 Fixationen pro Sekunde müßte die Darbietungszeit 1/250 sec sein. (1978, S.529-544)

Erkenntnisse der Grundlagenforschung, die auf Ergebnissen aus dem sprachlichen Bereich beruhen (sinnlose Silben oder Wörter und Texte), sollten nicht unreflektiert auf bildhaftes Material übertragen werden. Zwischen diesen beiden Bereichen bestehen fundamentale Unterschiede. (MICKASCH, 1986, S.22)
Fehlendes Involvement beim Betrachten von Werbemitteln, macht sich zum einen in einer stark reizgesteuerten Informationsaufnahme, zum anderen in einer kurzen Betrachtungszeit bemerkbar. Darüberhinaus ist auch die Qualität und Intensität der Kontrollprozesse betroffen. (LEVEN, 1987, S.94)

Im wesentlichen ist von einer zentralen Steuerung der Blickbewegungen auszugehen, zusätzlich ist aber auch eine periphere Steuerung zu berücksichtigen. Es ist plausibel, anzunehmen, daß die langen Saccaden einer zentralen Steuerung unterliegen, während die kurzen, peripher gesteuert sind. (RHENIUS/HEYDEMANN, 1984, S.312)
Bei gleichzeitiger Präsentation von zwei visuellen Objekten in unterschiedlichen peripheren Wahrnehmungsbereichen, wird zuerst jenes betrachtet, das näher an der vorhergehenden Fixation liegt. Allerdings konnte auch empirisch gezeigt werden, daß es für verschiedene periphere Bereiche unterschiedliche Präferenzen gibt. (BOUMA, 1978, S.134)
Die Wahrnehmung eines Signals im peripheren Sehbereich hängt einerseits von den biologisch festgelegten Leistungsgrenzen der Netzhautstelle ab, an welcher der Reiz zur Projektion gelangt und andererseits von den physikalischen Reizmerkmalen. (Abbildung 60) Intensive Stimuli können auch an peripheren Netzhautstellen eine Wahrnehmung hervorrufen. Für jeden Reiz kann man einen peripheren Winkelabstand von der Fovea ermitteln, die sogenannte Exzentrizität, die mit der Wahrnehmungsschwelle eines definierten Reizes korrespondiert. [1)]

---

1) Die Registrierung der Blickbewegung erfolgte mit Hilfe eines NAC IV Eye-Mark-Recorders. Auf der Videoaufzeichnung waren sowohl die jeweilige Fixationsstelle (Sehachse) der Vp als auch die Umwelt bzw. das präsentierte Signal sichtbar. (COHEN, 1987, S.22)

Abbildung 60: Beantwortete und übersehene Signale sowie Latenz der Reaktion als Funktion der Reizexzentrizität

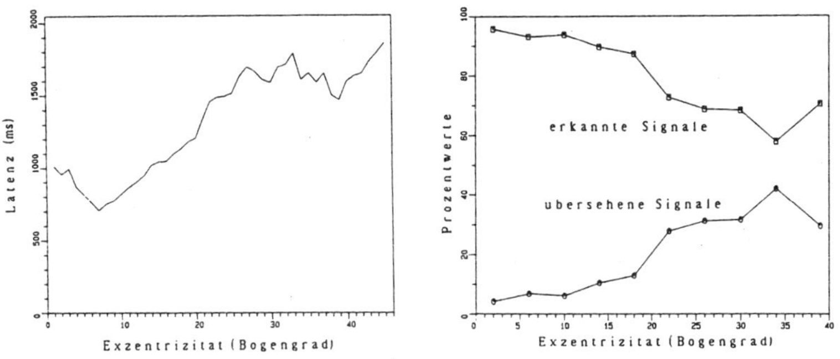

Quelle: COHEN (1987, S.27)

Die Isopter (=Netzhaustellen mit gleicher Wahrnehmungsschwelle) trennen zwischen zentralen und peripheren Netzhautregionen. Was Wahrnehmung heißt, hängt von der jeweiligen Definition der visuellen Aufgabe ab, zB Detailsehen, Identifikation des Reizes oder das bloße Erkennen seiner Präsenz. (COHEN, 1987, S.18)

Saccaden sind in Verbindung mit Kopfbewegungen hauptverantwortlich für einen visuellen Suchprozeß. Im Mittelpunkt von Diskussionen steht die Frage, ob Saccaden einen Einfluß auf die Identifikation eines peripher präsentierten Reizes haben oder einen Einfluß darauf haben, einen Reiz von der Peripherie in die Fovea zu rücken. (RAYNER/McCONKIE/EHRLICH, 1978, S.533)
Anders ausgedrückt: Sind Saccaden und Aufmerksamkeit zwei verschiedene Systeme ? (REMINGTON, 1980, S.726-744)
RAYNER, McCONKIE und EHRLICH fanden keinerlei Hinweise darauf, daß Saccaden einen derartigen Einfluß besitzen und unterstreichen die Bedeutung des peripheren Sehens. Ein Reiz wird peripher wahrgenommen und kann reproduziert werden ohne, daß es zu einer Saccade gekommen wäre.

Auch die Ergebnisse einer empirischen Studie von REMINGTON zeigen deutlich, daß Aufmerksamkeit den Augenbewegungen zu dem neuen Zielpunkt vorangehen. [1] (1980, S.731+735)
Die Resultate sprechen für eine weitgehende Unabhängigkeit zwischen dem System der saccadischen Augenbewegungen und dem System der visuellen Aufmerksamkeit. **Veränderungen der Aufmerksamkeit hängen stärker mit dem Auftreten peripherer Ereignisse zusammen, als mit den saccadischen Augenbewegungen selbst.** (REMINGTON, 1980, S.742)

Abbildung 61: Erkennungszeit eines Wortes in Abhängigkeit von der Versuchsanordnung und der Präsentation des Wortes im Gesichtsfeld

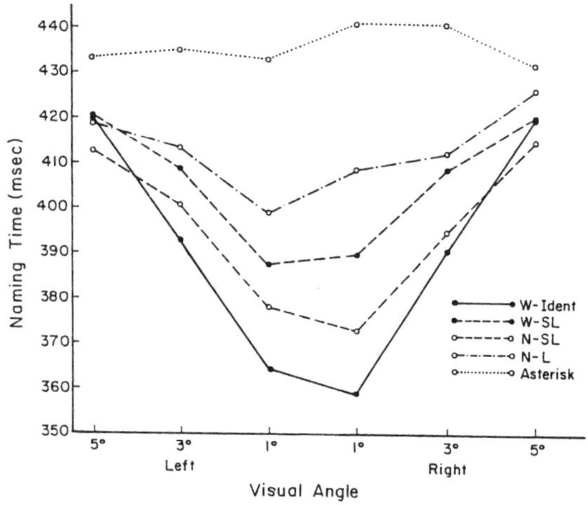

Quelle: RAYNER/McCONKIE/EHRLICH (1978, S. 535)

WM

1) Der Begriff Aufmerksamkeitszuwendung in diesem Zusammenhang betont den selektiven Charakter der Informationsaufnahme. (BERNHARD, 1977, S.176)
Zur Berechnung der betrachteten Elemente unterteilt man die präsentierten Stimuli in sog. Sinneinheiten, d.h. in inhaltlich zusammengehörende Teilbereiche. Bei einer mittleren Anzeigenbetrachtungsdauer von 3 sec und einer mittleren Sinneinheitenanzahl von 10.4 folgt daraus, daß die Informationsaufnahme auf ca 33% der möglichen Sinneinheiten beschränkt bleibt. (LEVEN, 1987, S.95)

Die peripher aufgenommenen Reize dienen im wesentlichen einer allgemeinen Orientierung, um das Blickverhalten zu steuern; sie vermitteln zudem bruchstückhafte Informationen, die bei der Interpretation zentral aufgenommener Informationen mitwirken. (KROEBER-RIEL, 1984a, S.229 und MAYER/POBEL, 1984, S.231)

Ein Einfluß auf die Saccaden des Auges geht übrigens auch von anderen Sinnesorganen aus. Wenn zB auditiven Stimuli Aufmerksamkeit geschenkt wird, werden längere Fixationen des Auges beobachtet. (BOUMA, 1978, S.135)
Ein interessantes Feld für weitere Untersuchungen zur ablenkenden Kommunikation, wenn etwa die Wirkung von Anzeigen erhoben werden soll, bei gleichzeitigem Radio hören.

Zusammenfassend kann man davon ausgehen, daß die Ursachen, die für die Zentrierung des Blickverhaltens verantwortlich sind, im wesentlichen in zwei Faktoren zu suchen sind: in spezifischen Aspekten der physikalischen Reizstruktur (zB Hell-Dunkel-Konstraste) auf der einen und in der motivationalen und kognitiven Situation (zB bestimmte Erwartungshaltungen) der wahrnehmenden Individuen auf der anderen Seite. (BERNHARD, 1977, S.171)

10.3. Verschiedene Methoden zur Identifikation des Blickverlaufs

Das Ziel von Blickregistrierungsstudien sind Daten, die Aussagen über folgende Tatbestände ermöglichen: [1)]

- die mit der Anzeige verbrachte Zeit
- was gesehen wird
- was übersehen wird
- die Reihenfolge der Betrachtung
- welcher Text wird gelesen
- wielange werden verschiedene Elemente betrachtet.

(TREISTMAN, 1987, S.94)

Blickverhalten kann über folgende Variable operationalisiert werden: (LEVEN, 1983, S.15)

A. Fixationshäufigkeit: Anzahl der Fixationen während der Betrachtungszeit pro Sinneinheit

B. Gazehäufigkeit: Anzahl der aufeinanderfolgenden Fixationen auf derselben Sinneinheit (vgl. auch RHENIUS/HEYDEMANN, 1984, S.312)

C. Fixationsgesamtdauer pro Sinneinheit

D. Gazereihenfolge: hier ohne Berücksichtigung von Wiederholungen

Aufgrund von hohen Korrelationen zwischen A/C und B/C wurde von LEVEN in weiterer Folge lediglich die **Gazehäufigkeit** betrachtet. Die Korrelation besagt, daß mit zunehmender Fixationshäufigkeit die Tendenz besteht, auch die verschiedenen Sinneinheiten häufiger zu betrachten. (1983, S.21)

Der Vollständigkeit halber sollen zwei Methoden nur kurz vorgestellt werden, die unter dem Überbegriff 'Beobachtung des Blickverlaufs' in der Literatur diskutiert werden, obwohl sie zu den obigen Fragestellungen nur wenige Informationen liefern können.
EDELBERG und WEINBLATT (1984) stellen eine lediglich 2 oz schwere Videokamera vor, die auf die Brillen der Vp oder auf ein leeres Brillengestellt geklemmt wird. Die Brille hat die Größe einer 9 Volt Batterie (das neuste Modell sogar nur die Größe einer Büroklammer) und registriert alles, was die Vp liest bzw. beim Gang durch einen S-Markt betrachtet. (siehe Abbildung 62)
Eine weitere Methode der (Blick-)Beobachtung besteht darin, daß eine Minikamera im Regal in einer Packung versteckt wird; dadurch kann registriert werden, wie lange der Kunde vor dem Regal verweilt, auf welche Produkte oder auf welches Displaymaterial er sieht. (EDELBERG/WEINBLATT, 1984, S.34)

1) Interessanterweise empfiehlt TREISTMAN eher die Überprüfung einer Anzeige isoliert vom Umfeld und zwar mit dem Argument, "falls die Anzeige gut ist, kann sie sich auch im Umfeld, das man ohnehin nicht beeinflussen kann, besser durchsetzen." (1987, S.94)

Abbildung 62: Videokamera mit Befestigungsmöglichkeit auf einer Brille zur Registrierung des Einkaufsverhaltens

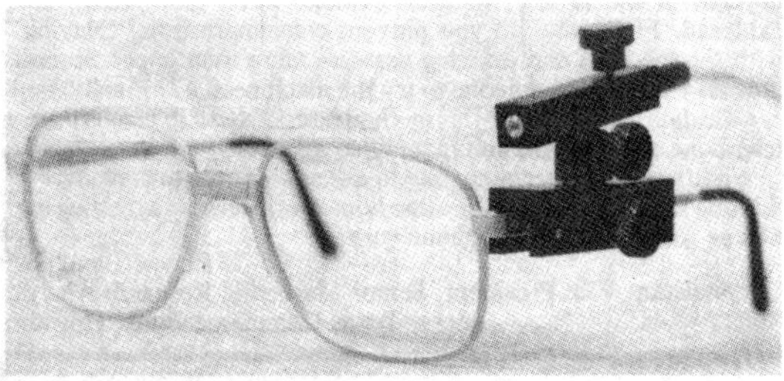

Videocamera, weighing only 2 oz., clips on to respondent's eyeglasses or open-frame glasses. Tape provides a record of the consumer's actual shopping or reading behavior.

Quelle: EDELBERG/WEINBLATT (1984, S.1)

WM

Eine Großprojektion ermöglicht die Darstellung eines Regals in Originalgröße. Die Vp kann mittels Joystick, der an einen Computer angeschlossen ist und einen Diaprojektor bedient, einen Zoomeffekt bewirken; das neue Dia wird innerhalb einer 1/10 Sekunde präsentiert. Die Vp kann sich einzelne Regalhöhen bzw. sogar Packungen oder Aufschriften näher heranholen, indem sie ein Dia projiziert, auf dem diese Informationen enthalten sind. Die Apn kann beliebig lange vor einem Regal verweilen und dann nach links oder rechts weiterwandern. Diese Apparatur bedingt, daß von der ganzen Regalwand eine Vielzahl von Fotos aus verschiedenen Standpunkten und mit unterschiedlich großen Bildausschnitten angefertigt werden. [1] (EDELBERG/WEINBLATT, 1984, S.34)

1) EDELBERG und WEINBLATT berichten von einer Floprate in der Höhe von 80% bei Produkten, die neu in das Sortiment eines S-Marktes aufgenommen werden und führen dies zum Teil auf inadäquate Testmethoden vor der Einführung zurück. Die Kosten für diese Verfahren betragen für 100 Konsumenten innerhalb von 5 Tagen $ 8.500.-. (EDELBERG/WEINBLATT, 1984, S.34 und 35)

Während sich manche Geräte vielleicht zur Erfassung von Augenbewegungen bei medizinischen Fragestellungen als tauglich erweisen, ist ein Einsatz im Bereich der Konsumentenforschung als unmöglich einzustufen. (vgl. die folgende Abbildung 63)

Abbildung 63: Blickregistrierungssensoren ACS EM-130

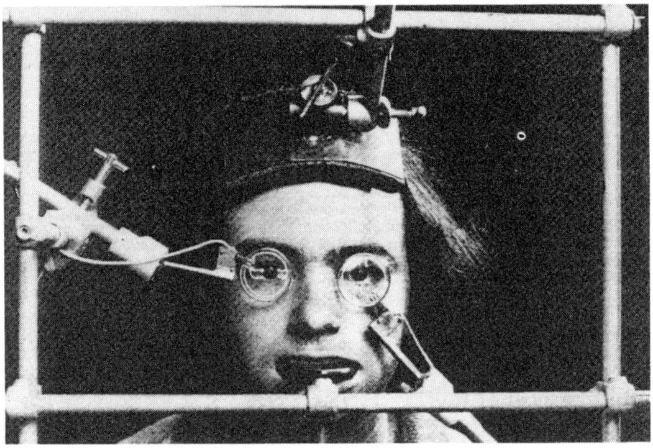

Quelle: GOILLAU (1984, S.283)

WM

Eine Aufstellung und Gegenüberstellung von Methoden der **Blickbewegungsregistrierung** enthält MICKASCH: (1986, S.16-19)

1. Elektro-Okulogramm (EOG)
2. Cornea-Reflex-Methode (NAC IV bzw. NAC V)
3. Limbus-, Pupillen- oder Augenlidregistrierung
4. Kontaktlinsenmethode
5. Blickachsenmessung (DEBIC80 bzw. DEBIC84)
6. Doppelte Purkinje-Bild-Technik

Die Beurteilung aller Verfahren erfolgt anhand der Kriterien:

- Einschränkung des (natürlichen) Gesichtsfeldes
- Genauigkeit der Registrierung und
- Probleme bei der Justierung.

Tabelle 11: Beurteilung von Verfahren zur Blickregistrierung

	Gesichtsfeld	Genauigkeit	Probleme
1)	bis 70 Grad/ (ab 30° ungenau)	1.5 - 2 Winkelgrad	durch Lidschläge
2)	10° horizontal bzw. vertikal	1 Grad	Brillenträger/ Kopfform
3)	20 Grad	1 - 2 Grad	
4)	5 Grad	5 - 10 Winkelsek	Anpassung
5)	30° horizontal 20° vertikal	1 Grad	
6)	15° Durchmesser	2 Winkelmin (300 Hz)	

Quelle: MICKASCH (1985, S.16-19)

WM

Bei der Blickregistrierung nach dem System DEBIC wird die Augenposition und damit die Blickrichtung aus der Distanz zweier Reflexionsquellen im Bereich des Auges bestimmt. [1)]
(vgl. Abbildung 64 und den Prospekt der Firma DEMEL in Abbildung 65 a und b im Anhang)

1) SCHROIFF stellte fest, daß die Meßgenauigkeit generell zum Rand der Darbietungsfläche hin abnimmt - vor allem am rechten unteren Rand; längere Zeitintervalle zwischen den Messungen machen eine erneute Eichung notwendig. (SCHROIFF, 1986, S.64 und 66)

Die am Ordinariat für WuM eingesetzte NAC IV-Kamera, funktioniert nach der **Cornea-Reflex-Methode:** Ein auf die Hornhaut gerichteter Lichtstrahl wird von dieser reflektiert und über einen halbdurchlässigen Spiegel in die Glasfiberoptik und in weiterer Folge in eine Videokamera eingespiegelt. [1] (SCHWEIGER/WIKLICKY, 1985, S.3)

Abbildung 64: Funktionsprinzip der Blickregistrierung nach dem System DEBIC

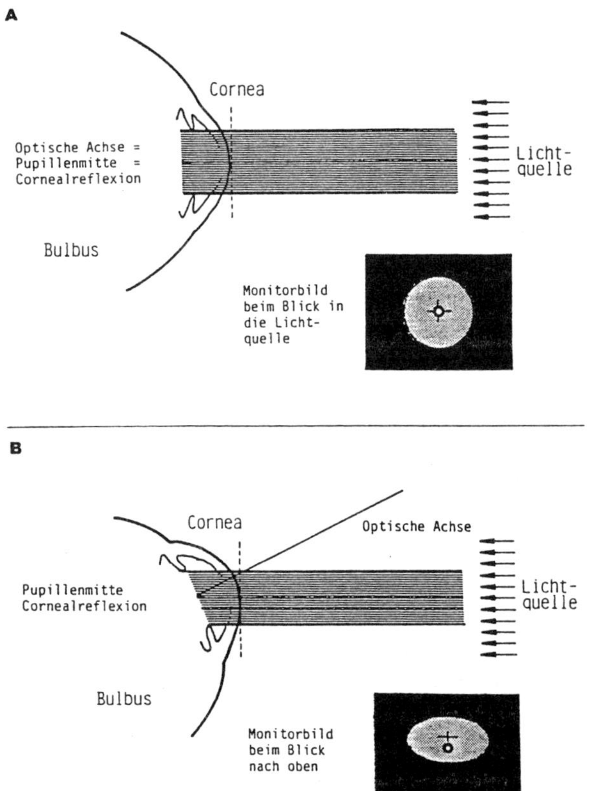

Quelle: SCHROIFF, 1986, S.63)

WM

1) Auf die Weiterentwicklung mit der Bezeichnung NAC V, die nach einem anderen Prinzip arbeitet, soll hier nicht näher eingegangen werden, da die im empirischen Teil diskutierten Studien alle mit dem Modell NAC IV durchgeführt worden sind. Zum Aussehen der NAC V vgl. die Abbildung 68 im Anhang.

Die graphische Darstellung des Funktionsprinzips hat folgendes Aussehen: (siehe die folgende Abbildung 66; ein Bild der NAC IV Brille befindet sich in Abbildung 67 im Anhang)

Abbildung 66: Funktionsprinzip der Blickregistrierung nach dem System NAC IV

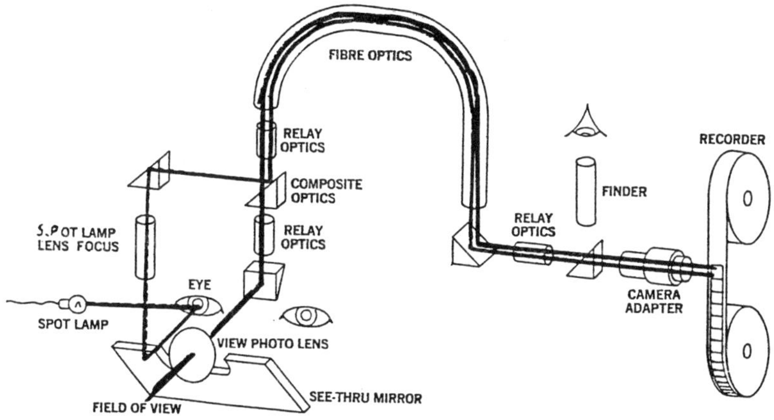

Quelle: NAC Inc.

WM

Zur technischen Beschreibung der am Ordinariat verfügbaren Gerätekonfiguartion insbesondere auf die Kombination der NAC IV Brille mit einem Auswertungssystem, das automatisch die Koordinatenwerte des Cornea-Reflexes ausweist und auf aggregiertem Niveau die Häufigkeitsverteilung der Blickpunkte auf einer Vorlage (zB auf einer Anzeige) berechnet vgl. die ausführlichen Darstellungen bei WEISS (1987) bzw. MELZER/WASHIEDL (1989).

Bei Anwendung der NAC Brillen sind grundsätzlich zwei verschiedene Versuchsanordnungen denkbar: Die Vp kann selbst bestimmen was sie, wie lange betrachtet (Durchblättern einer Zeitschrift oder Weitertransport von Dias) oder die Reihenfolge und Dauer der Präsentation wird vorgegeben (gelenkte Aufmerksamkeit).

In diesem zweiten Fall wird die Präsentationsdauer auf die durchschnittliche Betrachtungsdauer von Anzeigen aus dieser Produktgruppe abgestimmt oder es wird die zB an einer anderen Teilstichprobe mittels COMPAGNON-Verfahren tatsächlich ermittelte durchschnittliche Betrachtungszeit dieser Anzeige herangezogen. (KROEBER-RIEL, 1984c, S.592 bzw. MELZER/ WASHIEDL, 1989 aufgrund der Ergebnisse von BOTTESCH/LANGGASSNER, 1985)

Die bei LEVEN angeführte Versuchsanordnung entspricht etwa auch den Studien des Ordinariats und hatte folgendes Aussehen:

Abbildung 69: Versuchsanordnung bei Durchführung der automatisierten Blickregistrierung

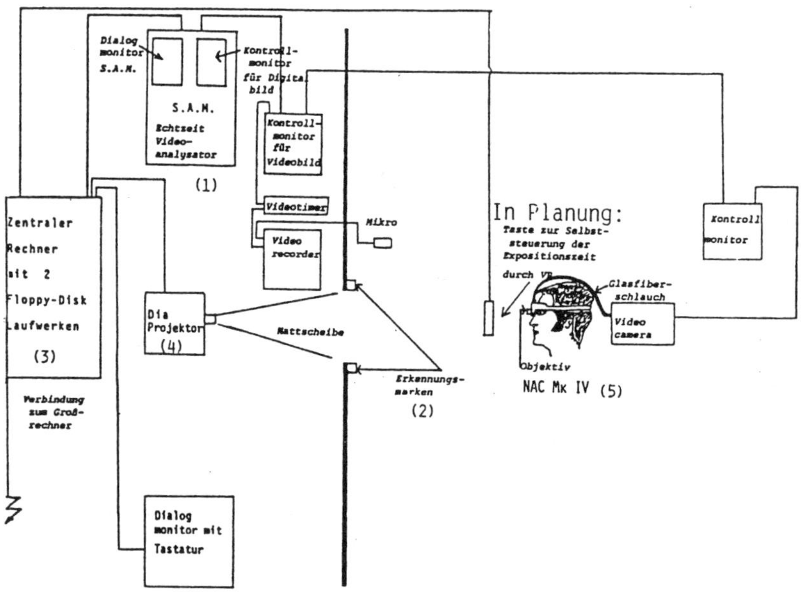

Quelle: LEVEN (1986a, S.155)

10.4. Validität des Verfahrens

Als nächstes soll die Frage der Brauchbarkeit der Ergebnisse der Blickregistrierung, insbesondere im Vergleich zu verbalen Indikatoren diskutiert werden.
Wie es bei einem innovativen Verfahren eigentlich zu erwarten ist, sieht sich die Methode der Blickregistrierung einer Reihe von Zweiflern gegenüber, die manchmal auch mit unsinnigen, obskuren Vorwürfen argumentieren:
So etwa der Einwand, "die Blickregistrierung informiert nicht verbindlich über eine Einstellungsänderung".
(REHORN, 1986b, S.53)
Ganz abgesehen davon, daß dies auch unter Anwendung der Methode der Befragung nicht immer klar ersichtlich ist, kann und will die Methode der Blickregistrierung auf diese Frage gar keine Antwort geben.
In einem verzweifelten verbalen 'Rundumschlag' wird sogar ein Vorwurf, der manchmal zu hören ist, nämlich: " Wenn sich der Anzeigengestalter an die Ergebnisse der Blickregistrierung hält, führt dies unweigerlich zur Uniformität aller Anzeigen !" ins Gegenteil gekehrt, nun ebenfalls der Blickregistrierung zum Vorwurf gemacht: "..so kann die Blickregistrierung nicht verbindlich sagen, wie man seine Anzeigen richtig konzipiert."
(REHORN, 1986b, S.51)

REHORN berichtet über mehrere Studien bei Ärzten und kritisiert, daß in keinem von vier Blickregistrierungstests eine strenge Gleichläufigkeit zwischen Beachtung und Erinnerung von Anzeigen festgestellt werden konnte. (REHORN, 1986a, S.84)
Es gibt Anzeigen, bei denen eine Gleichläufigkeit von Beachtung und Erinnerung gegeben ist, und es gibt Anzeigen, bei denen das nicht der Fall ist.

Bei diesem Vergleich offenbart sich das Validierungsproblem im Zusammenhang mit apparativen Verfahren: Wenn man von einem Verfahren wie der Blickregistrierung behauptet, daß sie validere Werte im Vergleich zur Erinnerungsleistung bringt, wie kann man dann von einem Gleichlauf der Ergebnisse auf die mangelnde Validität der Blickregistrierung schließen? Bei einem Gleichlauf könnte man sich ja die Blickregistrierung ersparen und auf die weniger aufwendige Methode des Recall zurückgreifen.

Auch die Kritik an den hohen Kosten (für 30 Probanden verrechnet das Institut für Kommunikationsforschung von Keitz in der BRD 30.000.- DM (REHORN, 1986b, S.53)) muß dem hohen Grad an Objektivität und der raschen Verfügbarkeit der Blickregistrierungsdaten gegenübergestellt werden.

Richtig ist allerdings, daß Meßergebnisse der Blickregistrierung durch eine Reihe verschiedener Faktoren beeinflußt werden können: (LEVEN, 1988, S.117)

1) Probandenspezifische Faktoren (Kopfform)
2) Justagebedingungen
3) Bedingungen während des Versuchs (Bewegungen)
4) Meßprinzip (Cornea Reflex)
5) Gerätetechnische Umsetzung der Signale (optisches System)
6) Qualität der Digitalisierung
7) Qualität der Rechenoperationen
8) Qualität der Datenübertragung

Zu den am häufigsten genannten **Ursachen für Meßfehler** oder Ausfällen von Meßdaten gehören folgende Kriterien:

- Keine ordnungsgemäße **Justierung** der Brille möglich, deshalb auch kein Cornea-Reflex sichtbar: (BÖCKER, 1981, S.16 und BÖCKER/SCHWERDT, 1981, S.369)
- **Haftschalenträger**; kein (oder doppelter) Cornea-Reflex sichtbar: (BÖCKER, 1981, S.15 und BÖCKER/SCHWERDT, 1981, S.362 sowie MELZER/WASHIEDL, 1989)
- **Belastung** durch die Apparatur (380g) und zugleich durch den Laborcharakter der Meßsituation ein von der Normalität abweichendes Verhalten (BÖCKER/SCHWERDT, 1981, S.356) [1)]
- **Körperbewegungen** sind nach Möglichkeit zu unterlassen (BÖCKER/SCHWERDT, 1981, S.372); der vielzitierte Gang durch einen Supermarkt ist, wenn überhaupt, nur mit der neuen Version NAC V möglich; besser sollte jedoch auf das von EDELBERG und WEINBLATT vorgestellte Verfahren zurückgegriffen werden.
- Einschränkung des **Blickfeldes**: auf 1/6 des natürlichen Feldes (vgl. die folgende Tabelle und BÖCKER/SCHWERDT, 1981, S.354)
- **Abweichung** zwischen angezeigtem (Cornea-Reflex) und tasächlichem Blickpunkt (lt. Aussage der Apn)

---

1) Eine bessere Annäherung an die Realsituation kann durch Einsatz des 'Compagnon-Verfahren' erreicht werden; allerdings nur zum Preis einer größeren Meßungenauigkeit. (BÖCKER/SCHWERDT, 1981, S.357 und SCHNÖTZINGER, 1987) BÖCKER und SCHWERDT fordern deshalb eine Validitätsüberprüfung hinsichtlich des Einflusses der Laborsituation auf systematische Meßabweichungen: werden zB tabuisierte Objekte weniger betrachtet? (1981, S.358)

Tabelle 12: Natürliches und durch das Gerät eingeschränktes Gesichtsfeld sowie Lichtpfeilfeld

	NAC Eye-Mark-Recorder 4		natürliches Blickfeld	
	Abweichung von Blickachse (in Grad)	Blickfeld bei 2 m entferntem Betrachtungsobjekt (in m)	Abweichung von Blickachse (in Grad)	Blickfeld bei 2 m entferntem Betrachtungsobjekt (in m)
Blickbereich horizontal	± 30	± 1,15	ca. ± 60	ca. ± 3,5
Blickbereich vertikal	± 21,75	± 0,80	ca. ± 40	ca. ± 1,7
Lichtpfeilfeld kreisförmig	± 20	± 0,73	nicht betreffend	

Quelle: BÖCKER/SCHWERDT (1981, S.359)

BÖCKER berechnet eine durchschnittliche Abweichung zwischen angegebenen und ausgewiesenen Fixationspunkt bei 1 m Objektabstand von 3.5 Grad (im Vergleich zur Herstellerangabe von 2 Grad).
LEVEN stellte bei Überprüfung der Meßgenauigkeit der Anlage fest, daß der mittlere Fehler (=Abweichung vom Ziel) in 96% der Messungen unter einem Grad liegt. (LEVEN, 1988, S.116)
Außerdem gibt LEVEN zu bedenken, daß man sich bei Überprüfung der Meßgenauigkeit nicht an Koordinatenpunkten orientieren darf, sondern berücksichtigen muß, daß in Wirklichkeit eine Fläche vorliegt, innerhalb der der Proband scharf sehen und vermutlich nicht mehr differenzieren kann. (LEVEN, 1988, S.118)

In einer Studie von PALLA wurden Abweichungen bei Eichdias insbesondere auf der vertikalen Achse und zwar nach oben registriert, während sie in der horizontalen Achse zu vernachlässigen waren. [1] (1988, S.74-76)
PALLA konnte 60% aller Blickpunkte auswerten. Ein Indiz dafür, daß die Ursache für nicht auswertbare Blickpunkte in erster Linie bei der Justierung der Grauwertschwelle liegt, ist in der - wenn auch schwachen, so doch negativen - Korrelation von -0.24 zwischen Anzahl der nichtauswertbaren Blickpunkte und dem Zeitablauf der Präsentation eines Dias (Sekunde 0 bis Sekunde 6) zu sehen. [2]
Mit Fortdauer der Präsentation konnten mehr Blickpunkte ausgewertet werden. (PALLA, 1988, S.81 und 88)

Anders sieht es bei der Betrachtung über alle präsentierten Dias aus: im experimentellen Design weiter hinten plazierte Dias weisen einen höheren Anteil nicht auswertbarer Blickpunkte aus (Korr.Koeff: 0.49; p=0.1); eine mögliche Ursache ist die zunehmende Tränenflüssigkeit im Auge, die einen verschwommenen Corneareflex produziert. (PALLA, 1988, S.90)

---

1) Im Gegensatz dazu berichtet LEVEN, daß die Meßfehler unabhängig von der Lage des Zielpunktes sind, auf den die Vp sieht und somit kein Einfluß besteht, ob die Vp zB nach links oben oder rechts unten schaut. (LEVEN, 1988, S.120) Jedenfalls ist von einer Vergrößerung des Meßfehlers mit zunehmendem Distanzwinkel auszugehen. (LEVEN, 1988, S.121) Darin kann auch der Grund für die unterschiedliche Beurteilung des Verfahrens zwischen LEVEN und BÖCKER bzw. BÖCKER/SCHWERDT liegen: Während bei LEVEN der Betrachtungsabstand 1,80 m und die Projektionsgröße ca. 65 x 100 cm betrug (1988, S.118) sprechen BÖCKER und SCHWERDT von einer Vorlage zur Messung der Abweichungen im Ausmaß von 0.84 x 0.56 m. (1981, S.360)

2) Der Grauwertschwellenregler ist Teil des Auswertungssystems und ermöglicht ein 'leichteres' Identifizieren des Cornea-Reflexes auf der Vorlage. Sehr vereinfacht kann dieser Regler mit einem Hell/Dunkel- bzw. Kontrastregler eines TV-Gerätes verglichen werden, mit dem Unterschied, daß es sich hier um ein binäres (digitalisiertes) Bild handelt, das darüber hinaus auch noch invertiert wurde, d.h. der ursprünglich weiße Cornea-Reflex erscheint schwarz und alle dunklen/ schwarzen Bildbestandteile hell.

Der Katalog von Verbesserungsvorschlägen reicht von kleinen aber effizienten Hinweisen (zur rascheren Reaktion mittels Grauwertschwellenregler auf zu schwache oder zu starke Reflexe, die Drehrichtung des Reglers mit + oder - zu kennzeichnen) oder eine Möglichkeit vorzusehen, daß die Vp selbst die Präsentationsdauer des jeweiligen Dias bestimmen können, über Vorschläge, die sich auf einen besseren Sitz der Brille beziehen oder auf die übersichtlichere Darstellung der Ergebnisse insbesondere was die Auflistung der nicht auswertbaren bzw. nicht von der Fensterdefinition erfaßten Blickpunkte betrifft. (vgl. auch LEVEN, 1988) Diese Werte sollten nicht global ausgewiesen werden, sondern ihre Verteilung im Zeitablauf ersichtlich sein, sowie einen Hinweis auf die Fehlerursache enthalten: kein/zuviele Corneareflex(e) im Bild, keine/zuviele Marken im Bild. Diese Information werden derzeit im Auswertungssystem (SAM) ohnehin generiert, aber von der Auswertungsoftware ignoriert. (PALLA, 1988, S.103ff)

Interessant wäre eine Möglichkeit, die einzelnen analysierten Bilder in einen Computer einlesen zu können und nachträglich die nicht auswertbaren Halbbilder nochmals bearbeiten zu können und zB mittels Lichtgriffel die Corneareflexe für das Auswertungssystem eingeben zu können. In einer Videoauswertung hat sich gezeigt, daß bei sehr vielen (fast 90 %) der nicht auswertbaren Halbbildern, bei einer nachträglich Kontrolle des Videobandes durch den Versuchsleiter, der Corneareflex eindeutig identifiziert werden konnte. (MELZER/WASHIEDL, 1988 bzw. CZASCH, 1989) Wünschenswert wäre auch eine Datenkonvertierung in SPSS, um auch auf individuellem Niveau einen Vergleich des Blickverlaufs mit Produktinteresse, Stellung im Kaufentscheidungsprozeß, Involvement oder demographischen Variablen herstellen zu können. (PALLA, 1988, S.118)

LEVEN stellt einen **modifizierten NAC IV-Recorder** vor, der sich durch größere Tragebequemlichkeit bei festerem Sitz und größerem Blickfeld auszeichnet und sich auch bei vielen Brillenträgern anpassen läßt. Während man bei der NAC IV Brille mit 25% Ausfallquote zu rechnen hatte, liegt diese Quote nach Modifikation nur mehr bei 5% der Vp und bleibt beschränkt auf Personen, deren Fehlsichtigkeit über 2.5 Dioptrin liegt, sowie auf Personen mit 'harten' Kontaktlinsen oder Personen, bei denen aufgrund eines ungünstigen Abstands zwischen Nasenwurzel und Augenoberfläche kein exakter Cornea-Reflex zu erzielen ist.

Für die Brauchbarkeit der Blickregistrierungsdaten spricht nicht zuletzt eine Studie, in der eine hohe **Korrelation** zwischen Testergebnissen der Blickregistrierung und dem Absatzvolumen am Beispiel von Doppelseiten eines Versandkatalogs festgestellt wurde. Die Korrelationen zwischen Betrachtungsdauer und den Absatzzahlen lagen bei 0.7. (KEITZ, 1986a, S.46)

Bei Verwendung der NAC V Brille ist es in manchen Testanordnungen üblich, daß die Vpn eine Zeitschrift durchblättern und die Dauer der Beschäftigung mit einer Anzeige als Indikator für die Effizienz herangezogen wird. [1]
Zahlreiche Studien sprechen dafür, daß dies nicht immer unreflektiert geschehen sollte:
"..denn keinesfalls gilt, daß eine längere Betrachtungszeit der Anzeige immer besser ist, immer eine stärkere Werbewirkung zeigt." (BARTON-KEITZ, 1981, S.10)
Es kommt darauf an, warum der Konsument die Anzeige länger betrachtet. Die lange Betrachtungsdauer kann u.U. auch ein Indiz für hohe Komplexität aber auch für eine verwirrende, unübersichtliche Gestaltung der Anzeige sein.

1) Daselbe gilt natürlich auch für das Compagnon-Verfahren.

Auch GUTJAHR (1974) fragt sich, "ob eine längere Betrachtung einer Anzeige ein positives Zeichen ist und es sich demnach um die bessere Anzeige handelt."
Ebenso WITT (1977, S.58): "Die Vorstellung, daß eine Anzeige, die länger betrachtet wird als eine andere Anzeige, grundsätzlich bessere Erinnerungswerte oder sonstige Werbewirkungen verspricht, zeugt von theoretischer Naivität". (beide zit. nach BERNHARD, 1977, S.180)

Der entscheidende Vorteil der Blickregistrierung liegt darin, daß auch solche Wahrnehmungen erfaßt werden, die in einer mündlichen Befragung nicht oder nur verzerrt wiedergegeben werden. (SCHUB/SCHÜTZE, 1986, S.125)
Der Schluß von der durch nachträgliche Befragung ermittelten Informationsaufnahme auf die tatsächlich erfolgte Informationsaufnahme ist lückenhaft:
Alle gespeicherten Informationen sind zwar aufgenommene Informationen, aber nicht umgekehrt. (KROEBER-RIEL, 1984a, S.228)
Retrospektive (Gedächtnis-)Protokolle sind durch Vergessenseffekte verzerrt; sofortige (Denke-laut-) Protokolle verstärken ein Rationalisieren des eigenen Verhaltens. [1)]
(SMEAD/WILCOX/WILKES, 1979, S. 507 - 512)

Recall mißt auch in erster Linie ein Erinnerungsvermögen, das stark von **Bekanntheit** und **Markengebrauch** beeinflußt ist:
Anzeige für Marke X wird gesehen und auch erinnert; allerdings mit Marke Y assoziiert, da Y bekannter ist und es wahrscheinlicher ist, daß die Anzeige von Y stammt. (TREISTMAN, 1987, S.94)

---

1) Ein Vergleich von Blickregistrierungsdaten mit verbalen Statements funktioniert, wenn vier oder mehr Fixationen zwischen zwei Eigenschaften hin und her springen. Dann geben die Apn an, daß sie diese Eigenschaften miteinander verglichen haben. (RUSSO, 1978, Abb. 1 auf S.563)

Ein fehlender Recall kann auf mehrere Ursachen zurückgeführt werden:

1. Detail wurde nicht fixiert
2. Gesehen, aber nicht wahrgenommen
3. Wahrgenommen, aber nicht gespeichert
4. Gespeichert, aber
   - Fehlidentifikation oder
   - fehlende Abrufmöglichkeit.

(LEVEN, 1987, S.94)

Zu berücksichtigen sind somit Effekte, wie

- Gedächtnislücken
- Antworttendenzen
- Motivationale Defizite und
- Sprachbarrieren.

Aber auch an die Blickaufzeichnung muß eine Befragung anschließen, weil zB die Anzeige bzw. Elemente zwar eine hohe Aufmerksamkeit hervorrufen können, dadurch aber nicht sichergestellt ist, ob nicht vielleicht der Text und/oder die ganze Anzeige verwirren oder die Anzeige als Ganzes mißfällt oder sich negativ auf das Firmen- oder Markenimage auswirkt. (TREISTMAN, 1987, S.94)
In Verbindung mit weiteren Werbewirkungsindikatoren wie der Einstellungsmessung können Aussagen darüber gewonnen werden, **warum** eine Anzeige besser wirkt als eine andere. [1)]

---

1) BARG weist in diesem Zusammenhang auch auf die Bedeutung der Kombination verschiedener apparativer Verfahren hin, wenn er meint, daß durch die "simultane Registrierung des Blickverlaufs bei Anzeigenbetrachtung und die psychophysiologische Messung der Aktivierung in Zukunft sicher sehr differenzierte Aussagen über die einzelnen Wirkkomponenten einer Anzeige zu erwarten sind". (1977, S.160)

10.5. Ableitung von Gestaltungshinweisen

Es gab bis jetzt kaum eine Präsentation von Ergebnissen der Blickregistrierung bei der nicht die Frage aufgetaucht wäre, ob man aus den dargestellten Befunden, Hinweise für die 'optimale' Gestaltung von Anzeigen ableiten könne. Der Verfasser hat bei diesen Gelegenheiten seine grundsätzliche Abneigung dokumentiert, 'Grundregeln', 'Thesen' oder 'Empfehlungen' für die 'richtige' Gestaltung von Anzeigen abzugeben. Er befindet sich mit dieser Meinung durchaus in 'guter Gesellschaft':

Die Blickaufzeichnung wird zur **Diagnose** eingesetzt (KEITZ, 1986c, S.118) bzw. Blickregistrierung kann kein deutliches Bild einer 'Ideal-Anzeige' aufzeigen. (TREISTMAN, 1987, S.99)
Es ist wenig zweckmäßig, sich auf Plazierungseffekte zu verlassen. (KROEBER-RIEL, 1984a, S.241)
Blickverhalten ist ein komplexes Phänomen; allgemeingültige Regeln sind nicht zu formulieren. (BARTON-KEITZ, 1981, S.11)
Den Gesetzmäßigkeiten der Werbebücher kann man bei der Beurteilung von Entwürfen wenig trauen. (KEITZ, 1985, S.99)

Aufgrund einer Vielzahl möglicher Interaktionswirkungen zwischen

- o Produktinteresse
- o Bekanntheitgrad:
  - der Anzeige
  - der Marke
  - des Produktes
- o Medium

sowie alle Einflußfaktoren in **gestalterischer** Hinsicht kann eine solche detaillierte Empfehlung sinnvoller- und seriöser Weise gar nicht abgegeben werden. [1)]
Noch komplizierter ist es beim Zusammenwirken von mehreren Gestaltungslementen. Gesicht und Farbe bewirken Aufmerksamkeit; wie aber wirkt beides gemeinsam ? (KEITZ, 1985, S.100)

---

1) Eine Empfehlung könnte etwa lauten: Eine Plazierung der Marke bzw. des Textes links oben ist am besten; dort wird zuerst gelesen; ..... es sei denn, die Anzeige enthält ein Bild, dann wird dieses zuerst betrachtet, es sei denn, das Bild ist in s/w (und/oder zu klein) und der Text färbig (und/oder größer), dann wird doch zuerst der Text gelesen usw..

Trotzdem lassen sich aufgrund der bisher am Ordinariat in den unterschiedlichsten Zielgruppen durchgeführten Tests unter Anwendung der Methode der Blickregistrierung einige Befunde verallgemeinern.

Es gibt aufgrund eines gelerntes Leseverhaltens von links nach rechts und von oben nach unten eine Präferenz für den linken oberen Bereich einer Anzeige. [1)]
Untersuchungen von TREISTMAN haben gezeigt, wie wichtig es ist, den Markennamen an den Anfang der Anzeige zu setzen. (1987, S.99)
TREISTMAN hat weiters festgestellt, daß halbseitige Anzeigen mehr Aufmerksamkeit erlangen, wenn sie am Beginn der Seite plaziert werden. (1987, S.99)
Interessanterweise ist allerdings für rechts plazierte Anzeigen die Kontaktchance signifikant höher (vor allem bei wenig involvierten Betrachtern); unabhängig vom Involvement werden rechtsseitig plazierte Anzeigen länger betrachtet. [2)] (JECK-SCHLOTTMANN, 1988, S.38)

Aber auch zu diesen Empfehlungen müssen bereits Einschränkung getroffen werden: Aktivierende Anzeigenelemente (im Sinne einer Orientierungsreaktion muß es sich nicht immer nur um die Darstellung von nackten Frauen handeln, auch Farben oder ungewöhnliche Aufnahmetechniken rufen eine Zuwendung hervor) lenken den Blick bereits bei peripherer Wahrnehmung in diese Richtung und durchbrechen somit den gelernten Leserhythmus. Insofern ist auch der Einwand nicht gerechtfertigt, daß eine Plazierung des Markennamens in der Headline (bei unbekannten Marken aus mangelnden Vorinformationen bzw. bei bekannten Marken ein 'Aha-Effekt': das ist ja eine Werbung der Marke X) zwangsweise zum Ausstieg aus der Anzeige führt. (REHORN, 1986b, S.51)

---

1) Saccaden nach links, nach rechts und nach oben werden gegenüber Saccaden nach unten bevorzugt. Saccaden in die selbe Richtung werden gegenüber Saccaden in die entgegengesetzte Richtung bevorzugt. (BOUMA, 1978, S.134)

2) Dies steht übrigens im Widerspruch zu einer Studie von BOTTESCH und LANGGASSNER (1985), die unter Anwendung des COMPAGNON-Verfahrens, eine längere Betrachtungszeit für linksseitig plazierte Anzeigen feststellen konnten.

Dies würde nämlich einen ausschließlichen Einstieg in die Anzeige von oben nach unten bzw. von der Headline zu den übrigen Anzeigenelementen bedingen, was aber nicht bei allen Anzeigen der Fall ist. (vgl. MELZER/WASHIEDL, 1989 oder WEISS, 1987) Tendenziell fällt der Blick zuerst auf Elemente mit hohem Informationsgehalt. Bei Anzeigen sind dies neben gut lesbar gestalteten Headlines vor allem die Bildteile. 1)
(NEIBECKER, 1987, S.356b)
Zu beachten ist allerdings, ob ein Bild seine Funktion als Blickfang erfüllt oder ob es zu Ablenkungseffekten kommt. (BARTON-KEITZ, 1981, S.12 und WEISS, 1987, S.147ff)

NEIBECKER stellte eine Überlegenheit von 'interaktiv-organisierten' Anzeigen fest. Die Interaktionswirkung wird erzielt, indem die Objekte entweder räumlich eng zusammen stehen oder eine starke inhaltliche Beziehung hergestellt wird. (NEIBECKER, 1987b, S.358)

Tabelle 13: Gedächtniswirkung von "Interaktiv-organisierten" und "Unorganisierten" Anzeigen

Anzeige für:	»Interaktiv-organisierte« Anzeigen		»Unorganisierte« Anzeigen	
	Recognition	Recall	Recognition	Recall
Pkw (Datsun)	4,17	2,95	3,13	1,98
Reifen (Dunlop)	4,98	1,75	3,55	2,05
Zigarette(Roth-Händle)	3,88	1,23	2,68	1,93
Uhr (Seiko)	4,83	1,28	4,03	0,98
Heimsauna	5,23	3,45	4,08	1,80
Bildplatte (Philips)	3,95	0,88	2,05	0,43
Tabak (Golden-Gate)	4,75	1,30	4,13	0,70
Taschenrechner (Sharp)	3,53	0,83	1,78	0,58

Anmerkung: Die **Recognition-Leistung** ist der Überzeugtheitswert einer Skala von −6 bis +6, wobei +6 bedeutet: die Anzeige wurde mit höchster Überzeugung richtig wiedererkannt. Die **Recallwerte** sind aufaddierte Werte für Marken- und Bild-Recall, wobei die Marken-Erinnerung doppelt gewichtet wurde.

Quelle: NEIBECKER (1987, S. 359)

WM

1) So werden Bilder vor Texten betrachtet, wenn das Bild ein Viertel der Anzeige ausmacht und die Texte nicht aus dem üblichen Rahmen fallen. (KROEBER-RIEL, 1984a, S.238)

TINKER fand, daß die optimale **Schriftgröße** im mittleren Bereich liegt. Sowohl große als auch kleine Buchstaben führen zu einem ineffizienten Fixationsverhalten (mehr Fixationen und häufiges Zurückspringen) (1969; zit. nach BARTON-KEITZ, 1981, S.10)
In einer Studie von MORRISON konnten '10 und 11 point pica'-Schriften am schnellsten mit den geringsten Fixationen und den größten Saccaden gelesen werden. [1]
(MORRISON, 1983, S.34)

Als Resumee könnte man sich KROEBER-RIEL anschließen, der meint, daß die Aufnahme und Verarbeitung von dargebotenen Informationen (Anzeigenelementen) stärker gefördert werden, wenn man die Anzeigenelemente in einer aktivierenden Form präsentiert. (1984a, S.241)

Erkenntnisse zum gewohnheitsmäßigen Blickverhalten können in negativer Hinsicht verwendet werden, um jene Bereiche zu meiden oder um in diese Bereiche keine wichtigen Informationen zu plazieren, die gewohnheitsmäßig vom Blick vernachlässigt werden. LEVEN berichtet über eine Studie, in der 24 reale Anzeigen für 4 Sekunden 35 Vp präsentiert wurden: 2.4 % aller Fixationen entfielen auf den Markennamen, wenn dieser auf dem unteren Rand plaziert war. In der Mitte der Anzeige stieg dieser Wert auf 40%. (LEVEN, 1986b, S.79)

---

1) Eine Zusammenstellung von Studien über den Einfluß der Textgestaltung auf Fixationen und Saccaden enthält auch McCONKIE (1983).

11. Darstellung eines 'operationalen Modells' für einen Werbemittelpretest

Eine wichtige Aufgabe der vorliegenden Arbeit bestand auch darin, das Modell eines Werbemittelpretests von TROMMSDORFF, das im Kapitel 8.6. vorgestellt wurde, für einen speziellen Anwendungsfall, nämlich für die Überprüfung der Werbewirkung von Anzeigen zur Förderung des Inlandsabsatzes österreichischer Produkte zu adaptieren. [1)]

Die Vorzüge des präsentierten Modells sind die Berücksichtigung des Einflusses von kognitiven und aktivierenden Prozessen auf die Informationsverarbeitung sowie der Hinweis auf Meßansätze unter Hinweis auf den Einsatz apparativer Verfahren der Werbewirkungsmessung.

Ehe das Modell aber tatsächlich in der Praxis eingesetzt werden kann, bedarf es einer Präzisierung und Erweiterung in zweifacher Hinsicht. Erstens fehlt für alle verwendeten Konstrukte (Image, Einstellung, etc.) eine Operationalisierungsanweisung und zweitens bedingt der Einsatz apparativer Verfahren die Kontrolle von zahlreichen möglichen Störfaktoren und Einflußgrößen.

Voraussetzung für die Konstruktion eines 'operationalen' Modells, war die Darstellung der in den verschiedenen Studien vermuteten, überprüften und festgestellten Zusammenhänge in Form von Modellen.

Aufgabe dieses Kapitels ist es nun, die einzelnen (Teil-)Modelle zu einem (Gesamt-)Modell zu kombinieren.

Die Bezeichnung 'operational' wurde deshalb verwendet, da das Modell einerseits konkrete Meßanweisungen für die enthaltenen Konstrukte enthält und andererseits dem Anwender die Information liefert, welche Kontrollvariable bei Einsatz eines oder mehrerer apparativer Verfahren in die Erhebung einbezogen werden müssen.

Die Arbeit mit dem Pretest-Modell unterstellt folgendes Ablaufschema einer Entscheidungshierarchie:

---

1) Eine ausführliche Darstellung der Ergebnisse ist dem Band II der vorliegenden Dissertation zu entnehmen.

1.Über die Definition der **Werbeziele** zur
2.Auswahl der geeigneten **Verfahren** und
über die Auswahl geeigneter Verfahren zur
3.Formulierung relevanter **Erhebungstatbestände**; es folgt die
4.Konstruktion des **Meßinstruments** unter
5.Einbeziehung bewährter **Frageformulierungen**
6. und gleichzeitigem Hinweis auf zu berücksichtigende **Kontroll- und Störvariable.**

Die mit Hilfe apparativer Verfahren und verbaler Methoden meßbaren Erhebungstatbestände sind folgende:

1) Aktivierungsleistung (Stärke der emotionalen Belastung bzw. ausgelösten Emotion)
2) Informationsaufnahme und Informationsverarbeitung
3) Durchsetzungsvermögen im Umfeld / 'stopping power' (sowohl gegenüber dem redaktionellen Umfeld als auch im Vergleich zu den übrigen Anzeigen)
4) Aktualgenese, Wahrnehmungsverlauf, spontane Anmutungen und Assoziationen, Prägnanz
5) Erinnerungsmessung
6) Kontroll- und Störvariable: Einstellung zu Österreich bzw. zu österreichischen Produkten, Österreich-Bewußtsein/Patriotismus, Wissen um wirtschaftliche Zusammenhänge, Einkaufsverhalten, Produktinteresse, Demographie, psychographische Variable
7) Anzeigenbeurteilung.

Gemessen werden diese Erhebungstatbestände über folgende Indikatoren:

ad 1) Amplitude der EDR (Elektrodermale Reaktion)
ad 2) Anzahl und Verlaufsmuster der Blickpunkte
ad 3) durchschnittliche Betrachtungsdauer
ad 4) Dauer der Identifikation von Bildbestandteilen, sowie Zeit für die Produkt- und Markenidentifikation
ad 5) Tatsache und/oder Rangplatz bei Recallmessungen oder Recognition-Leistung
ad 6) Index einer Statementbatterie
ad 7) Zuordnung von Eigenschaften, Gesamturteil, Aufmerksamkeit, Kaufanregung: ev Messung dieser Konstrukte auf einer anderen Modalität; zB:
STÄRKE der Kaufabsicht durch
DAUER eines Tastendrucks oder
LÄNGE eines Strichs.

Das im Laufe der vorliegenden Arbeit entwickelte Pretest-Modell ist in Abbildung 70 dargestellt.

12. Resumee und Ausblick

Abschließend seien noch einige kurze Bemerkungen erlaubt, die sich einerseits auf die Weiterentwicklung der Werbewirkungsforschung im allgemeinen beziehen und andererseits Entwicklungsmöglichkeiten und/oder mögliche Verbesserungen der apparativen Verfahren zum Inhalt haben. Ein Ausblick beschäftigt sich auch mit Möglichkeiten für weitere Forschungsprojekte im Zusammenhang mit dem Pretestmodell.

Abbildung 70: Pretest-Modell unter Berücksichtigung von apparativen Verfahren der Wirkungsmessung

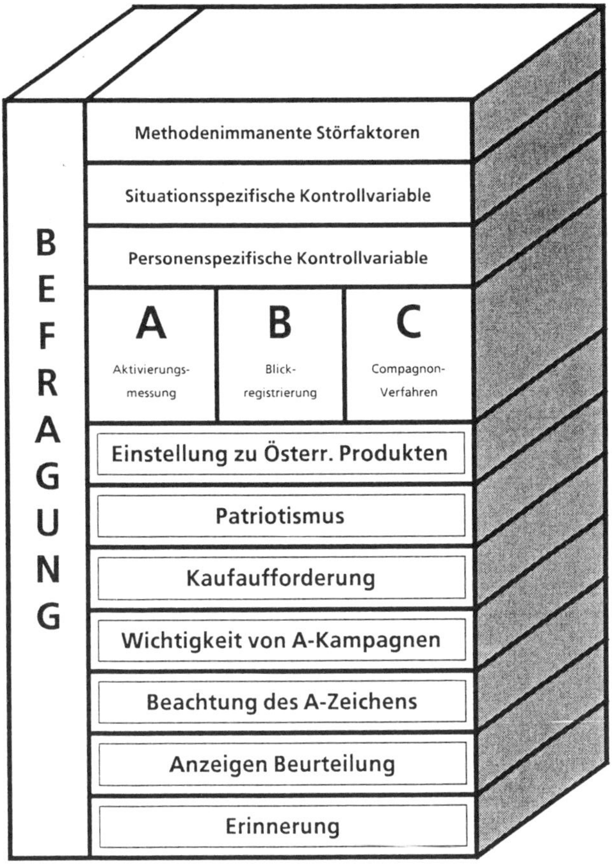

12.1. Verfahren der Werbewirkungsmessung

Nach KROEBER-RIEL wird die Werbung der Zukunft über ein stärkeres Aktivierungspotential verfügen müssen, um sich in der wachsenden Informationsflut durchsetzen zu können.
(1987b, S.610)
Man wird systematischer als bisher die Vorteile der Bild-Kommunikation nutzen, da Bilder besser in der Lage sind, emotionale Erlebnisse und Stimmungen zu vermitteln.
Der Unterhaltungswert wird vor allem bei wenig involvierten Empfängern den Werbe-Erfolg bestimmen und letztlich muß die Werbung auf häufige, aber nur flüchtige Kontakte ausgerichtet sein.
Das Nachlassen des Involvement bedingt eine höhere Schaltfrequenz bei einer Verkürzung der Spotlänge bzw. eine Kürzung des Textes und eine Plazierung der Schlüsselinformation, daß sie auch bei flüchtigem Kontakt erfaßt wird. (KROEBER-RIEL, 1987b, S.610ff)

Auch HEYDER sieht eine Reihe von Veränderungen, durch die auch die Forschungspraktiken von Werbemitteltests beeinflußt werden:
(1987, S.94)

- Ein allgemeiner Trend zur Kurzlebigkeit und -atmigkeit; dadurch wird das Einführungsrisiko neuer Produkte immer höher;
- Trend zur Austauschbarkeit (immer weniger objektive Produktvorteile; Wettbewerb wird in zunehmendem Maße über die Marktkommunikation ausgetragen),
- Ruf nach mehr echter Chance für Kreative (Für die Werbeforschung ergibt sich aus dem Trend zum Experimentieren eine wachsende Nachfrage nach Werbemitteltests),

Dadurch steigen aber auch die Ansprüche an Werbemitteltests:

- Der Einsatz von Werbegeldern wird immer riskanter, durch
  - o Medienvielfalt,
  - o Anwachsen der Werbebotschaften,
  - o Verteuerung der Schaltkosten,
  - o Generelle Informationsbelastung und allgemein sinkendes Involvement der Verbraucher (findet im sog. 'Zapping' seine Auswirkung, d.h. im Wechseln des TV - Kanals bei Auftauchen von Werbung). (HEYDER, 1987, S.94)

Derzeit haben die Marketingforscher die Problem- und Bedürfnislage ihrer potentiellen 'Kunden' nur unzureichend verstanden. das führt manchmal zum Vorwurf, daß die Marketingforscher selbst nicht marketingorientiert sind. (SIMON, 1986, S.212)

Die Änderung des Szenarios wird sich vor allem in einer Zunahme von Hi-Tech in der Marktforschung und in der Werbewirkungsforschung bemerkbar machen: (HEYDER, 1987, S.96)

- Rechnergestützte Befragungssysteme,
- Programmanalysatoren: nicht nur nominal, sondern stufenlos regulierbar; Frame-to-Frame-Analyse + Nachbefragung ('Refocus'): Probanden sehen ihre eigenen Reaktionen eingeblendet und bei besonders interessanten Stellen wird der Film 'eingefroren' (Standbild) und über die Reaktion diskutiert,
- Elektronische Panels.

Alle diese Aspekte verleihen den Forderungen Nachdruck, wonach "in Zukunft mehr Studien in Angriff genommen werden sollten, bei denen jeweils ein **System** von Wirkungskriterien gleichzeitig untersucht wird". (STEFFENHAGEN, 1984a, S.45)
Diese Kriterien sollten nach Möglichkeit aus unterschiedlichen Wirkungskategorien stammen:

- momentane Reaktion,
- Gedächtnisreaktion und
- finale Verhaltensreaktion.

Ein besonderes Interesse wird den Mehrwellenuntersuchungen ('tracking studies') zur Werbewirkung von Kampagnen gelten und zwar in Kombination mit Kaufdaten.

NEIBECKER befürchtet allerdings, daß die nahe Zukunft nach der Abwendung von den Erinnerungsmaßen wiederum eine einseitige Hinwendung zu einer Meßmethode bringt, nämlich zu den unmittelbar erfaßten Abverkäufen über Scanner-Kassen.
Er kritisiert vor allem, daß solche Kassen nicht überall installiert sind, der Konsument eine Karte vorweisen muß und letztlich auch einen Paneleffekt. (NEIBECKER, 1985, S.476-480)

Die Tätigkeit des Werbeforschers wird als Folge der potenteren Gerätetechnik nachhaltig beeinflußt werden:

- Übernahme neuer medizinisch-diagnostischer Verfahren,
- multiparametrige Erfassung von Aktionen und Reaktionen,
- ohne Bewußtwerden der Testsituation,
- Statt Diskussion um die Bewertung der Meßergebnisse eine Interpretation der Expertensysteme,
- Miniaturisierung der Meßwertaufnehmer und telemetrische Übertragung der Signale. (WINDISCHBAUER, 1988, S.61)

Verfahren zur **telemetrischen** Messung der Aktivierung (Stimmanalyse und Thermographie aber auch EDR und Puls) werden von LENZ/FRITZ diskutiert. (1986, S.181). Über die Entwicklung von **miniaturisierten** Telemetrie-Ausrüstungen berichten COOPER/ VEALE/MALKINSON am Beispiel der **Temperaturmessung** (1977, S.169) bzw. ELSINGHORST/LANGTHALER am Beispiel der **Pulsmessung**. (1983, S.183) Die abgestrahlten Impulse wurden im zweiten Fall von einer Empfangsantenne im Raum aufgefangen; eingesetzt wurde eine Telemetrieanlage der Firma Datatel.
Eine <u>Verkleinerung der Meßabnehmer</u> scheint insbesondere für Zwecke der Werbewirkungsmessung notwendig und auch denkbar, etwa auf Armbanduhrgröße oder in Form eines Ohrclips. Die Ausarbeitung entsprechender Vorschläge ist Aufgabe eines derzeit am Ordinariat für WuM laufenden Forschungsprojekts. (KRAMMER, DA in Vorbereitung)

Die folgende Abbildung stellt das Prinzip der Erfassung über

Die folgende Abbildung stellt das Prinzip der Erfassung über Elektroden, eine Sender- und Empfänger-Anlage, sowie die Verarbeitung telemetrischer Daten über einen Computer dar.

Abbildung 71: Funktionsprinzip einer Telemetrie-Anlage

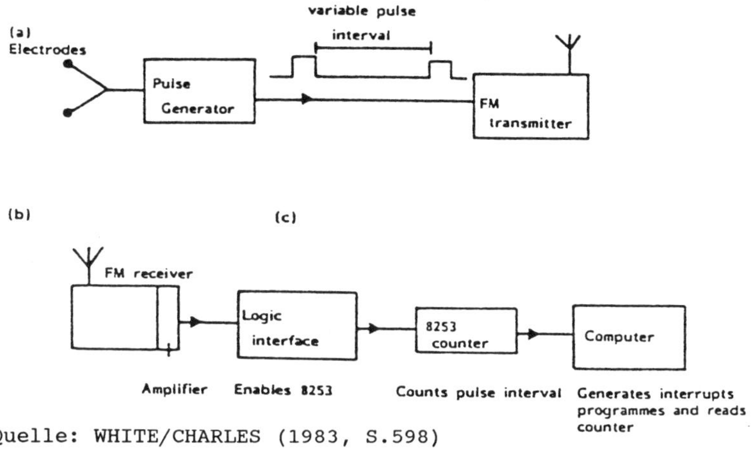

Quelle: WHITE/CHARLES (1983, S.598)

In der von WHITE und CHARLES beschriebenen Konfiguration wird die Sendeeinrichtung am Unterarm befestig und hat die Ausmaße von 6 x 4 x 1.5 cm. Der Vorteil dieser Anlage liegt in der Mobilität und Unabhängigkeit vom Aufnahme-Equipment. Dies ist zB von großer Bedeutung, wenn physiologische Daten beim Einkauf, beim Gang durch einen Supermarkt oder beim Besuch und Beratungsgespräch auf einem Messestand erhoben oder die Wirkung der Schaufenstergestaltung oder des persönlichen Verkaufs festgestellt werden soll.

Das Tragen unter der Bekleidung hat auch den Vorteil, daß die Messung für Beobachter unsichtbar ist; es wäre sonst für die Vp sicher unangenehm, wenn andere die Messung bzw. das Meßgerät sehen. Eine Schwierigkeit bedeutet die Messung innerhalb von Gebäuden, da es in Abhängigkeit von der Gebäudebauweise zu Störungen und Datenverlusten kommen kann. In diesem Fall kann der Empfänger zB in einem Bus untergebracht werden (vgl. die Anforderung an die Plazierung der Antennen bei WHITE/CHARLES, 1983, S.599).

kurzfristige Realisierung von Verbesserungsvorschlägen notwendig, wie sie etwa zur Methode der Blickregistrierung von PALLA (1988) oder MELZER/WASHIEDL (1988) angeregt wurden.

Beachtenwert scheinen auch die von LEVEN durchgeführten Verbesserungen an der NAC IV, die zu einem 'deutlich besseren Tragekomfort, weniger Verrutschen und damit valideren Werten geführt haben'. Über die Art und Weise dieser Modifikationen müßten allerdings noch nähere Informationen eingeholt werden.

12.2. Weiterentwicklung des Pretest- Modells

Eine Überprüfung der Brauchbarkeit des Modells war anhand der vorhandenen Datensätzen nicht möglich. Als wichtigste Gründe können die mangelnde Vergleichbarkeit der Stichprobenstrukturen und die bewußte Weiterentwicklung der Meßansätze und Operationalisierungen genannt werden.
Die Vielzahl der festgestellten Zusammenhänge und die komplexe Modellstruktur unter Verwendung von Mehrfach-Operationalisierungen derselben Erhebungstatbestände sprechen für die Überprüfung in Form eines Kausalmodells und entsprechender Auswertungsmethoden zB mittels LISREL.

Die folgende Abbildung enthält einen Hinweis darauf, wie ein derartiges Meßmodell aussehen könnte.

Die Erstellung des in der Regel notwendigen Fragebogens zur Einbeziehung von Kontrollvariablen oder zur Verbalbeurteilung von Anzeigen, kann durch den unmittelbaren Zugriff auf eine Fragebogendatenbank erfolgen, ohne daß die Fragen neu geschrieben werden müssen. (vgl. HOFER oder KAINZ, beide 1986 am Beispiel des Dateiverwaltungsprogrammes dBase)

Abbildung 72: Darstellung des Pretest-Modells in LISREL-Notation

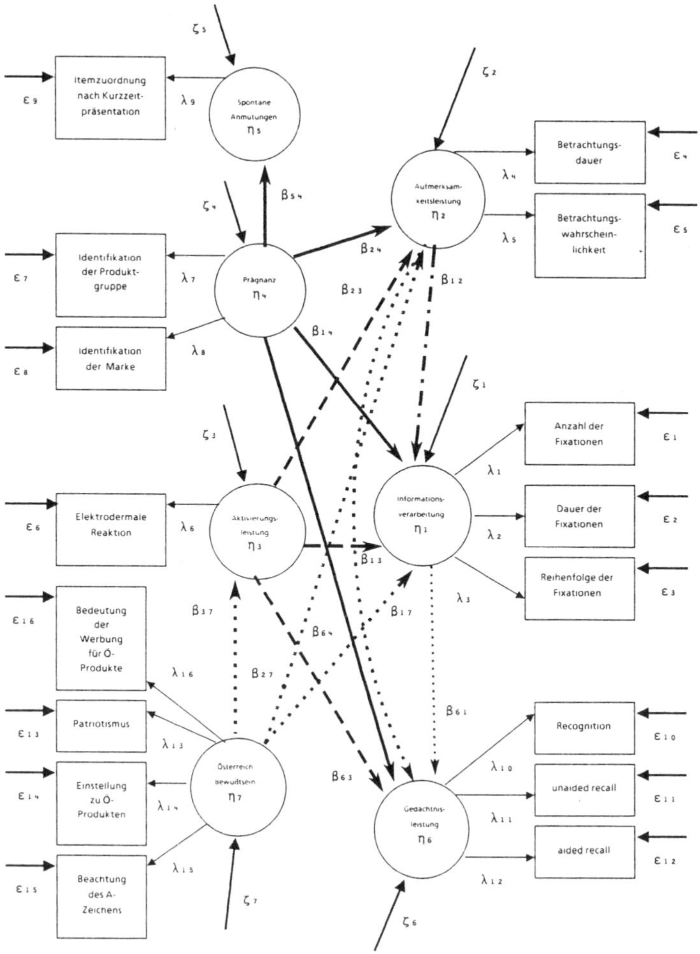

Ein Übertragen des Modells auf andere Produktgruppen oder Dienstleistungsbereiche ist sicher nur eingeschränkt möglich. Folgende Gleichstellung der Erhebungstatbestände ist spekulativ und müßte erst genauer überprüft werden.

Produktinteresse, Involvement
=
Wissen um wirtschaftliche Zusammenhänge

Patriotismus
=
Markensympathie

Einstellung zu Österreich
=
Image einer Marke

Auf jedenfall aber müßte die Operationalisierung, die ausschließlich auf den Anwendungsfall 'Kauf österreichischer Produkte' bezogen ist, neu entwickelt werden. Die Übertragung auf einen Produkt- oder Dienstleistungsbereich bedingt auch, daß der **Bekanntheitsgrad** der **Marke** und/oder der Bekanntheitsgrad der **Produktgruppe** zusätzlich kontrolliert werden müssen

Falls es sich nicht, wie in dieser Arbeit dargestellt, um einen Pretest, sondern um einen **Posttest** handelt, wäre zumindest der **Bekanntheitsgrad der Werbemittel** als weitere Kontrollvariable zu berücksichtigen.

LITERATURVERZEICHNIS

AAKER David A., STAYMAN Douglas M., HAGERTY Michael R., Warmth in Advertising: Measurement, Impact, and Sequence Effect, in: JCR, Vol.12, March 1986, S.365-381

ALBA Joseph W., CHATTOPADHYAY Amitava, Salience Effects in Brand Recall, in: JoMR Vol. XXIII (November 1986), S.363-369

ALTENBURG Friedrich, Qualität mit Brief und Siegel, in: Die Industrie, Heft vom 17.9.1986, S.21

APPEL Valentine, Editorial Environment and Advertising Effectiveness, in: JAR August/September 1987, Vol. 27, No.4, S.11-16

ARCH David, C., BETTMAN James R., KAKKAR Pradeep, Subjects' Information Processing in Information Display Board Studies, in: HUNT Keith H., (Hrsg.), Advances in Consumer Research, Volume V, Ann Arbor 1978, S.555-560

ATKINSON J.W., Einführung in die Motivationsforschung, Ernst Klett Verlag, Stuttgart 1975

AXELROD Joel N., Advertising Wearout, in: JAR, Volume 20, Number 5, October 1980, S.13-18

BACKHAUS Klaus, ERICHSON Bernd, PLINKE Wulff, SCHUCHARD-FICHER Christiane, WEIBER Rolf, Multivariate Analysemethoden, 4.Auflage, Springer Verlag, Berlin-Heidelberg-New York-London-Paris-Tokyo, 1987

BACKHAUS Klaus, KLEINSCHMIDT Margit, VOLLMER Barbara, Die Stimmfrequenz: Ein erfolgversprechender Aktivierungsindikator bei der Analyse von Verhandlungsprozessen im Investitionsgüter-Marketing ?, in: Marketing ZFP, Heft 2, Mai 1983, S.113-121

BAGOZZI Richard P., SILK Alvin J., Recall, Recognition, and the Measurement of Memory for Print Advertisements, in: Marketing Science, Vol. 2, No. 2, Spring 1983, S.95-134

BAGOZZI Richard P., A Prospectus for Theory Construction in Marketing, in: JoM Vol. 48 (winter 1984), S.11-29

BÄNSCH Axel, Käuferverhalten, Oldenbourg, München - Wien 1983

BARG Claus-Dieter, Messung und Wirkung der psychischen Aktivierung durch die Werbung, Dissertation Saarbrücken 1977

BARTON-KEITZ Beate von, Blickaufzeichnung - Werbung mit den Augen der Konsumenten gesehen, in: WWG-Information, Folge 82, Mai 1981, S.8-12

BARWISE T.P., EHRENBERG A.S.C., Consumer beliefs and brand usage, in: JoMRS, volume 27, number 2, S.81-93

BASS F.M., Ein Wachstumsmodell für neue Gebrauchsgüter, in: WEINBERG Peter, BEHRENS Gerold, KAAS Klaus P. (Hrsg.), Marketingentscheidungen, Köln 1974 (Kiepenheuer&Witsch)

BECK Henry, Neuropsychological Servosystems, Consciousness, and the Problem of Embodiment, Behavioral Science, Volume 21, 1976, S.139-160

BECKER Wilfried, 95% sichere Ergebnisse ?, in: Marktforscher 3/75, S.55-56

BEHRENS Christian-Uwe, KÖHLER Robert, Das Promotionsverdrußmodell - Eine Abstraktion aus empririschem Verdrußmaterial, in: WiSt Heft 10, Oktober 1986, S.536-539

BEHRENS Gerold, Kommunikative Beeinflussung durch emotionale Werbeinhalte, in: MAZANEC Josef, SCHEUCH Fritz (Hrsg.), Marktorientierte Unternehmensführung, Service-Fachverlag an der Wirtschaftsuniversität Wien, 1984, S.688-705

BEHRENS Gerold, HINRICHS Alfred, Werben mit Bildern: Zum Stand der Bildwahrnehmungsforschung, in: W&P, Folge 3/1986, S.85-88

BEKMEIER Sigrid, Nonverbale Kommunikation in der TV-Werbung, in: W&P, Folge 5/1987, S.166-170

BELCH Michael A., HOLGERSON Barbro E., BELCH George E., KOPPMAN Jerry, Psychophysiological and Cognitive Responses to Sex in Advertising, in: MITCHELL Andrew (Hrsg.), Advances in Consumer Research, Volume IX, Ann Arbor 1982, S.424-427

BEN-SHAKHAR Gershon, Standardization Within Individuals: A Simple Methode to Neutralize Individual Differences in Skin Conductance, in: Psychophysiology, Vol.22, No.3 May 1985, S.292-299

BEN-SHAKHAR Gershon, The Correction of Psychophysiological Measures for Individual Differences in Responsivity Should Be Based on Typical Response Parameters: A Reply to Stemmler, in: Psychophysiology, Vol.24, No.2 March 1987, S.247-249

BEREKOVEN L., ECKERT W., ELLENRIEDER P., Marktforschung - Methodische Grundlagen und praktische Anwendung, 2. Auflage, Verlag Dr. Th.Gabler, Wiesbaden 1986

BERGLER Reinhold, Einstellung und Verhalten als theoretisches Problem, in: HARTMANN K.D., KOEPPLER Karlfritz (Hrsg.), Fortschritte der Marktpsychologie, Fachbuchhandlung für Psychologie, Frankfurt am Main 1977

BERNDT Hermann, Informationsmenge und Informationsverarbeitungsleistung bei Konsumentscheidungen: Eine empirische Untersuchung zum Problem des 'Information overload', in: Marketing-ZFP, Heft 3, August 1984, S.181-188

BERNHARD Ulrich, Die Bedeutung und Verwendung der Blickrgistrierung für den Werbepretest, in: HARTMANN K.D., KOEPPLER Karlfritz (Hrsg.), Fortschritte der Marktpsychologie, Fachbuchhandlung für Psychologie, Frankfurt am Main 1977, S.169-186

BERNHARD Ulrich, SCHILLINGER Manfred, Neue Wege in der Aktivierungsforschung, in: W&P, Folge 1/1987, S.24-27

BEYER Hans-Günter, Können Differenzwerte zwischen physiologischen und subjektiven Daten als Indikatoren individueller Angstverarbeitung herangezogen werden ?, in: Zeitschrift für experimentelle und angewandte Psychologie 1984, Band XXXI, Heft 3, S.351-375

BIERLEY Calvin, McSWEENEY Frances, VANNIEUWKERK Renee, Classical Conditioning of Preferences for Stimuli, in: JCR, Vol.12, December 1985, S.316-323

BIRBAUMER Niels, Psychophysiologische Ansätze, in: EULER H. A./MANDL H. (Hrsg.), Emotionspsychologie - Ein Handbuch in Schlüsselbegriffen, Urban & Schwarzenberg, München - Wien - Baltimore, 1983

BIRENBAUM Menucha, TASUOKA Kikumi K., Open-Ended Versus Multiple Choice Response Formats - It Does Make a Difference for Diagnostic Purposes, in: APM, Vol. 11, No. 4, December 1987, S.385-395

BLALOCK Hubert M. Jr., Social Statistics, 2nd ed., McGraw-Hill, Tokyo, 1972

BÖCKER Franz, Die Wirkung der Werbung im Zeitablauf - Verzögerungsfunktionen bei Werbemaßnehmen, in: Der Markt Nr. 50, 1974, S.47-54

BÖCKER Franz, Blickaufzeichnungsgeräte - Wie zuverlässig sind ihre Meßergebnisse ?, WWG-Information, Folge 82, Mai 1981, S.13-17

BÖCKER Franz, SCHWERDT Ahron, Die Zuverlässigkeit von Messungen mit dem Blickaufzeichnungsgerät NAC Eye-Mark-Recorder 4 - Eine Methodenstudie auf experimenteller Grundlage - in: Zeitschrift für experimentelle und angewandte Psychologie 1981, Band XXVIII, Heft 3, S.353-373

BOEMAK Norbert, OHLER Peter, Zum Einfluß des Bildes auf die Rekognition verbalsprachlicher Nachrichtentexte, in: Zeitschrift für experimentelle und angewandte Psychologie 1986, Band XXXIII, Heft 4, S.530-541

BOGUMIL Jörg, IMMERFALL Stefan, Wahrnehmungsweisen empirischer Sozialforschung - Zum (Selbst-)Verständnis des sozialwissenschaftlichen Erfahrungsprozesses, Campus, Frankfurt - New York, 1985

BOHINC Otto, Made in Austria - Das österreichische Gefühl, in CASH FLOW, 10/88, S.34-36

BÖHM Cornelia, SKAREK Brigitta, STIPSITS Michaela, Einsatz apparativer Verfahren zur Messung der Werbewirkung von Anzeigen dargestellt am Verfahren der Aktivierungsmessung und Magnitudeskalierung, HA am ULG für Werbung und Verkauf an der Wirtschaftsuniversität Wien, 1986

BÖHM Ernst, Der Werbemonitor als kontinuierliche Werbeerfolgskontrolle, in: WWG-Informationen, Folge 92/1983, S.35-38

BONFIELD E.H., A Comment on the State of Attitude Measurement in Conseumer Research: A Polemic, in: WILKIE William L., Advances in Consumer Research, Volume VI, Ann Arbor 1979, S. 238 - 244

BORTZ Jürgen, Lehrbuch der empirischen Forschung für Sozialwissenschaftler, Springer-Verlag, Berlin-Heidelberg-New York-Tokyo 1984

BOSSONG Bernd, JOHANN Gerd, Die Vorhersage eines raum-zeitlich definierten Verhaltens nach dem Fishbein & Ajzen-Modell, in: Zeitschrift für experimentelle und angewandte Psychologie 1981, Band XXVIII, Heft 2, S.175-184

BOTTENBERG Ernst Heinrich, Emotionspsychologie, Goldmann-Verlag, München 1972

BOTTESCH Günter, LANGGASSNER Johann, Die Messung der Anzeigenwirkung unter besonderer Berücksichtigung des Compagnon-Verfahrens, Band 1 + Band 2, DA an der Wirtschaftsuniversität Wien, 1985

BOUCSEIN Wolfram, HOFFMANN Georg, A Direct Comparison of the Skin Conductance and Skin Resistance Methods, in: Psychophysiology, Volume 16, No.1, January 1979, S.66-70

BOUCSEIN Wolfram, BALTISSEN Ruediger, EULER Manfred, Dependence of Skin Conductance Reactions and Skin Resistance Reactions Upon Previous Level, in: Psychophysiology, Vol. 21, No. 2, March, 1984, S.212-218

BOUMA Herman, Visual Search and Reading: Eye Movements and Functional Visual Field: A Tutorial Review, in: REQUIN Jean (Hrsg.), Attention and Performance VII, Lawrence Erlbaum Associates, Publishers, Hillsdale 1978, S.115-147

BOYD Gayle M., MALTZMAN Irving, Bilateral Asymmetry of Skin Conductance Responses During Auditory and Visual Tasks, in: Psychophysiology, Vol. 20, No. 2, March, 1983, S.196-203

BRAND H.W., Die Legende von den 'geheimen Verführern', Weinheim 1978

BRANDSTETTER Reinhold, Die CA als 'Studentenbank' in Wien - Eine Empirische Untersuchung, DA an der Wirtschaftsuniversität Wien, Wien, 1979

BREITKOPF Lothar, Die Skalierung von Emotionen als Informationsverarbeitungsprozeß, in: Zeitschrift für experimentelle und angewandte Psychologie 1982, Band XXIX, Heft 4, S.545-567

BROADBENT Simon, COLMAN Stephen, Advertising effectiveness: across brands, in: JMRS, volume 28, number 1 (January 1986), S.15-24

BROCKHOFF Klaus, Werbeblocklänge und Werbereichweite, in: W&P Folge 5/1988, S.162-164

BROSCH Susanne, Qualitative Mediafaktoren und ihr Einfluß auf die Anzeigenbeachtung, DA an der Wirtschaftsuniversität Wien, Wien 1989

BROWN Gordon, Tracking Studies and Sales Effects: A U.K. Perspective, in: JAR February/March 1985, Vol. 25, No.1, S.52-64

BRUCKNER Sigrid, Werbewirkungsmessung mit Hilfe des Compagnon-Verfahrens und der Blickregistrierung von Anzeigen in Ärztefachzeitschriften, DA an der Wirtschaftsuniversität Wien, Wien 1988

BRÜCKNER Peter, Die informierende Funktion der Wirtschaftswerbung, Duncker&Humblot, Berlin 1967

BUCK Ross, The Communication of Emotion, The Guilford Press, New York 1984

BURISH Thomas G., MAISTO Stephen A., SHIRLEY Mariela C., Effect of Alcohol and Stress on Emotion and Physiological Arousal, in: Motivation and Emotion, Volume 6, No. 2, 1982, S.149-159

BURNETT John J., WILKES Robert E., Fear Appeals to Segments Only, JAR, 1980, Vol. 20, No. 5, S.21-24

CACCAVALE John G., WANTY Thomas C., EDELL Julie A., Subliminal Implants in Advertisements: An Experiment, in: MITCHELL Andrew (Hrsg.), Advances in Consumer Research, Volume IX, Ann Arbor 1982, S.418-423

CACIOPPO John T., PETTY Richard E., The Relationship Between Differential Hemispheric Alpha Abundance and the Affective Polarization of Thoughts About an Attitude Issue, in: MITCHELL Andrew (Hrsg.), Advances in Consumer Research, Volume IX, Ann Arbor 1982, S.156-160

CALCICH Stephen, BLAIR Edward, The Perceptual Task in Acquisition of Package Information, in: BAGOZZI Richard P., TYBOUT Alice M. (Hrsg.), Advances in Consumer Research, Volume X, Ann Arbor 1983, S.221-225

CALDER Bobby J., Cognitive Response, Imagery, and Scripts: What is the Cognitive Basis of Attitude ?, in: HUNT Keith. H. (ed.), Advances in Consumer Research Volume V, Ann Arbor 1978, S.630-634

CAVUSGIL Tamer S., Factor congruency analysis: a methodology for cross-cultural research, in: JoMRS, volume 27, number 2, S.147-155

CHAMPION R.A., HODGE R., The Application of the Preparatory-Response Hypothesis to Changes in Base Skin Resistance, in: Psychophysiology, Vol. 20, No. 5, January, 1983, S.59-62

CHARLTON Michael, Möglichkeiten eines sozialwissenschaftlichen Handlungsbegriffs für die psychologische Forschung, in: Zeitschrift für Sozialpsychologie 1987, Band 18, Heft 1, S.2-18

CHILDERS Terry L., HOUSTON Michael J., Conditions for a Picture-Superiority Effect on Consumer meory, in: JCR, Vol.11, September 1984, S.643-654

CHILDERS Terry L., HOUSTON Michael J., HECKLER Susan E., Measurement of Individual Differences in Visual Versus Verbal Information Processing, in: JCR, Vol.12, September 1985, S.125-134

COHEN Amos S., Nutzbarer Sehfeldumfang und seine Variation in Feldsituationen, in: Zeitschrift für experimentelle und angewandte Psychologie 1987, Band XXXIV, Heft 1, S.17-37

COHEN Joel B., Exploring Attitude Construct Validity: Or are We?, in: WILKIE William L., Advances in Consumer Research, Volume VI, Ann Arbor 1979, S. 303 - 306

COLES M.G.H., Situational Determinants and Psychological Significance of Heart Rate Change, in: GALE A., EDWARDS J.A.,(Hrsg.), Physiological Correlates of Human Behavior, Vol. II: Attention and Performance, Academic Press, London-New York 1983

CONTE Richard, KINSBOURNE Marcel, Electrodermal Lability Predicts Presentation Rate Effects and Stimulant Drug Effects on Paired Associate Learning in Hyperactive Children, in: Psychophysiology, Vol. 25, No. 1, 1988, S. 64 -70

COOPER K.E., VEALE W.L., MALKINSON T.J., Measurement of Body Temperature, in: MYERS, R.D.(Hrsg.), Methods in Psychobiology, Volume III, Advanced Laboratory Techniques in Neuropsychology and Neurobiology, Academic Press, New York-San Francisco-London, 1977

CORSTEN Hans, MEIER Bernd, Konsumentenverhalten in unterschiedlichen Kaufsituationen-Entwurf eines Modells auf verhaltenswissenschaftlicher Grundlage, in: JdAuVf, 2/1982, S.112-136

COYNE James C., Putting Humpty Dumpty Back Together: Cognition, Emotion and Motivation Reconsidered, in: MITCHELL Andrew (Hrsg.), Advances in Consumer Research, Volume IX, Ann Arbor 1982, S.153-155

CRAIG Samuel C., STERNTHAL Brian, LEAVITT Clark, Advertising Wearout: An Experimental Analysis, in: JoMR, Vol. XIII (November 1976), S.365-372

CRASK Melvin R., FOX Richard J., An exploration of the interval properties of three commonly used marketing research scales: a magnitude estimation approach, in: JMRS, volume 29, number 3 (July 1987), S.317-339

CRAWFORD John C., GARLAND Barbara C., SCHWEIGER Günter, Austrian, German, and Swiss Product Quality Perceptions of Foreign Goods, in: W&P, Folge 2/1987, S.29-34

CZASCH Gabriele, Die Blickpunktregistrierung - Ein Verfahren für den Werbemitteltest, HA am ULG für Werbung und Verkauf, Wien 1989

DASER Sayeste, MERIC Havva J., Does Patriotism have any Marketing Value - Exploratory Findings for the "Crafted with Pride in the U.S.A." Campaign, in: WALLENDORF Melanie, ANDERSON Paul (Hrsg.), Advances in Consumer Research, Volume XIV, Provo 1987, S.536-537

DAVIDSON R.J., Hemispheric Specialization for Cognition and Affect, in: GALE A., EDWARDS J.A.,(Hrsg.), Physiological Correlates of Human Behavior, Vol. II: Attention and Performance, Academic Press, London-New York 1983

DAVIES D.R., Attention, Arousal and Effort, in: GALE A., EDWARDS J.A.,(Hrsg.), Physiological Correlates of Human Behavior, Vol. II: Attention and Performance, Academic Press, London-New York 1983

DEBUS Günther, Teil III, Methoden der Emotionsforschung, Sprachliche Methoden, in: EULER H. A./MANDL H. (Hrsg.), Emotionspsychologie - Ein Handbuch in Schlüsselbegriffen, Urban & Schwarzenberg, München - Wien - Baltimore, 1983

DEMIRDJIAN Z.S., Sales Effectiveness of Comparative Advertising: An Experimental Field Investigation, in: JCR, Vol. 10, December 1983, S.362-364

DERRYBERRY Douglas, Emotional Influences on Evaluative Judgements: Roles of Arousal, Attention, and Spreading Activation, in: Motivation and Emotion, Volume 12, No. 1, 1988, S.23-55

DICHTL E., Methodische Bemerkungen zur Erfassung des Konsumentenverhaltens, in: KROEBER-RIEL Werner, (Hrsg.) Marketingtheorie, Kiepenheuer & Witsch, Köln, 1972

DIEHL Ute, Anforderungen an Text und Schrift bei Markenartikel-Anzeigen, in: Markenartikel 2/1987, S.75-78

DIEPGEN Raphael, Dropje voor dropje. Oder: Sequentialstatistik, die ignorierte Alternative, in: Zeitschrift für Sozialpsychologie 1987, Band 18, Heft 1, S.19-27

DIETERICH Michael, Konsument und Gewohnheit, Physica Verlag, Heidelberg - Wien 1986

DIMBERG Ulf, ÖHMAN Arne, The Effects of Directional Facial Cues on Electrodermal Conditioning to Facial Stimuli, in: Psychophysiology, Vol. 20, No. 2, March, 1983, S.160-167

DIMBÖCK Harald, HONISCH Christian, MAYER Ulrike, SCHANER Hans Georg, Tachistoskopischer Test ausgewählter Anzeigensujets, HA am ULG für Werbung und Verkauf an der Wirtschaftsuniversität Wien, 1986

DOEBLIN Jürgen, "Made in Germany" in Japan, Die Chancen deutscher Markenartikel, in: Markenartikel, 2/1982, S.64-68

DOEBLIN Jürgen, DOEBLIN Renate, Das Image deutscher Produkte in den USA, in: Markenartikel, 4/1983, S.159-160

DONIUS James F., Market Tracking: A Strategic Reassessment and Planning Tool, in: JAR February/March 1985, Vol. 25, No.1, S.15-19

DORFFNER Erich, 25 Jahre Förderung des Inlandsabsatzes österreichischer Produkte, in: WWG Informationen, Folge 95/1983, S.168-169

DÖRNER Dietrich, Modellbildung und Simulation, in: ROTH Erwin (Hrsg.), Sozialwissenschaftliche Methoden, R. Oldenbourg Verlag, München-Wien 1984; S.337-350

DRÖSLER Jan, Das letzte Resume, in: Zeitschrift für exp. und angew. Psychologie 1985, Band XXXII, Heft 1, S.1-2

DURGEE Jeffrey F., Depth-Interview Techniques for Creative Advertising, in: JAR December 1985/January 1986, Vol. 25, No.6, S.29-37

EASTLACK Joseph O. Jr., Point of View: How to Take the Controversy Out of TV Copy Testing, in: JAR December 1984/January 1985, Vol. 24, No.6, S.37-39

ECKERT Kurt, Dunkle Wolken im Äther deutscher TV-Werbung - Alternativen sind gefragt, in: Marketing Journal 4/86, S. 372-374

EDELBERG Vivian, WEINBLATT Lee S., Add 'realism' to tests with new technologies, in: AMA Marketing News, May 25, 1984, S.1+34-35

EHRENBERG Andrews S.C., WAKSHLAG Jacob, Repeat-Viewing with People-Meters, in: JAR February/March 1987, Vol. 27, No.1, S.9-13

ERDMAN Gisela, JANKE Wilhelm, BISPING Rolf, Wirkungen und Vergleich der Wirkungen von vier experimentellen Belastungssituationen, in: Zeitschrift für experimentelle und angewandte Psychologie 1984, Band XXXI, Heft 4, S.521-543

ELSINGHORST Jürgen, LANGTHALER Werner, Prozeßanalytische Untersuchungsmöglichkeiten der Auswirkung von Video-Feedback in einem Simulationstraining, in: Zeitschrift für experimentelle und angewandte Psychologie 1983, Band XXX, Heft 2 S.175-201

ERICKSON Gary M., JOHANSSON Johny K., CHAO Paul, Image Variables in Multi-Attribute Product Evaluations: Country-of-Origin Effects, in: JCR, Vol.11, September 1984, S.694-699

EULER H. A., MANDL H. Gegenstandsbeschreibung Teil 1 / Begriffsbestimmungen, in: EULER H. A./MANDL H. (Hrsg.), Emotionspsychologie - Ein Handbuch in Schlüsselbegriffen, Urban & Schwarzenberg, München - Wien - Baltimore, 1983

EYSENCK Michael W., Memory and Arousal, in: GALE A., EDWARDS J.A.,(Hrsg.), Physiological Correlates of Human Behavior, Vol. II: Attention and Performance, Academic Press, London-New York 1983

EYSENCK Michael W., FOLKARD Simon, Personality, Time of Day, and Caffeine: Some Theoretical and Conceptual Problems in Revelle et al., Journal of Experimental Psychology:General 1980, Vol. 109, No. 1, S.32-41

FAHRENBERG Jochen, WALSCHBURGER Peter, FOERSTER Fritz, MYRTEK Michael, MÜLLER Wolfgang, An Evaluation of Trait, State, and Reaction Aspects of Activation Processes, in: Psychophysiology, Vol. 20, No. 2, March, 1983, S.188-195

FAHRENBERG Jochen, FOERSTER Fritz, SCHNEIDER Hermann-Josef, MÜLLER Wolfgang, MYRTEK Michael, Predictability of Individual Differences in Activation Processes in a Field Setting Based on Laboratory Measures, in: Psychophysiology, Vol.23, No.3 May 1986, S.323-333

FARLEY John U., RING Winston L., "Empirical" Specification of a Buyer Behavior Model, in:JoMR, Vol. XI (February 1974), S.89-96

FARRIS Paul W., REIBSTEIN David J., Overcontrol in Advertising Experiments, in: JAR June/July 1984, Vol. 24, No.3, S.37-42

FELDT Leonard S., WOODRUFF David J., SALIH Fahti A., Statistical Inference for Coefficient Alpha, in: APM, Vol. 11, No. 1, March 1987, S.93-103

FINN Adam, Print Ad Recognition Readership Scores: An Information Processing Perspective, in: JoMR, Vol. XXV (May 1988), S.168-177

FOLKARD S., MONK T.H., Chronopsychology: Circadian Rhythms and Human Performance, in: GALE A., EDWARDS J.A.,(Hrsg.), Physiological Correlates of Human Behavior, Vol. II: Attention and Performance, Academic Press, London-New York 1983

FOUNTAIN Eric, PARKER Ian, SAMUELS John, The contribution of research to General Motors' corporate communications strategy in the UK, in: JMRS, volume 28, number 1 (January 1986), S.25-42

FRANKE Dieter, Kurz - und oft gut, in: absatzwirtschaft 5.83, S.50-53

FREIDEN Jon B., Advertising Spokesperson Effects: An Examination of Endorser Type and Gender on Two Audiences, in: JAR October/November 1984, Vol. 24, No.5, S.33-41

FRENCH-LAZOVIK Grace, GIBSON Curtis L., Effects of Verbally Labeled Anchor Points on the Distributional Parameters of Rating Measures, in: APM, Vol. 8, No. 1, Winter 1984, S.49-57

FRIDLUND Alan J., CACIOPPO John T., Guidelines for Human Electromyographic Research, in: Psychophysiology, Vol.23, No.5 September 1986, S.567-589

FRIEDMAN Linda, FRIEDMAN Hershey H., Comparison of itemised vs graphic rating scales: A validity approach, in: JMRS, volume 28, number 3 (July 1986), S.285-289

FRIESTAD Marian, THORSON Esther, Emotion-Eliciting Advertising: Effects on Long Term Memory and Judgement, in: LUTZ Richard J. (ed.), Advances in Consumer Research, Volume XIII 1986, S.111-116

FURSE David H., PUNJ Girish N., STEWART David W., A Typology of Individual Search Strategies Among Purchasers of New Automobiles, in: JCR, Vol.10, March 1984, S.417-431

GALE A., EDWARDS J., The EEG and Human Behaviour, in: GALE A., EDWARDS J.A.,(Hrsg.), Physiological Correlates of Human Behavior, Vol. II: Attention and Performance, Academic Press, London-New York 1983

GARDNER Meryl P., RAJ S.P., Responses to Commercials in Laboratory versus Natural Settings: A Conceptual Framework, in: BAGOZZI Richard P., TYBOUT Alice M. (Hrsg.), Advances in Consumer Research, Volume X, Ann Arbor 1983, S.142-146

GARDNER Meryl, Advertising Effects on Attributes Recalled and Criteria Used for Brand Evaluations, in: JCR, Vol. 10, December 1983, S.310-318

GASPERL-SINGER Andrea, Das Image Österreichs und der Schweiz in den Vereinigten Staaten, DA an der Wirtschaftsuniversität Wien, 1985

GEEN Russell G., McCOWN Eugene J., Effects of Noise and Attack on Aggression and Physiological Arousal, in: Motivation and Emotion, Volume 8, No. 3, 1984, S.231-241

GERLOFF Otfried, Blickaufzeichnung: Thesen und Erkenntnisse zum Werbemittelkontakt in Zeitschriften, BURDA GmbH., September 1988

GHAZIZADEH Ulrich R., Werbewirkungen durch emotionale Konditionierung - Theorie, Anwendung und Meßmethode, Peter Lang, Eoropäische Hochschulschriften Reihe V, Frankfurt am Main - Bern - New York - Paris 1987

GHINGOLD Morry, BOZINOFF Lorne, Construct Validation and Empirical Testing of Guilt Arousing Marketing Communications, in: MITCHEL Andrew (Hrsg.), Advances in Consumer Research, Volume IX, Ann Arbor 1982, S.210-214

GLASSMAN Robert B., Selection Processes in Living Systems: Role in Cognitive Construction and Recovery from Brain Damage, Behavioral Science, Volume 19, 1974, S.149-165

GOILLAU P.J., Effect of Display Subtense on Eye Movement Search, in: GALE Alastair G., JOHNSON Frank (Hrsg.), Theoretical and Applied Aspects of Eye Movement Research, North Holland, Amsterdam - New York - Oxford 1984, S.281-291

GOLDEN Linda L., ALPERT Mark I., The Relative Effectiveness of One-sided and Two-sided Communication for Mass Transit Advertising, in: HUNT Keith. H. (ed.), Advances in Consumer Research Volume V, Ann Arbor 1978, S.12-18

GOLDWATER Bram C., Effects of Arousal on Habituation of Electordermal versus Vasomotor Responses, in: Psychophysiology, Vol.24, No.2 March 1987, S.142-150

GOODWIN, Stephen A., Impact of Stimulus Variables on Exploratory Behavior, in: OLSON Jerry C., Advances in Consumer Research, Volume VII, Ann Arbor, 1979, S. 264 - 269

GORN Gerald J., WEINBERG Charles B., The Impact of Comparative Advertising on Perception and Attitude: Some Positive Findings, in: JCR, Vol.11, September 1984, S.719-727

GRABITZ Hans-Joachim, Gedächtnis und Abrufkontext: Effekte der Kontextabhängigkeit des Erinnerungsvorgangs beim Wiedererkennen, in: Zeitschrift für experimentelle und angewandte Psychologie 1981, Band XXVIII, Heft 3, S.418-427

GREY Susan J., SMITH Brian L., A Comparison Between Commercially Available Electrode Gels and Purpose-Made-Gel, in the Measurement of Electrodermal Activity, in: Psychophysiology, Volume 21, No.5, September 1984, S.551-557

GREENWALD A.G., Cognitive Learning, Cognitive Response to Persuasion, and Attitude Change, in: GREENWALD A.G., BROCK T.C., OSTROM T.M., (Hrsg.) Psychological Foundations of Attitudes, Academic Press, New York-London 1968

GREENWALD Anthony G., LEAVITT Clark, Audience Involvement in Advertising: Four Levels, in: JCR, Vol.11, June 1984, S.581-592

GRÖPPEL Andrea, Messung der Konsumentenstimmung am POS mittels Bilderskalen, in: W&P, Folge 6/1988, S.183-187

GROLL-KNAPP E., Die Messung physiologischer Aktivierungsindikatoren, in: SCHÖNPFLUG Wolfgang (Hrsg.), Methoden der Aktivierungsforschung, Psychologisches Kolloquium Band VI, Verlag Hans Huber, Bern-Stuttgart-Wien, 1969, S.239-285

GROLL-KNAPP E., HAIDER M., Psychophysiologische Methoden, in: BLOHMKE Maria, et. al., Handbuch der Sozialmedizin, Band 1, Stuttgart 1975 (Ferdinand Enke Verlag)

GRONER Rudolf, WALDER Franziska, GRONER Marina, Looking at Faces: Local and Global Aspects of Scanpaths, in: GALE Alastair G., JOHNSON Frank (Hrsg.), Theoretical and Applied Aspects of Eye Movement Research, North Holland, Amsterdam - New York - Oxford 1984, S.523-533

GROSSMAN S.P., Essentials of Physiological Psychology, John Wiley & Sons, New York-London-Sydney-Toronto, 1973

GRUNERT Klaus G., Magnitude-Skalierung, Marketing ZFP, Heft 2, Mai 1983, S.108-112

GRÜNWALD Werner, Die Wirksamkeit von Angstappellen, DA an der Wirtschaftsuniversität Wien, 1980

GULLEN Phil, JOHNSON Hugh, Relating Product Purchasing and TV Viewing, in: JAR December 1986/January 1987, Vol. 26, No.6, S.9-19

HACKLEMAN Edwin C., JAIN Subhash C., An Experimental Analysis of Attitudes toward Comparison and Non-Comparison Advertising, in: WILKIE William L., Advances in Consumer Research, Volume VI, Ann Arbor 1979, S. 90 - 94

HAGER Willi, LÜBBEKE Bernhard, HÜBNER Ronald, in: Zeitschrift für experimentelle und angewandte Psychologie 1983, Band XXX, Heft 3, S.347-386

HAGER Willi, WESTERMANN Rainer, Zur direkten Erfaßbarkeit der Verständlichkeit und des Informationsgehaltes von kurzen Texten, in: Zeitschrift für experimentelle und angewandte Psychologie 1984, Band XXXI, Heft 4, S.544-566

HAIDER M., Elektrophysiologische Indikatoren der Aktiviertheit, in: SCHÖNPFLUG Wolfgang (Hrsg.), Methoden der Aktivierungsforschung, Psychologisches Kolloquium Band VI, Verlag Hans Huber, Bern-Stuttgart-Wien, 1969, S.125-156

HAJOS Anton, Wahrnehmungspsychologie - Psychophysik und Wahrnehmungsforschung, Kohlhammer, Stuttgart - Berlin - Köln - Mainz 1972

HALEY Russell I., RICHARDSON Jack, BALDWIN Beth M., The Effects of Nonverbal Communications in Television Advertising, in: JAR August/September 1984, Vol. 24, No.4, S.11-18

HANNAH Darlene B., STERNTHAL Brian, Detecting and Explaining the Sleeper Effect, in: JCR, Vol.11, September 1984, S.632-642

HANSEN Flemming, A Comparison of Alternative Measures of Individual Differences in Brain Lateralization, in: MITCHELL Andrew (Hrsg.), Advances in Consumer Research, Volume IX, Ann Arbor 1982, S.161-169

HANSEN Flemming, Dichotic Listening as a Tool for Validating Alternative Measures of Brain Lateralization, in: BAGOZZI Richard P., TYBOUT Alice M., (Editors), Advances in Consumer Research, Volume X, Ann Arbor 1983, S.182-183

HANSEN Flemming, Towards an alternative theory of the advertising communication process ?, in: IJoRM, Volumel, No. 1, 1984, S.69-80

HARBICH Roman, Die Einsatzbedingungen der nonverbalen Imagemessung in der Marktforschung, DA an der Wirtschafts-universität Wien, Wien 1987

HARTUNG Joachim, Statistik, Lehr- und Handbuch der angewandten Statistik, Oldenbourg, München-Wien, 1982

HASSELHORN Marcus, HAGER Willi, Unabhängige Prozesse beim Reproduzieren und Wiedererkennen ? Ein Prüfexperiment zu drei konkurrierenden Theorieansätzen, in: Zeitschrift für experimentelle und angewandte Psychologie 1987, Band XXXIV, Heft 4, S.553-578

HASSLINGER Roswitha, "TOP-TEN 1985": Die 10 Impact-stärksten TV-Spots Österreichs, in: W&P, Folge 5/1986, S.199

HATTA Takeshi, DIMOND Stuart J., Comparison of Lateral Differences for Digit and Random Form Recognition in Japanese and Westeners, Journal of Experimental Psychology:Human Perception and Performance 1980, Vol. 6, No. 2, 368-374

HEIDE Frederick J., Psychophysiological Responsiveness to Auditory Stimulation during Transcendental Meditation, in: Psychophysiology, Vol.23, No.1 January 1986, S.71-75

HELBIG Ladislaus, Prominenz aus der Sicht der Jugend - Eignung von Prominenten als Presenter in der Werbung, in: W&P Folge 5, 1985, S.213-219

HELBIG Ladislaus, Die Einstellung Jugendlicher zu Alkohol, in: W&P, Folge 2/1986, S.73-77

HENDERSON BLAIR Margaret, An Empirical Investigation of Advertising Wearin and Wearout, in: JAR December 1987/January 1988, Vol. 27, No.6, S.45-50

HERRMANN Theodor, Methoden als Problemlösungsmittel, in: ROTH Erwin (Hrsg.), Sozialwissenschaftliche Methoden, R. Oldenbourg Verlag, München-Wien 1984; S.18-46

HESTER Susan B., YUEN Mary, The Influence of Country of Origin on Consumer Attitude and Buying Behavior in the United States and Canada, in: WALLENDORF Melanie, ANDERSON Paul (Hrsg.), Advances in Consumer Research, Volume XIV, Provo 1987, S.538-542

HEYDER Hans, Wie effizient sind die 15-Sekunden-Commercials wirklich ?, in: Marketing Journal 4/86, S.376-379

HEYDER Hans, Schneller Richter für die Werbung, in: w&v Nr. 41 / 9.Oktober 1987, S.94-99

HILDEBRANDT Lutz, Konfirmatorische Analysen von Modellen des Konsumentenverhaltens, Duncker & Humblot, Berlin 1983a

HILDEBRANDT Lutz, Kausalmodelle in der Konsumverhaltensforschung, in: Handbuch der Psychologie, Band 12; IRLE Martin (Hrsg.), Marktpsychologie, 2.Halbband (Methoden und Anwendungen in der Marktpsychologie), Göttingen-Toronto-Zürich, 1983b, S.271-339

HILDEBRANDT Lutz, Kausalanalytische Validierung in der Marketingsforschung, in: Marketing ZFP, Heft 1, Februar 1984, S.41-51

HOFER Michael, Darstellung eines Kaufentscheidungsprozesses im Investitionsgüterbereich am Beispiel einer EDV-Entscheidung, DA an der Wirtschaftsuniversität Wien, 1986

HOLZMÜLLER Hartmut H., SPÄTH Franz A., Thesen zur Intensivierung der Overflow-Forschung, in: WWG-Informationen Folge 95/1983, S.153-155

HORWATH Jürgen, Dynamische Aktivierungsmessung, DA an der Wirtschaftsuniversität Wien, iV

HOSSINGER Hans-Peter, Pretests in der Marktforschung, Physica-Verlag, Würzburg-Wien, 1982

HOUSTON M.J., PETER J.P., SAWYER A.G., The Role of Meta-Analysis in Consumer Research, in: BAGOZZI R.P., TYBOUT A.M., ACR Vol. X, S.497-502

HRUBY Josef, Der Beitrag des Herkunftszeichens "A" zur Förderung des Umsatzes österreichischer Produkte: Ein Testmarktexperiment, DA an der Wirtschaftsuniversität Wien, 1982

HRUSCHKA Harald, Multiattributive Beurteilungsmodelle auf der Grundlage der Theorie unscharfer Mengen für den Bereich des Abnehmerverhaltens, in: MAZANEC Josef, SCHEUCH Fritz (Hrsg.), Marktorientierte Unternehmensführung, Service Fachverlag an der Wirtschaftsuniversität Wien, Wien 1983, S.499-516

HÜTTNER Manfred, Grundzüge der Marktforschung, 4.Auflage, Walter de Gruyter, Berlin-New York 1989

HUGDAHL Kenneth, BROBECK Claes-Goran, Hemispheric Asymmetry and Human Electrodermal Conditioning: The Dichotic Extinction Paradigm, in: Psychophysiology, Vol.23, No.5 September 1986, S.491-499

HUGDAHL Kenneth, KVALE Gerd, NORDBY Helge, Hemispheric Asymmetry and Human Classical Conditioning to Verbal and Non-Verbal Visual CSs, in: Psychophysiology, Vol.24, No.5 September 1987, S.557-565

HUMPHREYS Michael S., REVELLE William, SIMON Lisa, GILLILAND Kirby, Individual Differences in Diural Rhythms and Multiple Activation States: A Reply to M.W. Eysenck and Folkard, Journal of Experimental Psychology: General 1980, Vol. 109, No. 1, S.42-48

IACONO William G., LYKKEN David T., The Effects of Instructions on Electrodermal Habituation, in: Psychophysiology, Vol. 20, No. 5, January, 1983, S.71-80

IRLE Martin, Marktpsychologische Forschung: Ethik und Recht, in: Handbuch der Psychologie, Band 12; IRLE Martin (Hrsg.), Marktpsychologie, 2.Halbband (Methoden und Anwendungen in der Marktpsychologie), Göttingen-Toronto-Zürich, 1983, S.835-859

IRLE Martin, Das Instrument der "Täuschung" in der Verhaltens- und Sozialwissenschaftlichen Forschung, in: Zeitschrift für Sozialpsychologie, Band 10, 1979, Heft 4, S.305-330

JAFFE Eugene D., NEBENZAHL Israel D., Alternative Questionnaire Formats for Country Image Studien, in: JoMR, Vol. XXI (November 1984), S.463-471

JAMIESON John, Bilateral Finger Temperature and The Law of Initial Values, in: Psychophysiology, Vol.24, No.6 November 1987, S.666-669

JANKE Wilhelm, Pharmaka und Emotion, in: EULER H. A./MANDL H. (Hrsg.), Emotionspsychologie - Ein Handbuch in Schlüsselbegriffen, Urban & Schwarzenberg, Mnnchen - Wien - Baltimore, 1983

JECK-SCHLOTTMANN Gabi, Anzeigenbetrachtung bei geringem Involvement, in: Marketing ZFP, Heft 1, Februar 1988, S.33-43

JENSEN Thomas D., ROTTMEYER Larry W., Visual Information Processing of Television Commercials: Cognitive Effects, in: LUTZ Richard J. (ed.), Advances in Consumer Research, Volume XIII, 1986, S.158 - 163

JIRAS Heinz, Die computergestützte Aktivierungsmessung am Beispiel von Anzeigen der Gemeinschaftswerbung zur Förderung des Absatzes von österreichischen Produkten, DA an der Wirtschafts-universität Wien, 1986

JOSEF Felix, Teilnehmende Beobachtung als Instrument der Werbeforschung, in: Output/Kommunikation, Nr. 5/83, S.1-2

JÜTTNER Caspar, Informationsmodalität und Gedächtniskode: Eine Untersuchung über den Zusammenhang zwischen Modalität und Gedächtniskode bei langfristigen Behaltensintervallen, in: Zeitschrift für experimentelle und angewandte Psychologie 1981, Band XXVIII, Heft 4, S.602-608

KAINZ Wilfried, Informationsverhalten von Organisationen unter Verwendung des Datenbanksystems dBase II, DA an der Wirtschafts-universität Wien, 1986

KAMEN Joseph F., Gross-Impacts of Competitive Advertising: How to Find Out Whether It Helps or Hurts You, in: JAR April/May 1987, Vol. 2, No.2, S.33-37

KAMINS Michael A., ASSAEL Henry, Two-Side Versus One-Sided Appeals: A Cognitive Perspective on Argumentation, Source Derogation, and the Effect of Disconfirming Trial on Belief Change, in: JoMR Vol. XXIV (February 1987), S.29-39

KAPFERER Jean-Noel, LAURENT Gilles, Consumer Involvement Profiles: A New Practical Approach to Consumer Involvement, in: JAR December 1985/January 1986, Vol. 25, No.6, S.48-56

KARMASIN Fritz, Pretests von Fernsehspots mit Hilfe des Pilot-Impact, in: W&P, Folge 6/1987, S.201-203

KATONA G., Über das rationale Verhalten der Verbraucher, in: KROEBER-RIEL Werner(Hrsg.) Marketingtheorie, Kiepenheuer & Witsch, Köln 1972

KEBECK Günther, Reproduzieren und Wiedererkennen: Der Einfluß von Anzahl und Ähnlichkeit der Distraktoren auf die Gedächtnisleistung, in: Zeitschrift für experimentelle und angewandte Psychologie 1986, Band XXXIII, Heft 1, S.43-57

KEITZ Beate von, Wirksame Fernsehwerbung, Physica-Verlag, Würzburg-Wien 1983

KEITZ Beate von, Ersetzt die Checkliste den Pretest?, in: W&P, Folge 3/1985, S.99-100

KEITZ Beate von, Psychobiologische Werbewirkungsforschung, in: Werbeforschung & Praxis Folge 2/1986a, S.41-47

KEITZ Beate von, Werbung: Apparativ testen und verkaufen, in: W&P, Folge 6/1986b, S.226-228

KEITZ Beate von, Blickaufzeichnung: Nicht Marktanteile prognostizieren, aber Werbung optimieren !, in: absatzwirtschaft 9/86c, S.112-120

KEITZ Beate von, Wirksame Werbung - Methoden und Ergebnisse der modernen Kommunikations-Forschung, in: Werbeforschung & Praxis, Folge 4/1987, S.136

KEITZ Beate von, Hat das Zielgruppen-Involvement Auswirkungen auf die Güte von Pretest-Verfahren?, in: W&P Folge 5/1988, S.172-174

KENDALL K.W., FENWICK Ian, What Do You Learn Standing in a Supermarket Aisle ?, in: WILKIE William L., Advances in Consumer Research, Volume VI, Ann Arbor 1979, S. 153 - 160

KLEIN Andreas, Erinnerungsleistungen beim Werbefernsehen, in: Output/Kommunikation, Nr. 5/83, S.2-4

KLEINGINNA Paul R. Jr., KLEINGINNA Anne M., A Categorized List of Motivation Definitions, with a Suggestion for a Consensual Definition, in: Motivation and Emotion, Volume 5, No. 3, 1981a, S.263-291

KLEINGINNA Paul R. Jr., KLEINGINNA Anne M., A Categorized List of Emotion Definitions, with Suggestions for a Consensual Definition, in: Motivation and Emotion, Volume 5, No. 4, 1981b, S.345-379

KLIMESCH Wolfgang, Die semantische Encodierung von Bildern, in: Zeitschrift für experimentelle und angewandte Psychologie 1982, Band XXIX, Heft 3 S.472-504

KLIMESCH Wolfgang, FEICHTINGER Ludwig, Semantische Ähnlichkeitseffekte bei Größenvergleichsaufgaben, in: Zeitschrift für experimentelle und angewandte Psychologie 1984, Band XXXI, Heft 1, S.63-83

KLING Nathan Dale, An Exploratory Investigation of the Influence of Task Instruction and Relative Cerebral Hemispheric Dominance on Cue Utilization Policies and Self-Insight in a Marketing Decision Context, Ph.D., University of Texas, University Microfilms International, Ann Arbor 1979

KNOR Gerhard, Werbung in Tageszeitungen und Fachzeitschriften - ein empirischer Wirkungsvergleich dargestellt am Beispiel der EDV, Empirische Marketingforschung Band 6, Service Fachverlag an der Wirtschaftsuniversität Wien, Wien 1988

KÖHNKEN Günter, WEGENER Hermann, Zum Stellenwert des Experiments in der Forensischen Aussagepsychologie, in: Zeitschrift für experimentelle und angewandte Psychologie 1985, Band XXXII, Heft 1, S.104-119

KOEPPLER Karlfritz, Einflüsse der Anschaulichkeit einer Werbebotschaft auf die Einstellungen, in:Vierteljahreshefte für Mediaplanung, 4/1984, S.3-7 (Deutsche Übersetzung des Originalartikels von KISIELIUS Jolita, STERNTHAL Brian, Detecting and explaining vividness effects in attitudinal judgements, in: JoMR, 1984, Volume 21, S.54ff)

KONEGEN Norbert, SONDERGELD Klaus, Wissenschaftstheorie für Sozialwissenschaftler, UTB, Leske Verlag + Budrich GmbH, Opladen 1985

KORTE Wolfgang, TROSIENER Hans-Jürgen, EYFERTH Klaus, Faktorenanalysen evozierter Potentiale bei Stimulusverarbeitung und Gedächtnissuche, in: Zeitschrift für experimentelle und angewandte Psychologie 1984, Band XXXI, Heft 2, S.232-245

KRAMMER Stefan, Telemetrische Messung bioelektrischer Signale, DA an der Wirtschaftsuniversität Wien, in Vorbereitung

KROEBER-RIEL Werner, Ryan's bad trip into Psychobiology, AP am Institut für Konsum- und Verhaltensforschung, Saarbrücken, 1979

KROEBER-RIEL Werner, Konsumentenverhalten, 3. Auflage, Verlag Vahlen, München 1984a

KROEBER-RIEL Werner, Strategie und Technik der Werbung - Verhaltenswissenschaftliche Ansätze, Verlag W. Kohlhammer, Stuttgart-Berlin-Köln-Mainz, 1988

KROEBER-RIEL Werner, MEYER-HENTSCHEL Gundolf, Werbung - Steuerung des Konsumentenverhaltens, Würzburg - Wien, Physica Verlag, 1982

KROEBER-RIEL Werner, Ansatzpunkte und Probleme der verhaltensorientierten Absatztheorie, in: KROEBER-RIEL Werner, (Hrsg.), Marketingtheorie, Köln 1972a, Kiepenheuer&Witsch

KROEBER-RIEL Werner, Zur Prognoserelevanz von Einstellungswerten, die durch einfache Ratings gemessen werden, in: KROEBER-RIEL Werner, (Hrsg.), Marketingtheorie, Kiepenheuer & Witsch, Köln 1972b

KROEBER-RIEL Werner, Ideologische Komponenten der entscheidungsorientierten Absatztheorie, in: WEINBERG Peter, BEHRENS Gerold, KAAS Klaus P., Marketingentscheidungen, Köln 1974 (Kiepenheuer&Witsch)

KROEBER-RIEL Werner, Computergestützte Datenerhebung: Neue Methoden der Marketingforschung, in: MAZANEC Josef, SCHEUCH Fritz (Hrsg.), Marktorientierte Unternehmensführung, Service-Fachverlag an der Wirtschaftsuniversität Wien, 1984b, S.441-453

KROEBER-RIEL Werner, Effects of Emotional Pictorial Elements in Ads Analyzed by Means of Eye Monitoring, in: KINNEAR Thomas C. (Hrsg.), Advances in Consumer Research, Volume XI, Provo, 1984c, S.591-596

KROEBER-RIEL Werner, Werbung mit Emotionen - Voraussetzung für den Werbeerfolg, in: WWG-Informationen, Folge 70, Februar 1978, S.3-5

KROEBER-RIEL Werner, Activation Research: Psychobiological Approaches in Consumer Research, in: Journal of Consumer Research, Vol. 5, March 1979, S.240-250

KROEBER-RIEL Werner, Neuere Methoden der Marktforschung, in: DBW 43 (1983) Heft2, S.277-285

KROEBER-RIEL Werner, Computergestützte Datenerhebung: Neue Methoden der Marketingforschung, in: WWG Information, Folge 98, Juni 1984d, S.85-89

KROEBER-RIEL Werner, Zentrale Probleme auf gesättigten Märkten - Auswechselbare Produkte und auswechselbare Werbung und ihre Überwindung durch erlebnisbetonte Marketingstrategien, in: Marketing ZFP, Heft 3, August 1984e, S.210-214

KROEBER-RIEL Werner, Weniger Information, mehr Erlebnis, mehr Bild, in: absatzwirtschaft, 3/1985, S.84-97

KROEBER-RIEL Werner, Innere Bilder: Signale für das Kaufverhalten, in: absatzwirtschaft, 1/1986a, S.50-57

KROEBER-RIEL Werner, Die inneren Bilder der Konsumenten: Messung - Verhaltenswirkung - Konsequenzen für das Marketing, in: Marketing-ZFP, Heft 2, Mai 1986b, S.81-96

KROEBER-RIEL Werner, Informationsüberlastung durch Massenmedien und Werbung in Deutschland: Messung - Interpretation - Folgen, in: DBW 47 (1987a) Heft 3, S.257-264

KROEBER-RIEL Werner, Trends in der Werbung - Die wachsende Informations-Überlastung fordert die Werber, in: Marketing-Journal 6/87b, S.608-613

KRÖNER Birgit, Psychophysiologische Korrelate chronischer Kopfschmerzen, in: Zeitschrift für experimentelle und angewandte Psychologie 1984, Band XXXI, Heft 4, S.610-639

KROESE Biza Stenfert, SIDDLE David A.T., Effects of an Attention-Demanding Task on Amplitude and Habituation of the Electrodermal Orienting Response, in: Psychophysiology, Vol. 20, No. 2, March, 1983, S.128-135

KRUGMAN Herbert E., Point of View: Measuring Memory - An Industry Dilemma, in: JAR August/September 1985, Vol. 25, No.4, S.49-51

KRUGMAN Herbert E., Low Recall and High Recognition of Advertising, in: JAR February/March 1986, Vol. 26, No.1, S.79-86

KRUTINA Herbert, Anzeigengestaltung vom Briefing bis zum Pretest - Dargestellt am Beispiel der Werbung für österreichische Produkte und einer Anti-Rauch-Kampagne, in: Werbeforschung & Praxis, Folge 4/1987, S.119-124

KUEHN A.A., Die Produktwahl des Konsumenten als Lernprozeß, in: KROEBER-RIEL Werner, (Hrsg.), Marketingtheorie, Kiepenheuer & Witsch, Köln 1972

KURZ Helmut, Das wahrgenommene Risiko als Determinante des Sparverhaltens - eine empirische Analyse ausgewählter Hypothesen, DA an der Wirtschaftsuniversität Wien, 1975

KURZ Helmut, Bankenmarketing und Dissonanztheorie, Verlag Orac, Wien, 1984

KURZ Helmut, SCHWEIGER Günter, Die Werbewirkung von österreichtypischen Anzeigen - untersucht anhand von Anzeigen für Schneiders- und Salko-Bekleidung, Arbeitspapier Nr.17 des Ordinariats für Werbewissenschaft und Marktforschung an der Wirtschaftsuniversität Wien, Wien 1987

KURZ Helmut, Das Image Österreichs im Ausland, in: SCHWEIGER Günter (Hrsg.), Österreichs Image im Ausland, Norka Verlag, Wien 1988, S.62-119

LANZETTA John T., BIERNAT James J., KLECK Robert E., Self-Focused Attention, Facial Behavior, Autonomic Arousal and The Experience of Emotion, in: Motivation and Emotion, Volume 6, No. 1, 1982, S.49-63

LAROCHE Michel, Four Methodological Problems in Multi-Attribute Attitude Models, in: HUNT Keith. H. (ed.), Advances in Consumer Research Volume V, Ann Arbor 1978, S.175-179

LAROCHE Michel, HOWARD John A., Nonlinear Relations in a Complex Model of Buyer Behavior, in: JCR, Vol. 6, March 1980, S.377-388

LaTOUR Stephen A., Reliability and Validity In Consumer Research: Where Do We Go From Here ?, in: BAGOZZI Richard P., TYBOUT Alice M., (Editors), Advances in Consumer Research, Volume X, Ann Arbor 1983, S.696-698

LAUTERBACH Wolf, EIFERT Georg H., Die Wirkung experimenteller Selbstverbalisationen auf die physiologischen, kognitiven und motorischen Anteile konditionierter Angstreaktionen, in: Zeitschrift für experimentelle und angewandte Psychologie 1984, Band XXXI, Heft 2, S.259-279

LAUTMAN Martin R., PERCY Larry, Consumer-Oriented versus Advertiser-Oriented Language: Comprehensibility and Salience of the Advertising Message, in: HUNT Keith. H. (ed.), Advances in Consumer Research Volume V, Ann Arbor 1978, S. 52-56

LAWLER Kathleen A., RIXSE Andra, ALLEN Michael T., Type A Behavior and Psychophysiological Responses in Adult Women, in: Psychophysiology, Vol. 20, No. 3, May, 1983, S.343-350

LAZARUS-MAINKA G., BÄHR M., OPITZ B., Ängstlichkeit, die S/R-Dimension und das Bewerten von Bildinhalten, in: Zeitschrift für experimentelle und angewandte Psychologie 1981, Band XXVIII, Heft 4, S.637-650

LEBSCHIK Erika, Werbevorteil mit AD*VANTAGE auch für Österreich, in: W&P Folge 6/1988, S.199-201

LeGARE Miriam, Overlapping Functional Systems: A Theory for Vertebrate Central Nervous system Function in Terms of Informal Systems Analysis, Behavioral Science, Volume 25, 1980, S.89-106

LEIGH Thomas W., RETHANS Arno J., REICHENBACH WHITNEY Tamatha, Role Portrayals of Women in Advertising: Cognitive Responses and Advertising Effectiveness, in: JAR October/November 1987, Vol. 27, No.5, S.54-63

LEINFELLNER Werner, Einführung in die Erkenntnis- und Wissenschaftstheorie, 2.Auflage, Mannheim 1967

LEISER Eckart, Wie funktioniert sozialwissenschaftliche Statistik ?, in: Zeitschrift für Sozialpsychologie 1982, Band 13, Heft 2, S.125.139

LEISER Eckart, Statistisches Schließen und wissenschaftliche Erkenntnis. Gesichtspunkte für eine Kritik und Neubestimmung, in: Zeitschrift für Sozialpsychologie 1986, Band 17, Heft 3, S.146-159

LENZ Manfred, FRITZ Wolfgang, Die Aktivierungsforschung im Urteil der Marketingpraxis, in: Marketing-ZFP, Heft 3, August 1986, S.181-185

LEONARD Joachim P., PODOLL Klaus, WEILER Hans-Theo, LANGE Herwig W., Habituation der elektrodermalen Orientierungsreaktion in der Diagnostik und Früherkennung der Chorea Huntington, in: Zeitschrift für experimentelle und angewandte Psychologie 1984, Band XXXI, Heft 3, S.447-463

LEONARD Joachim P., Experimentelle Schlafinduktion: Kontrollierte Einschlafbeschleunigung und Einschlafverzögerung unter monotoner akustischer Stimulation, in: Zeitschrift für experimentelle und angewandte Psychologie 1985, Band XXXII, Heft 1, S.120-134

LEONG Siew Meng, Metatheory and Metamethodology in Marketing: A Lakatosian Reconstruction, in: JoM, Vol.49 (Fall 1985), S.23-40

LEVEN Wilfried, Blickregistrierung in der Werbeforschung, in: ISSING Ludwig J., MICKASCH Heidemarie D., HAACK Johannes (Hrsg.), Blickbewegung und Bildverarbeitung - Kognitionspsychologische Aspekte visueller Informationsverarbeitung, Peter Lang, Frankfurt am Main - Bern - New York 1986a, S.147-172

LEVEN Wilfried, Der Zusammenhang zwischen Informationsaufnahme und Informationsspeicherung beim Betrachten von Werbeanzeigen, in: Marketing ZFP, Heft 1, Februar 1983, S.13-28

LEVEN Wilfried, Werbewirkungsanalyse mittels Blickregistrierung, in: JdAuVf, 1/1986b, S.71-89

LEVEN Wilfried, Werbestory-Recall ohne Werbeaussagen-Recall, in: W&P, Folge 3/1987, S.93-98

LEVEN Wilfried, Automatische Blickregistrierung - Technik und Meßgenauigkeit, in: Marketing ZFP, Heft 2, Mai 1988, S.116-122

LEVEN Wilfried, Involvement-Niveau und Informationsbearbeitung, in: W&P Folge 5/1988, S.169-171

LEVIS Donald J., SMITH Jane E., Getting Individual Differences in Autonomic Reactivity to Work For Instead of Against You: Determining the Dominant 'Psychological' Stress Channel on the Basis of a 'Biological' Stress Test, in: Psychophysiology, Vol.24, No.3 May 1985, S.346-352

LIPSTEIN Benjamin, NEELANKAVIL James P., Television Advertising Copy Research: A Critical Review of the State of the Art, in: JAR April/May 1984, Vol. 24, No.2, S.19-25

LOFTUS Geoffrey R., Eye Fixations on Text and Scenes, in: RAYNER Keith (Hrsg.), Eye Movements in Reading, Perceptual and Language Processes, Academic Press, New York - London 1983, S.359-376

LOHAUS Arnold, KEBECK Günther, Die experimentelle Situation aus der Sicht von Versuchsteilnehmer und Versuchsleiter, in: Zeitschrift für experimentelle und angewandte Psychologie 1984, Band XXXI, Heft 1, S.84-100

LÜCK Helmut E., Unauffällige Meßverfahren in der Marktpsychologischen Forschung, in: HARTMANN K.D., KOEPPLER Karlfritz (Hrsg.), Fortschritte der Marktpsychologie, Fachbuchhandlung für Psychologie, Frankfurt am Main 1977, S.107-112

LUTHER Peter, FENK August, Wird der Wortlaut von Sätzen zwangsläufig schneller vergessen als ihr Inhalt ?, in: Zeitschrift für experimentelle und angewandte Psychologie 1984, Band XXXI, Heft 1, S.101-123

LUTZ Richard J., On Getting Situated: The Role of Situational Factors in Consumer Research, in: OLSON Jerry C., Advances in Consumer Research, Volume VII, Ann Arbor, 1979, S. 659 - 663

LUTZ Richard J., MacKENZIE Scott B., BELCH George E., Attitude Toward the Ad as a Mediator of Advertising Effectiveness: Determinants and Consequences, in: BAGOZZI Richard P., TYBOUT Alice M., (Editors), Advances in Consumer Research, Volume X, Ann Arbor 1983, S.532-539

LYKKEN D.T., IACONO W.G., HAROIAN K., McGUE M., BOUCHARD T.J. Jr, Habituation of the Skin Conductance Response to Strong Stimuli: A Twin Study, in: Psychophysiology, Vol.25, No.1 January 1988, S.4-15

MACHNIK Wolfgang, Made in Germany - Deutsches, ja bitte!, in: w&v, 12/23.März 1984a, S.8-12

MACHNIK Wolfgang J., Wie "in" ist "Made in Germany" heute?, in: planung und analyse, 6/1984b, S.250-252

MacKENZIE Scott B., LUTZ Richard J., BELCH George E., The Role of Attitude Toward the Ad as a Mediator of Advertising Effectiveness: A Test of Competing Explanations, in: JoMR Vol. XXIII (May 1986), S.130-143

MacLACHLAN James, LaBARBERA Proscilla, Time-Compressed TV Commercials, in: JAR August 1978, Vol. 18, No.4, S.11-15

MADDEN Thomas J., WEINBERGER Marc G., Humor in Advertising: A Practitioner View, in: JAR August/September 1984, Vol. 24, No.4, S.23-29

MADSEN K.B., Modern Theories of Motivation, Munksgaard, Copenhagen 1974

MAHON Mary L., IACONO William G., Another Look at the Relationship of Electrodermal Activity to Electrode Contact Area, in: Psychophysiology, Vol.24, No.2 March 1987, S.216-222

MALTZMAN Irving, WEISSBLUTH Stephen, WOLFF Craig, Habituation of Orienting Reflexes in Repeated GSR Semantic Conditioning Sessions, Journal of Experimental Psychology: General 1978, Vol. 107, No. 3, S. 309-333

MANSTEAD A.S.R., WAGNER H.L., MacDONALD C.J., A Contrast Effect in Judgements of Own Emotional State, in: Motivation and Emotion, Volume 7, No. 3, 1983, S.279-290

MARKARD Morus, Einstellung - Kritik eines sozialpsychologischen Grundkonzepts, Campus Verlag, Frankfurt/Main - New York 1984 S.104ff

MARTIN I., Human Classical Conditioning, in: GALE A., EDWARDS J.A.,(Hrsg.), Physiological Correlates of Human Behavior, Vol. II: Attention and Performance, Academic Press, London-New York 1983

MARX Wolfgang, Das Wortfeld der Gefühlsbegriffe, in: Zeitschrift für experimentelle und angewandte Psychologie 1982, Band XXIX, Heft 1, S.137-146

MÄRZ Christine, HERBSTLER Ursula, Tachistoskopischer Test ausgewählter Anzeigen bzw. Plakate, HA am ULG für Werbung und Verkauf an der Wirtschaftsuniversität Wien, 1984

MAYER H., POBEL R., Erzeugung und Steuerung von Aufmerksamkeit auf der Basis kognitionspsychologischer Theorien, in: JdAuVf, Heft 3, 1984, S.230-240

MAYERHOFER Wolfgang, Die Elektrodermale Reaktion als Entscheidungshilfe bei der Prognose der Werbewirkung im Rahmen von Werbemittelpretests, Diplomarbeit an der Wirtschaftsuniversität Wien, 1980

MAYERHOFER Wolfgang, Entwicklung und Durchführung eines Pretests von Plakatentwürfen zum Thema "Kauft österreichisch", in: WWG Information, Folge 89, Oktober 1982, S.117-120

MAYERHOFER Wolfgang, Österreichisches Unternehmen - Eine kommunikationspolitisch erstrebenswerte Zielsetzung?, in: W&P, 5/1985, S.191-197

MAYERHOFER Wolfgang, Präferenzen für Österreichische Produkte - Traum oder Wirklichkeit ?, in: W&P, Folge 2/1986; S.51-54

MAYERHOFER Wolfgang, WIKLICKY Wolfgang, Wir kaufen österreichische Qualität! - Kaufen wir österreichische Qualität?, in: WWG-Informationen, Folge 97, April 1984, S.66-75

MAZANEC Josef, Objekte der Wirtschaftswerbung, C.E.Poeschel Verlag, Stuttgart 1975

MAZANEC Josef, Strukturmodelle des Konsumverhaltens - Empirische Zugänglichkeit und praktischer Einsatz zur Vorbereitung absatzwirtschaftlicher Positionierungs- und Segmentierungsentscheidungen, Absatzwirtschaftliche Schriftenreihe, Band 3, Wirtschaftsverlag Dr. Orac, Wien 1978

MAZANEC J., Einstellungsmessung in der Marketingforschung: eindimensional-summativ oder mehrdimensional ? in: Der Markt Nr.55, 1975, S.89-92

MAZANEC J., PORZER P., WIEGELE O., Präferenzmessung im mehrdimensionalen Einstellungsraum: Eine empirische Studie zur externen Präferenzskalierung, in: Der Markt Nr. 57, 1976, S.1-12

MAZANEC Josef A., SCHWEIGER Günter C., Improved marketing efficiency through multi-product brand names ?, in: European Research, January 1981, S.32-44

McCONKIE George W., Eye Movements and Perception during Reading, in: RAYNER Keith (Hrsg.), Eye Movements in Reading, Perceptual and Language Processes, Academic Press, New York - London 1983, S.65-96

McGRATH Joseph E., BRINBERG David, External Validity and the Research Process: A Comment on the CALDER/LYNCH Dialogue, in: JCR, Vol.10, Juni 1983, S.115-124

McHUGO Gregory J., SMITH Craig A., LANZETTA John T., The Structure of Self-Reports of Emotional Responses to Film Segments, in: Motivation and Emotion, Volume 6, No. 4, 1982, S.365-385

MECKLENBRÄUKER Silvia, Erinnerungen erinnern: Zum Einfluß der Bildhaftigkeit, in: Zeitschrift für experimentelle und angewandte Psychologie 1984, Band XXXI, Heft 1, S.124-138

MEHRABIAN Albert, Arousal-Reducing Effects of Chronic Stimulant Use, in: Motivation and Emotion, Volume 10, No. 1, 1986, S.1-10

MELZER Martin, WASHIEDL Elisabeth, Vergleich der Ergebnisse unterschiedlicher apparativer Verfahren der Werbewirkungsmessung unter besonderer Berücksichtigung der Methode der Blickregistrierung, DA an der Wirtschaftsuniversität Wien, Wien 1988

MEYER-HENTSCHEL Gundolf, Aktivierungswirkung von Anzeigen, Physica-Verlag, Würzburg-Wien, 1983

MEYER-HENTSCHEL Gundolf, Consumer Evaluation of Informative and Non-Informative Ads, in: KINNEAR Thomas C. (Hrsg.), Advances in Consumer Research, Volume XI, Provo, 1984, S.597-600

MEYER-HENTSCHEL Gundolf, 'Impfung' gegen Drogenmißbrauch, in: WWG-Information, Folge 81, März 1981, S.5-6

MICHIHIRO Kazumi, MURANAKA Tetsuo, MIYATA Yo, The Effects of Cognitive Set on the Electordermal Orienting Response, in: Psychophysiology, Vol.23, No.6 November 1986, S.643-647

MICKASCH Heidemarie D., HAACK Johannes, Blickbewegungsforschung - Einführung in die Physiologischen Grundlagen, Techniken und in die Problem- und Anwendungsbereiche, in: ISSING Ludwig J., MICKASCH Heidemarie D., HAACK Johannes (Hrsg.), Blickbewegung und Bildverarbeitung - Kognitionspsychologische Aspekte visueller Informationsverarbeitung, Peter Lang, Frankfurt am Main - Bern - New York 1986, S.11-36

MIELKE Rosemarie, Eine Untersuchung zum Umweltschutz-Verhalten (Wegwerf-Verhalten): Einstellung, Einstellungs-Verfügbarkeit und soziale Normen als Verhaltensprädiktoren, in: Zeitschrift für Sozialpsychologie 1985, Band 16, Heft 3, S.196-205

MIN HAN C., The Role of Consumer Patriotism in the Choice of Domestic versus Foreign Products, in: JAR-June/July 1988, S.25-32

MITCHELL Andrew A., The Effect of Verbal and Visual Components of Advertisements on Brand Attitudes and Attitude Toward the Advertisement, in: JCR, Vol.13, June 1986, S.12-24

MÖBUS Claus, Analyse von Rohdaten mit LISREL - Allgemeines Lineares Modell, stochastische Differenzen- und Differential-gleichungssysteme, in: MÖBUS Claus, SCHNEIDER Wolfgang (Hrsg.), Strukturmodelle für Längsschnittdaten und Zeitreihen - LISREL, Pfad- und Varianzanalysen, Methoden der Psychologie, Band 5, Verlag Hans Huber, Bern-Stuttgart-Toronto 1986, S.57-126

MÖCKEL W., HEEMSOTH C., Maximizing Information as a Strategy in Visual Search: The Role of Knowledge about the Stimulus Structure, in: GALE Alastair G., JOHNSON Frank (Hrsg.), Theoretical and Applied Aspects of Eye Movement Research, North Holland, Amsterdam - New York - Oxford 1984, S.335-342

MOLDOVAN Stanley E., Copy Factors Related to Persuasion Scores, in: JAR December 1984/January 1985, Vol. 24, No.6, S.16-22

MONROE Kent B., KRISHNAN R., A Procedure for Integrating Outcomes Across Studies, in: BAGOZZI Richard P., TYBOUT Alice M. (Hrsg.), Advances in Consumer Research, Volume X, Ann Arbor 1983, S.503-508

MORGAN Anthony I. Point of View: Who's Killing the Great Advertising Campaigns of America ?, in: JAR December 1984/January 1985, Vol. 24, No.6, S.33-35

MORAWETZ R.F., KEESER W.G., ÖRTEL W., PÖPPEL O.E., Psychophysik der Schmerzwahrnehmung: Lateralitätsunterschiede bei elektrischer Schmerzreizung, in: Zeitschrift für experimentelle und angewandte Psychologie 1981, Band XXVIII, Heft 3, S.454-464

MORRISON Robert E., Retinal Image Size and the Perceptual Span in Reading, in: RAYNER Keith (Hrsg.), Eye Movements in Reading, Perceptual and Language Processes, Academic Press, New York - London 1983, S.31-40

MOSCOVITCH Morris, KLEIN Danny, Material-Specific Perceptual Interference for Visual Words and Faces: Implications for Models of Capacity Limitations, Attention, and Laterality, Journal of Experimental Psychology: Human Perception and Performance 1980, Vol. 6, No. 3, S.590-604

MOSTYN Barbara J., The Attitude Behavior Relationship, MCB Publications, o.J.

MOTES William H., WOODSIDE Arch G., Field test of Package Advertising Effects on Brand Choice Behavior, in: JAR February/ March 1984, Vol. 24, No.1, S.39-45

MUELLER John H., COURTOIS Michael R., Retention of Self-Descriptive and Nondescriptive Words as a Function of Test Anxiety Level, Motivation and Emotion, Vol. 4, No. 3, 1980, S.229-237

MÜHLBACHER Hans, Die Werbewirkung bei verschiedenen Bewußtseinsgraden der Wahrnehmung, in: JdAuVf, 2/1982, S.198-206

MÜHLBACHER Hans, Ein situatives Modell der Motivation zur Informationsaufnahme und -verarbeitung bei Werbekontakten, in: Marketing ZFP, Heft 2, Mai 1988, S.85-94

MÜHLEN-ACHS Brigitta, Die verbale Verarbeitung visueller Information, Spee-Verlag, Trier 1978

MÜLLER Stefan, Unterschwellige Werbung: Das Ende einer Legende, in: Marketing-ZFP, Heft 4, November 1984, S.267-272

MUMMENDEY Hans Dieter, BOLTEN Heint-Gerd, ISERMANN-GERKE Margret, Experimentelle Überprüfung des Bogus-Pipeline-Paradigmas: Einstellungen gegenüber Türken, Deutschen und Holländern, in: Zeitschrift für Sozialpsychologie 1982, Band 13, Heft 4, S.300-311

MUMMENDEY Hans Dieter, BOLTKEN Heinz-Gerd, Zur Überprüfung des Bogus-Pipeline-Paradigmas: Verhaltens-Bericht und Verhaltens-Bewertung in vier Bereichen sozialen Verhaltens, in: Zeitschrift für Sozialpsychologie 1985, Band 16, Heft 2, S.139-147

MYERS R.D., Methods in Psychobiology, Volume III, Academic Press, New York-London, 1977

MYERS James H., SHOCKER Allan D., The Nature of Product-Related Attributes, in: SHETH Jagdish N. (Hrsg.), Research in Marketing, Volume 5, JAI Press, Greenwich-Connecticut 1981, S.211-236

NAGASHIMA Akira, A Comparison of Japanese and U.S. Attitudes Toward Foreign Products, in: JoM, Vol.34 (January, 1970), S.68-74

NAGASHIMA Akira, A Comparative "Made In" Product Image Survey Among Japanese Businessmen, in: JOM, July 1977, S.95-100

NEIBECKER Bruno, Konsumentenemotionen - Messung durch computergestützte Verfahren, Physica Verlag, Würzburg-Wien, 1985

NEIBECKER Bruno, The Dynamic Component in Attitudes towards the Stimulus, in: WALLENDORF Melanie, ANDERSON Paul (Hrsg.), Advances in Consumer Research, Volume XIV, Provo 1987a, S.482-486

NEIBECKER Bruno, Computerkontrollierte Magnitudeskalierung: Eine kausalanalytische Validierung, in: Marketing ZFP, Heft 3, August 1983, S.185-189

NEIBECKER Bruno, The Validity of Computer-Controlled Magnitude Scaling to Measure Emotional Impact of Stimuli, in: JoMR, Vol. XXI (August 1984), S. 325-331

NEIBECKER Bruno, Neue Medien und computergestützte Werbewirkungsanalyse, in: planung & analyse, Oktober 1985, S.476-480

NEIBECKER Bruno, Apparative Marktforschung: Ein Beitrag zur Werbewirkungsanalyse, in: W&P, Folge 1/1987b, S.19-24

NEIBECKER Bruno, Werben mit Bildern - Wer die bildlichen Gestaltungs-Regeln beherrscht, erhöht das Wirkungs-Potential seiner Werbung, in: Marketing Journal 4/1987b, S.356-361

NEMETZ Klaus, Wozu den Schirm? Eine kritische Auseinandersetzung mit der Biostrukturanalyse, 5.IMAS-Symposion, Gmunden 1985

NEUMANN Susanne, HAIDERER Angelika, Erlebnisprofile ausgewählter Zigarettenmarken, in: W&P Folge 6/1987, S.198-200

NICKI R.M., Psychophysiology and Aesthetics, in: GALE A., EDWARDS J.A.,(Hrsg.), Physiological Correlates of Human Behavior, Vol. II: Attention and Performance, Academic Press, London-New York 1983

NIEBAUER Gerta, IBF-report vom 15.Juni 1989, S.7

NIESCHLAG Robert, DICHTL Erwin, HÖRSCHGEN Hans, Marketing, 14.Auflage, Duncker und Humblot, Berlin 1985

NITSCH Achim, Was TV-Spots wirksam macht, in: absatzwirtschaft 9/84, S.72-74

NOELLE-NEUMANN Elisabeth, KÖCHER Renate, Die verletzte Nation: Über den Versuch der Deutschen, ihren Charakter zu ändern, Deutsche Verlags-Anstalt, Stuttgart 1986

NÖHMAYER Kurt, Kartonverpackungen versus Glasflasche - Irradiation der Verpackung auf die subjektiv wahrgenommene Qualität von Weinen, in: W&P, Folge 1/1986, S. 12-14

NORUSIS Marija J., SPSSX Introductory Statistics Guide, SPSS Inc., Chicago 1983

OCHSMANN Randolph, HENRICH Rolf, Erregungsniveau, expressives Verhalten und die Bewertung aversiver Stimulation, in: Zeitschrift für experimentelle und angewandte Psychologie 1984, Band XXXI, Heft 2, S.287-307

Österreichisches Statistisches Zentralamt (Hrsg.), Statistisches Handbuch für die Republik Österreich, XXXVIII.Jahrgang, Neue Folge 1987

OLSON David, The Characteristics of High-Trial New-Product Advertising, in: JAR October/November 1985, Vol. 25, No.5, S.11-16

OLSON Jerry C., Gehirnströme als Indikator der Werbewirkung, in: Bericht der 32. Werbewirtschaftlichen Tagung, Innsbruck 1985, herausgegeben von der Österr. Werbewissenschaftlichen Gesellschaft, S.33-36

OPP Karl-Dieter, Methodologie der Sozialwissenschaften, Rowohlt, Reinbek bei Hamburg, Oktober 1970

OPP Karl-Dieter, Wissenschaftstheoretische Grundlagen empirischer Sozialforschung, in: ROTH Erwin (Hrsg.), Sozialwissenschaftliche Methoden, R. Oldenbourg Verlag, München-Wien 1984; S.47-71

OSWALD Margit, Konkurriert Schachters Emotionstheorie mit der Theorie James' ?, Zeitschrift für Sozialpsychologie 1981, 12, S.134-140

OTTESEN Otto, A Theory of Short-Run Response to Advertising, in: SHETH Jagdish N. (Hrsg.), Research in Marketing, Volume 4, JAI Press, Greenwich-Connecticut 1981, S.181-222

o.V., Erfolgreich werben - mit Made in Austria, Konsumentenforschung in Österreich, Made in Austria: Vereinigung zur Förderung des Inlandsabsatzes österreichischer Erzeugnisse (Hrsg.), o.J.

o.V., Werbeargument Österreich, Informationsdienst des Vereins Made in Austria, Sondernummer 14/Jg.82

o.V., Werbeforschung in der Sackgasse-Keine Wende: Marketingstrategen vernachlässigen die Marktforschung, in: w&v Nr.1/6.Januar 1984a, S.1+6

o.V., Wie häufig muß man Anzeigen schalten ?, in: ZAW-service Nr. 118-Februar 1984b, S.21-22

o.V., Wenn Hände feucht werden...Neue Methoden zur Effizienzüberprüfung einer Werbung, in: Die Presse / Eco-Journal, 28.März 1986, S.15

o.V., 'If you have nothing to say, sing it !', in: absatzwirtschaft 4/1987a, S.50-55 o.V., 'Real-world' device sheds new light on ad readership tests, in: AMA Marketing News, Volume 21, No.12, June 5, 1987b, S.1+18

o.V., "Mehr Wirkung im kurzen Block", in: w&v Nr. 39, 25. September 1987c, U4

o.V., Frauen denken anders, in: ibf-Report 5580/16.12.1987c/4

o.V., Kanadier schätzen "Made in Germany", in: planung und analyse 9/88, S.374

PALLA Christoph, Die Validität und Reliabilität der computergestützten Blickregistrierung, DA an der Wirtschaftsuniversität Wien, 1988

PALM Günther, Assoziatives Gedächtnis und Gehirntheorie, in: Spektrum der Wissenschaft, Juni 1988, S. 54-64

PAPIN Jean-Paul, Use of NAC Eye Mark Recorder to Study Visual Strategies of Military Aircraft Pilots, in: GALE Alastair G., JOHNSON Frank (Hrsg.), Theoretical and Applied Aspects of Eye Movement Research, North Holland, Amsterdam - New York - Oxford 1984a, S.367-371

PAPIN Jean Paul, METGES Pierre, AMALBERTI Rene, Use of NAC Eye Mark by Radiologists, in: GALE Alastair G., JOHNSON Frank (Hrsg.), Theoretical and Applied Aspects of Eye Movement Research, North Holland, Amsterdam - New York - Oxford 1984b, S.323-330

PARASURAMAN R., Vigilance, Arousal and the Brain, in: GALE A., EDWARDS J.A.,(Hrsg.), Physiological Correlates of Human Behavior, Vol. II: Attention and Performance, Academic Press, London-New York 1983

PARK Whan C., YOUNG Mark S., Consumer Response to Television Commercials: The Impact of Involvement and Background Music on Brand Attitude Formation, in: JoMR Vol. XXIII (february 1986), S.11-24

PATRY Jean-Luc, (Hrsg.) Feldforschung, Bern-Stuttgart-Wien, 1982

PATZER Gordon L., A Comparison of Advertisement Effects: Sexy Female Communicator vs Non-Sexy Female Communicator, in: OLSON Jerry C., Advances in Consumer Research, Volume VII, Ann Arbor, 1979, S.359-364

PENDSE Shripad G., Category Perception, Language and Brain Hemispheres: An Information Transmission Approach, Behavioral Science, Volume 23, 1978, S.421-428

PERRIG Walter J., Eigenschaften der Satzinformation und visuelle Vorstellungen, in: Zeitschrift für experimentelle und angewandte Psychologie 1982, Band XXIX, Heft 4 S.613-627

PETER J. Paul, CHURCHILL Gilbert A., Relationship Among Research Design Choices and Psychometric Properties of Rating Scales: A Meta-Analysis, in: JoMR Vol. XXIII (February 1986), S.1-10

PETTY Richard E., CACIOPPO John T., SCHUMANN David, Central and Peripheral Routes to Advertising Effectiveness: The Moderating Role of Involvement, in: JCR, Vol.10, September 1983, S.135-146

PLUTCHIK Robert, On Emotion: The Chicken-and Egg Problem Revisited, in: Motivation and Emotion, Volume 9, No. 3, 1985, S.197-200

PÖHN Ulrike, Die Aktivierungsleistung von Anzeigentexten am Beispiel der Gemeinschaftswerbung zur Förderung des Absatzes von Österreichischen Produkten, DA an der Wirtschafts-universität Wien, 1986

PRESTON Ivan L., THORSON Esther, The Expanded Association Model: Keeping the Hierarchy Concept Alive, in: JAR February/ March 1984, Vol. 24, No.1, S.59-65

PROCHAZKA Wolfgang, Werbewirkungskriterien und -modelle, in: W&P, Folge 2/1987, S.35-40

PROHASKA O., Dünnschichtelektroden für die Hirnforschung, in: Elektronikschau 1/83, S.26-32

PYNTE Joel, Implicit Speech in the Reading of Numbers and Meaningless Syllables, in: REQUIN Jean (Hrsg.), Attention and Performance VII, Lawrence Erlbaum Associates, Publishers, Hillsdale 1978, S.179-191

RAAIJ W.Fred van, WANDWOSSEN Kassaye, Motivation-Need Theories and Consumer Behavior, in: HUNT Keith. H. (ed.), Advances in Consumer Research Volume V, Ann Arbor 1978, S.590-595

RÄDER Klaus, SCHWIBBE Michael H., Zur Bedeutung des 'Pollyanna-Prinzips' bei der Attribuierung von Familiennamen, in: Zeitschrift für experimentelle und angewandte Psychologie 1983, Band XXX, Heft 3, S.448-457

RATCHFORD Brian T., New Insights About the FCB Grid, in: JAR August/September 1987, Vol. 27, No.4, S.25-38

RAY Michael L., BATRA Rajeev, Emotion and Persuasion in Advertising: What we do and what we don't know about affect, in: BAGOZZI Richard P., TYBOUT Alice M., (Editors), Advances in Consumer Research, Volume X, Ann Arbor 1983, S.543-548

RAYNER Keith, McCONKIE George W., EHRLICH Susan, Eye Movements and Integrating Information Across Fixations, Journal of Experimental Psychology: Human Perception and Performance 1978, Vol. 4, No. 4, November 1978, S.529-544

RAYNER Keith, POSNANSKY Carla, Stages of Processing in Word Identification, Journal of Experimental Psychology: General 1978, Vol. 107, No. 1, S.64-80

RAYNER Keith, The Perceptual Span and Eye Movement Control during Reading, in: RAYNER Keith (Hrsg.), Eye Movements in Reading, Perceptual and Language Processes, Academic Press, New York - London 1983, S.97-120

REHORN Jörg, Weshalb Pretests versagen können, in: WWG-Information, Folge 77, Februar 1980, S.1-4

REHORN Jörg, Bessere Marktforschung durch Maschinen - Vom Nutzwert der Blickregistrierung, in: absatzwirtschaft 6/1986a, S.82-93

REHORN Jörg, Bessere Marktforschung durch Maschinen - Helfen Blickregistrierungstests beim Anzeigenaufbau, in: absatzwirtschaft 7/1986b, S.50-56

REID Leonard N., SOLEY Lawrence C., Decorative Models and the Readership of Magazine Ads, in: JAR, Volume 23, No. 2, April/May 1983, S.27-32

REIERSON Curtis C., Attitude Changes Toward Foreign Products, in: JoMR, Vol. IV (November 1967), S.385-387

REILLY Michael D., CONOVER Jerry N., Meta-Analysis: Integrating Results from Consumer Research Studies, in: BAGOZZI Richard P., TYBOUT Alice M. (Hrsg.), Advances in Consumer Research, Volume X, Ann Arbor 1983, S.509-513

REISENZEIN Rainer, GATTINGER Erich, Salience of Arousal as a Mediator of Misattribution of Transferred Excitation, in: Motivation and Emotion, Volume 6, No. 4, 1982, S.315-328

REMINGTON Roger W., Attention and Saccadic Eye Movements, Journal of Experimental Psychology: Human Perception and Performance 1980, Vol. 6, No. 4, S.726-744

RETHANS Arno J., SWASY John L., MARKS Lawrence J., Effects of Television Commercial Repetition, Receiver Knowledge, and Commercial Length: A Test of the Two-Factor-Model, in: JoMR Vol. XXIII (february 1986), S.50-61

REVELLE William, HUMPHREYS Michael S., SIMON Lisa, GILLILAND Kirby, The Interactive Effect of Personality, Time of Day, and Caffeine: A Test of the Arousal Model, Journal of Experimental Psychology:General, 1980, Vol. 109, No. 1, S.1-31

REVERS Wilhelm J., Die historische Relativität wissenschaftlicher Methoden - eine wissenschaftshistorische Kritik, in: ROTH Erwin (Hrsg.), Sozialwissenschaftliche Methoden, R. Oldenbourg Verlag, München-Wien 1984; S.72-85

RHENIUS Detlef, HEYDEMANN Martin, Lautes Denken beim Bearbeiten von RAVEN-Aufgaben, in: Zeitschrift für experimentelle und angewandte Psychologie 1984, Band XXXI, Heft 2, S.308-327

ROBINSON John A., Affect and Retrieval of Personal Memories, Motivation and Emotion, Vol. 4, No. 2, 1980, S.149-174

ROCK Irvin, Wahrnehmung - Vom visuellen Reiz zum Sehen und Erkennen, Spektrum der Wissenschaft, Heidelberg 1985

ROLLINS Howard A.Jr., HENDRICKS Robert, Processing of Words Presented Simultaneously to Eye and Ear, Journal of Experimental Psychology:Human Perception and Performance, 1980, Vol. 6, No. 1, S.99-101

ROSENSTIEL Lutz von, EWALD Guntram, Marktpsychologie, Bd. I: Konsumverhalten und Kaufentscheidung, Verlag W. Kohlhammer, Stuttgart-Berlin-Köln-Mainz 1979

ROSENSTIEL Lutz von, EWALD Guntram, Methoden und Ergebnisse labor- und feldexperimenteller marktpsychologischer Forschung, in: Handbuch der Psychologie, Band 12; IRLE Martin (Hrsg.), Marktpsychologie, 2.Halbband (Methoden und Anwendungen in der Marktpsychologie), Göttingen-Toronto-Zürich, 1983, S.174-270

RÖSLER Frank, Hirnelektrische Korrelate Kognitiver Prozesse, Springer Verlag, Berlin-Heidelberg-New York, 1982

ROSSITER John R., Point of View: Brain Hemisphere Activity, in: JAR, Volume 20, Number 5, October 1980, S.75-76

ROTH Erwin, Allgemeine Forschungsstrategien, in: ROTH Erwin (Hrsg.), Sozialwissenschaftliche Methoden, R. Oldenbourg Verlag, München-Wien 1984; S.86-104

ROTHSCHILD Michael L., Summary of 'Brain Wave Data as an Advertising Diagnostic, in: BAGOZZI Richard P., TYBOUT Alice M., (Editors), Advances in Consumer Research, Volume X, Ann Arbor 1983, S.184

ROTHSCHILD Michael L., HYUN Yong J., REEVES Byron, THORSON Esther, GOLDSTEIN Robert, Hemispherically Lateralized EEG as a Response to Televsision Commercials, in: JCR, Vol. 15, September 1988, S.185-198

RÖTZER F.T., ZIMMER D., Beeinflussung von Emotionen, in: EULER H. A./MANDL H. (Hrsg.), Emotionspsychologie - Ein Handbuch in Schlüsselbegriffen, Urban & Schwarzenberg, München - Wien - Baltimore, 1983

ROYCE Joseph R., The Factor-Gene Basis of Emotionality, in: Motivation and Emotion, Volume 8, No. 4, 1984, S.285-310

RUDINGER Georg, BIERHOFF Hans Werner, Quasi-Experimentelle Versuchspläne für die Markt- und Kommunikationspsychologie, in: HARTMANN K.D., KOEPPLER K.F., (Hrsg.) Fortschritte der Marktpsychologie, Bd. 2, Fachbuchhandlung für Psychologie GmbH., Frankfurt/Main, 1980

RUSSEL James A., WOUDZIA Lisa, Affective Judgements, Common Sense, and Zajonc's Thesis of Independence, in: Motivation and Emotion, Volume 10, No. 2, 1986, S.169-183

RUSSO Edward J., Eye Fixations Can Save the World: A Critical Evaluation and a Comparison between Eye Fixations and Other Information Processing Methodologies, in: HUNT Keith. H. (ed.), Advances in Consumer Research Volume V, Ann Arbor 1978, S. 561-570

RUST Langbourne W., Using Test Scores to Guide the Content Analysis of TV Materials, in: JAR, Volume 25, No.5, October/November 1985, S.17-23

RYAN Michael J., Achieving Correspondence Among Cognitive Processes and Physiological Measures, in: MITCHELL Andrew (Hrsg.), Advances in Consumer Research, Volume IX, Ann Arbor 1982, S.170-172

RYAN Michael J., BARCLAY Donald W., Integrating Results from Independent Studies, in: BAGOZZI Richard P., TYBOUT Alice M. (Hrsg.), Advances in Consumer Research, Volume X, Ann Arbor 1983, S.492-496

SAWYER Alan, WARD Scott, Carry-Over Effects in Advertising Communication, in: SHETH Jagdish N. (Hrsg.), Research in Marketing, Volume 2, JAI Press, Greenwich-Connecticut 1979, S.259-314

SEWALL Murphy A., SAREL Dan, Characteristics of Radio Commercials and Their Recall Effectiveness, in: JoM, January 1986, Volume 50, Number 1, S.52-60

SHELUGA David, JACOBY Jacob, MAJOR Brenda, Whether to Agree-Disagree or Disagree-Agree: The Effects of Anchor Order on Item Response, in: HUNT Keith. H. (ed.), Advances in Consumer Research Volume V, Ann Arbor 1978, S.109-113

SHIELDS Stephanie A., Report of Bodily Change in Anxiety, Sadness, and Anger, in: Motivation and Emotion, Volume 8, No. 1, 1984, S.1-21

SHIMP Terence A., SHARMA Subhash, Consumer Ethnocentrism: Construction and Validation of the CETSCALE, in: Journal of Marketing Research Vol. XXIV (August 1987), S.280-289

SIDDLE D.A.T., KUIACK M., STENFERT-KROESE B., The Orienting Reflex, in: GALE A., EDWARDS J.A.,(Hrsg.), Physiological Correlates of Human Behavior, Vol. II: Attention and Performance, Academic Press, London-New York 1983

SIDDLE David A.T., O'GORMAN John G., WOOD Lorraine, Effects of Electrodermal Lability and Stimulus Significance on Elektrodermal Response Amplitude to Stimulus Change, in: Psychophysiology, Vol. 16, No. 6, November, 1979, S.520-527

SIDDLE David A.T., REMINGTON Bob, KUIACK Marg, HAINES Erica, Simulus Omission and Dishabituation of the Skin Conductance Response, in: Psychophysiology, Vol. 20, No. 2, March, 1983, S.136-145

SIDDLE David A.T., HIRSCHHORN Tania, Effects of Stimulus Omission and Stimulus Novelty on Dishabituation of the Skin Conductance Response, in: Psychophysiology, Vol.23, No.3 May 1986, S.309-314

SIDDLE David A.T., PACKER Jeanette S., Stimulus Omission and Dishabituation of the Electrodermal Orienting Response: The Allocation of Processing Resources, in: Psychophysiology, Vol.24, No.2 March 1987, S.181-190

SIDDLE David A.T., BOND Nigel W., FRISWELL Rena, Effects of Stimulus Content on Second-Order Electrodermal Conditioning in Humans, in: Psychophysiology, Vol.24, No.4 July 1987, S.346-352

SIMON Hermann, ADPULS: An Advertising Model with Wearout and Pulsation, in: JoMR, Vol.XIX (August 1982), S.352-363

SIMON Hermann, Pulsierende Werbung, in: absatzwirtschaft 5/83, S.60-63

SIMON Hermann, Herausforderungen an die Marketingwissenschaft, in: Marketing-ZFP, Heft 3, August 1986, S.205-213

SIMONS Robert F., LOSITO Barbara D., ROSE Sandra C., MacMILLAN Frank W., Electrodermal Nonresponding Among College Undergraduates: Temporal Stability, Situational Specificity, and Relationship To Heart Rate Change, in: Psychophysiology, Vol. 20, No. 5, September, 1983, S.498-506

SINGH Surendra N., ROTHSCHILD Michael L., The Effect of Recall on Recognition: An Empirical Investigation of Consecutive Learning Measures, in: BAGOZZI Richard P., TYBOUT Alice M., (Editors), Advances in Consumer Research, Volume X, Ann Arbor 1983, S.271-276

SINGH Surendra N., CHURCHILL Gilbert A. Jr., Using the Theory of Signal Detection to Improve Ad Recognition Testing, in: JoMR Vol. XXIII (November 1986), S.327-336

SIX Bernd, Effektivität der Werbung, in: Handbuch der Psychologie, Band 12; IRLE Martin (Hrsg.), Marktpsychologie, 2.Halbband (Methoden und Anwendungen in der Marktpsychologie), Göttingen-Toronto-Zürich, 1983, S. 340-395

SMEAD Raymond J., WILCOX James B., WILKES Robert E., An Illustration and Evaluation of a Joint Process Tracing Methodology: Eye Movement and Protocolls, in: OLSON Jerry C., Advances in Consumer Research, Volume VII, Ann Arbor, 1979, S. 507 - 512

SMITH Chapnik M., MAGEE Lochlan E., Tracing the Time Course of Picture - Word Processing, Journal of Experimental Psychology: General, Vol. 109, No. 4, December 1980, S.373-392

SOHMEN Helmut, Hongkong auf dem Weg zur Jahrtausendwende, in: JfB,4/87, S.156-163

SOLEY Lawrence C., REID Leonard N., On the Validity of Students as Subjects in Advertising Experiments, in: JAR Vol.23, No.4 August/September 1983, S.57-59

SPIEGEL Bernt, Werbepsychologische Untersuchungsmethoden: Experimentelle Forschungs- und Prüfverfahren, Duncker & Humblot, Berlin 1958

SPIEKER Heiner, Die Wirksamkeit humoriger Werbung, in: Marketing-ZFP, Heft 2, Mai 1987, S.85-92

SPITZ Graziella, WIKLICKY Wolfgang, Entwurf und Pretest von Gestaltungsmotiven zur emotionalen Anreicherung des Herkunftszeichens für Österreichische Produkte, in: WWG-Informationen Folge 86/1982, S.15-18

SPRINGER Sally P., DEUTSCH Georg, Linkes Rechtes Gehirn - Funktionelle Asymmetrien, Spektrum der Wissenschaft, Heidelberg 1987

SPSS Inc. (ed.), SPSSX User's Guide, 2nd ed., McGraw-Hill Book Company, Chicago 1986

SRULL Thomas K., Affect and Memory: The Impact of Affective Reactions in Advertising on the representation of Product Information in Memory, in: BAGOZZI Richard P., TYBOUT Alice M., (Editors), Advances in Consumer Research, Volume X, Ann Arbor 1983, S.520-525

SULLIVAN Michael J.L., BRENDER William, Facial Electromyography: A Measure of Affective Processes During Sexual Arousal, in: Psychophysiology, Vol.23, No.2 March 1986, S.182-188

SCHAAF Michael C., Motorische Aktivität und verbale Lernleistung - leistungssteigerung durch Simultanität, in: Zeitschrift für experimentelle und angewandte Psychologie 1988, Band XXXV, Heft 2, S.298-302

SCHANDRY Rainer, Methoden der Emotionsforschung; Nicht-Sprachliche Methoden, in: EULER H. A./MANDL H. (Hrsg.), Emotionspsychologie - Ein Handbuch in Schlnsselbegriffen, Urban & Schwarzenberg, München - Wien - Baltimore, 1983

SCHENZ Dietfried, Erstellung eines Auswertungsprogrammes für den Programmanalysator in PASCAL, DA an der Wirtschaftsuniversität Wien, in Vorbereitung

SCHERTZER Clinton B., Semantic Properties of Commonly Used Scaling Adjectives, Ph.D., University of Cincinnati, University Microfilms International, Ann Arbor 1981

SCHERTZER Clinton B., KERNAN Jerome B., More on the robustness of response scales, in: JMRS, volume 27, number 4 (October 1985), S.261-282

SCHITTL Fritz, Die Aktivierungsleistung von Bankprospekten, Unveröffentlichter Forschungsbericht des Instituts für Werbewissenschaft und Marktforschung an der Wirtschaftsuniversität Wien, 1980

SCHLUND Wulf, Design - Ein neuer Irrweg ? Eine Replik auf Werner Kroeber-Riel, in: Marketing Journal 1/86, S.46-47

SCHMIDT-ATZERT Lothar, Ausdruckserscheinungen, in: EULER H. A./MANDL H. (Hrsg.), Emotionspsychologie - Ein Handbuch in Schlüsselbegriffen, Urban & Schwarzenberg, München - Wien - Baltimore, 1983

SCHMIDT-ATZERT Lothar, KUTSCHER Renate, REIZAMMER Jutta, in: Zeitschrift für experimentelle und angewandte Psychologie 1983, Band XXX, Heft 3, S.458-473

SCHNEEWEIS Hans: Das Grundmodell der Entscheidungstheorie, in: WEINBERG Peter, BEHRENS Gerold, KAAS Klaus P., Marketingentscheidungen, Kiepenheuer & Witsch, Köln 1974

SCHNEIDER Dieter, Ausgewählte Probleme empirischer Werbemittelanalyse bei Printmedien, in: WWG-Information, Folge 75/76, S.11-18

SCHNEIDER Dieter J.G., Das Investitionsgut als Grundkategorie des Investitionsgüter-Marketing - Konsequenzen der Begriffsbildung für die Marketinglehre, in: Der Markt Nr. 93, S.1 - 7

SCHNEIDER Robert E., FOWLES Don C., Unibase/glycol as an Electrolyte Medium for Recording the Electrodermal Duct Filling Response, in: Psychophysiology, Volume 16, No.1, January 1979, S.56-60

SCHNÖTZINGER Jutta, Die Messung der Anzeigenwirkung: Vergleich zwischen der nonverbalen Leseverhaltensbeobachtung und der Blickregistrierung, Band 1 und Band 2, DISS an der Wirtschaftsuniversität Wien, 1987

SCHRATTENECKER Gertraud, Die Beurteilung von Urlaubsländern durch Reisekonsumenten: Die Anwendung von Konsumverhaltensmodellen in der Tourismusforschung, Schriftenreihe empirische Marketing-forschung: Band 1, Service Fachverlag an der Wirtschaftsuniversität Wien, 1984

SCHRATTENECKER Gertraud, Einfluß der Etikettengestaltung auf das Geschmackserlebnis von Weißwein, in: W&P, Folge 1/1986, S. 15-16

SCHROIFF Hans-Willi, Zum Stellenwert von Blickbewegungsdaten bei der Mikroanalyse kognitiver Prozesse, in: ISSING Ludwig J., MICKASCH Heidemarie D., HAACK Johannes (Hrsg.), Blickbewegung und Bildverarbeitung - Kognitionspsychologische Aspekte visueller Informationsverarbeitung, Peter Lang, Frankfurt am Main - Bern - New York 1986, S.57-82

SCHUB Gerhard, SCHÜTZE Monika, Pros, Contras und Conclusions zum Einsatz nonverbaler Methoden, in: absatzwirtschaft 9/86, S.120-126

SCHULZ Roland, Kommunikations-Wirkung läßt sich messen-Beispiel Henkel: Der 'Persil-Presenter', in: Marketing Journal 6/83, S.515-518

SCHÜRER-NECKER Elisabeth, Die Wirkung der emotionalen Tönung von Wörtern auf das Clusteringphänomen beim freien Reproduzieren, in: Zeitschrift für experimentelle und angewandte Psychologie 1983, Band XXX, Heft 2 S.299-310

SCHWARTZ Gary E., WEINBERGER Daniel A., Patterns of Emotional Repsonses to Affective Situations: Relations Among Happiness, Sadness, Anger, Fear, Depression, and Anxiety, Motivation and Emotion, Vol. 4, No. 2, 1980, S. 175-191

SCHWARZ Helga, Imagetransfer - Eine empirische Studie zur Akzeptanz identischer Markennamen in unterschiedlichen Produktklassen, DA an der Wirtschaftsuniversität Wien, 1978

SCHWEIGER Günter, Nonverbale Imagemessung, Arbeitspapier Nr.16 des Ordinariats für Werbewissenschaft und Marktforschung an der Wirtschaftsuniversität Wien, Wien 1985

SCHWEIGER Günter (Hrsg.), Österreichs Image im Ausland, NORKA Verlag, Wien 1988

SCHWEIGER Günter, SCHRATTENECKER Gertraud, Werbung - Eine Einführung, UTB, Fischer Verlag, Stuttgart-New York, 1986

SCHWEIGER G. MAZANEC J., WIEGELE O., Das erlebte Risiko als Determinante der Sparentscheidungen privater Anleger: Empirische Befunde zur Nutzung `höherer` Sparformen in der österreichischen Bevölkerung, Arbeitspapier Nr.7 des Instituts für Werbewissenschaft und Marktforschung an der Wirtschaftsuniversität Wien, 1977

SCHWEIGER Günter C., HRUSCHKA Harald, Analysis of Advertising Inquiries - Inquiries are a perfect measure of advertising effect, in: JAR, Volume 20, Number 5, October 1980, S.37-39

SCHWEIGER Günter, WIKLICKY Wolfgang, Moderne Verfahren des Werbemittelpretests, in: W&P, Folge 1/1985, S.1-6

SCHWEIGER Günter, BAUMGARTNER Peter, Der Einfluß der Werbung auf das Geschmackserlebnis - Empirische Messung der Irradiation durch unterschiedliche Gestaltung der Etiketten bei Weißwein, in: W&P Folge 4/1988, S.127-131

SCHWIBBE Michael H., BECKER Dietrich, RÄDER Klaus, EEG-Korrelate emotionalen Erlebens, in: Zeitschrift für experimentelle und angewandte Psychologie 1984, Band XXXI, Heft 1, S.139-152

STANLEY Thomas J., Cola Preferences: Disguised Taste vs. Brand Evaluations, in: HUNT Keith. H. (ed.), Advances in Consumer Research Volume V, Ann Arbor 1978, S.19-21

STANTON John L., BONNER Greg P., An Investigation of the Differential Impact of Purchase Situation on Levels of Consumer Choice Behavior, in: OLSON Jerry C., Advances in Consumer Research, Volume VII, Ann Arbor, 1979, S. 639 - 643

STEFFENHAGEN Hartwig, Zum Stand der "Kunst" - Übersicht über Werbewirkungsforschung, in: w&v Nr.12/23.März 1984a, S.44-45

STEFFENHAGEN Hartwig, Ansätze der Werbewirkungsforschung, in: Marketing-ZFP, Heft 2, Mai 1984b, S.77-88

STEFFENHAGEN Hartwig, Ansätze der Werbewirkungsforschung im Überblick, Teil I, Planung und Analyse, Mai, 5/1985a, S.192-196

STEFFENHAGEN Hartwig, Ansätze der Werbewirkungsforschung im Überblick, Teil II, Planung und Analyse, Juni, 6/1985b, S.262-267

STEGMÜLLER Wolfgang, Probleme und Resultate der Wissenschaftstheorie und Analytischen Philosophie, Band II Theorie und Erfahrung, Studienausgabe in drei Teilen:
Teil A - Erfahrung, Festsetzung, Hypothese und Einfachheit in der wissenschaftlichen Begriffs- und Theorienbildung, (1970a)
Teil B - Wissenschaftssprache, Signifikanz und theoretische Begriffe, (1970b)
Teil C - Beobachtungssprache, theoretische Sprache und die partielle Deutung von Theorien, (1970c),
alle: Springer Verlag, Berlin - Heidelberg - New York 1970

STEMMLER Gerhard, Psychophysiologische Emotionsmuster: ein empirischer und methodologischer Beitrag zur inter- und intraindividuellen Begründbarkeit, Europäische Hochschulschriften, Reihe VI Psychologie, Band 127, Peter Lang, Frankfurt/Main - Bern - New York - Nancy 1984

STEMMLER Gerhard, Standardization Within Subjects: A Critique of Ben-Shakhar's Conclusions, in: Psychophysiology, Vol.24, No.2 March 1987, S.243-246

STERNTHAL B., CRAIG C.S., Consumer Behavior - An Information Processing Perspective, Prentice-Hall, Englewood Cliffs 1982

STEWART David W., FURSE David H., Analysis of the Impact of Executional Factors on Advertising Performance, in: JAR December 1984/January 1985, Vol. 24, No.6, S.23-26

STEWART David W., The Moderating Role of Recall, Comprehension, and Brand Differentiation on the Persuasiveness of Television Advertising, in: JAR April/May 1986, Vol. 26, No.2, S.43-47

STREISSLER, E./STREISSLER M., Konsum und Nachfrage, Kiepenheuer & Witsch, Köln-Berlin 1966

STRIA Ilse, Der Anteil der Kinder am Kaufentscheidungsprozeß in Familien - am Beispiel einer Urlaubsentscheidung, DA an der Wirtschaftsuniversität Wien, 1985

TACKE Gero, Die alltagspsychologische Bedeutung von Eigenschaftsbegriffen: Eine Reinterpretation und experimentelle Untersuchung der Hypothese vom Bedeutungswandel, in: Zeitschrift für experimentelle und angewandte Psychologie 1986, Band XXXIII, Heft 3, S.489-499

TASHCHIAN Armen, WHITE Dennis J., PAK Sukgoo, Signal Detection Analysis and Advertising Recognition: An Introduction to Measurement and Interpretation Issues, in: JoMR Vol. XXV (November 1988), S.397-404

THIEL Thomas, EYE Alexander von, Zum Einfluß von Bildhaftigkeit und Verarbeitungstiefe auf das Behalten von Texten, in: Zeitschrift für experimentelle und angewandte Psychologie 1986, Band XXXIII, Heft 3, S.500-518

THORSON Esther, REEVES Byron, Effects of Over-Time Measures of Viewer Liking and Activity during Programs and Commercials on Memory for Commercials, in: LUTZ Richard J. (ed.), Advances in Consumer Research, Volume XIII, 1986, S. 549 - 553

TÖLLE Klaus, Das Informationsverhalten der Konsumenten - Zur Nutzung und Wirkung von Warentestinformationen, Campus Verlag, Frankfurt/Main - New York 1983

TOPRITZHOFER E., Modelle des Kaufverhaltens: Ein kritischer Überblick, in: HANSEN Hans Robert, Computergestützte Marketing-Planung, Verlag moderne industrie, München 1974, S.35-73

TRÄNKLE Ulrich, Auswirkungen der Gestaltung der Antwortskala auf quantitative Urteile, in: Zeitschrift für Sozialpsychologie 1987, Band 18, Heft 2, S.88-99

TRAXEL Werner, Emotionsdimensionen, in: EULER H. A./MANDL H. (Hrsg.), Emotionspsychologie - Ein Handbuch in Schlüsselbegriffen, Urban & Schwarzenberg, Mnnchen - Wien - Baltimore, 1983

TREE Gabriele, Für und Wider die Verwendung des 'A'-Herkunftszeichens für Dienstleistungen, HA am ULG für Werbung und Verkauf, Wien 1984

TREISTMAN Joan, 'Schlüsselbotschaft', Was man nicht gesehen hat, kauft man nicht/Blickaufzeichnung in der US-Werbeforschung, in: w&v Nr. 46/13.November 1987, S.92-99

TRIANDIS Harry C., Cultural Influences Upon Cognitive Processes, in: BERKOWITZ Leonard (Hrsg.), Advances in Experimental Social Psychology, Volume 1, Academic Press, New York 1964, S.2-48

TROMMSDORFF Volker, Die Messung von Produktimages für das Marketing, Grundlagen und Operationalisierung, Carl Heymanns Verlag KG, Köln-Berlin-Bonn-München, 1975

TROMMSDORFF Volker, Probleme der Image- und Einstellungsmessung im Werbepretest, in: REBER Gerhard (Hrsg.), Personal- und Sozialorientierung der Betriebswirtschaftslehre, Band 3: Vorträge der Arbeitsgruppe Marketing, C.E. Poeschel Verlag, Stuttgart 1977, S.61-84

TROMMSDORFF Volker, Image- und Einstellungsmessung in der Marktforschung: theoretische und pragmatische Argumente zur mehrdimensionalen Messung, Der Markt Nr. 57, 1976, S.28-32

TROMMSDORFF Volker, Kausalmodelle: Gegen Irrtum in der Marktforschung, in: Marktforschung 4/1982, S.111-116

TRUAX Steven R., Determinants of Emotion Attributes: A Unifying View, in: Motivation and Emotion, Volume 8, No. 1, 1984, S.33-54

TURPIN Graham, Effects of Stimulus Intensity on Autonomic Responding: The Problem of Differentiating Orienting and Defense Reflexes, in: Psychophysiology, Vol.23, No.1 January 1986, S.1-14

TZSCHASCHEL Martin, Jetzt kann man das Gehirn beim Denken beobachten, in: P.M 7/1986, 20.Juni 1986, S.22-30

URBAN G.L., Ein Entscheidungsmodell zur Einführung neuer Produkte, in: WEINBERG Peter, BEHRENS Gerold, KAAS Klaus P., Marketingentscheidungen, Köln 1974 (Kiepenheuer&Witsch)

VAJDA Stephan, Gütesiegel: A in Rot-Weiß-Rot, Wie man sein Erzeugnis patriotisch veredeln kann, in: Trend, 11/82, S.70

VAUGHN Richard, How Advertising Works: A Planning Model-...putting it all together, in: JAR, Volume 20, Number 5, October 1980, S.27-33

VAUGHN Richard, How Advertising Works: A Planning Model Revisited, in: JAR February/March 1986, Vol. 26, No.1, S.57-66

VEHRS Wolfgang, ZSCHUPPE Ulrich, Ein Verfahren zur Erfassung der Selbstbeurteilung erlebter Gefühlsverläufe während der Messung der elektrodermalen Reaktion, in: Zeitschrift für experimentelle und angewandte Psychologie 1982, Band XXIX, Heft 3 S.505-516

VERBATEN M.N., ROELOFS J.W., SJOUW W., SLANGEN J.L., Different Effects of Uncertainty and Complexity on Single Trial Visual ERPs and the SCR-OR in Non-Signal Conditions, in: Psychophysiology, Vol.23, No.3 May 1986, S.254-262

WALKER Edward L., Berlyne's Theoretical Contributions to Psychology, Motivation and Emotion, Vol. 4, No. 2, 1980, S.105-111

WANSCH Heidelinde, Computergestützte Aktivierungsmessung und ihre Fehlerquellen am Beispiel von Anzeigen der Gemeinschaftswerbung zur Förderung des Absatzes von österreichischen Produkten, DA an der Wirtschaftsuniversität Wien, 1987

WEBER Germain, BAUER Herbert, Informationsverarbeitung und Leistungsniveau in Abhängigkeit kortikaler Gleichspannungsschwankungen, in: Zeitschrift für experimentelle und angewandte Psychologie 1986, Band XXXIII, Heft 1, S.164-176

WEICHERT Dieter,Psychobiologische Werbewirkungsforschung: Einige Anmerkungen zum Beitrag von Beate von Keitz in Heft 2/86, in: W&P, Folge 6/1986, S.224-226

WEIDLING Elke, Zur Messung des Involvements, in: W&P Folge 5/1988, S.165-167

WEINBERG Peter, Das Entscheidungsverhalten der Konsumenten, Ferdinand Schöningh Verlag, UTB, Paderborn-München-Wien-Zürich, 1981

WEINBERG Peter, Die Bedeutung der nonverbalen Kommunikationsforschung für Marktforschung und Werbung, in: MAZANEC Josef, SCHEUCH Fritz (Hrsg.), Marktorientierte Unternehmensführung, Service-Fachverlag an der Wirtschaftsuniversität Wien, 1984, S.455-474

WEINBERG Peter, Vereinfachung von Kaufentscheidungen bei Konsumgütern, in: Marketing-ZFP, Heft 2, Juni 1980, S.87-94

WEINER B., Theories of Motivation - from mechanism to cognition, Rand McNally College Publisihing, Chicago 1972

WEINSTEIN Sidney, A Review of Brain Hemisphere Research, in: JAR June/July 1982, Vol. 22, No.3, S.59-63

WEINSTEIN Sidney, DROZDENKO Ronald, WEINSTEIN Curt, Advertising Evaluation Using Brain-Wave Measures: A response to the Question of Validity, in: JAR April/May 1984, Vol. 24, No.2, S.67-71

WEISS Astrid, Werbewirkungsmessung mit Hilfe der computergestützten Blickregistrierung, DA an der Wirtschaftsuniversität Wien, 1987

WEISS R.F., An Extension of Hullian Learning Theory to Persuasive Communication, in: GREENWALD A.G., BROCK T.C., OSTROM T.M., (Hrsg.) Psychological Foundations of Attitudes, Academic Press, New York-London 1968

WESTERMANN Rainer, Zur Messung von Einstellungen auf Intervallskalenniveau, in: Zeitschrift für Sozialpsychologie 1982, Band 13, Heft 2, S.97-108

WETTIG Herbert, Wie reagieren Leser von Anzeigen - Eine nonverbale Methode der Leseverhaltensbeobachtung, in: WWG-Informationen, Folge 94, 1983

WEYER Geerd, BLYTHE Steven T., Zur Behandlung des Ausgangswertproblems durch die Datentransformation mit orthogonalen Polynomen, in: Zeitschrift für experimentelle und angewandte Psychologie 1983, Band XXX, Heft 3, S.500-521

WHALEN Bernie, National campaign promotes American-made theme, product emblem as marketing strategy, in: AMA Marketing News, Vol. 18, No. 6, March 16, 1984, S.1

WHEATLEY John J., OSHIKAWA Sadaomi, The Relationship between Anxiety and Positive and Negative Advertising Appeals, JoMR, Vol. VII, No. 1, February 1970, S.85-89

WHITE Christopher de B., CHARLES Peter, Telemetric Skin Conductance With Computer Interface, in: Psychophysiology, Vol. 20, No. 5, September, 1983, S.597-599

WICKER Allen W., Einstellungen versus Handlungen: Der Zusammenhang verbaler und offener Verhaltensreaktionen auf Einstellungsobjekte, in:HORMUTH Stefan E. (Hrsg.), Sozialpsychologie der Einstellungsänderung, Verlagsgruppe Athenäum - Hain - Scriptor - Hanstein, Königstein/Ts. 1979, S.191-227

WIENDIECK Gerd, BUNGARD Walter, LÜCK Helmut E.: Konsumentenentscheidungen - Darstellung und Diskussion konkurrierender Forschungsansätze, in: Handbuch der Psychologie, Band 12; IRLE Martin (Hrsg.), Marktpsychologie, 2.Halbband (Methoden und Anwendungen in der Marktpsychologie), Göttingen-Toronto-Zürich, 1983, S.1-63

WILTON Peter C., MYERS John G., Task, Expectancy, and Information Assessment Effects in Information Utilization Processes, in: JCR, Vol.12, March 1986, S.469-486

WIMMER Rolf-M. Das Wear-Out Gespenst, in: WWG-Information, Folge 77, Februar 1980, S.4-5

WINDISCHBAUER Gerhard, Apparative Werbeforschung im Jahr 2000, in: W&P, Folge 2/1988, S.60-61

WINTER Manfred, MAYERHOFER Wolfgang, Kind - Familie - Fernsehen - Werbung (II.Teil) - Empirische Studie: Die Effekte der Fernsehwerbung auf die Position des Kindes beim Kaufentscheidungsprozeß in der Familie, in: WWG-Information Folge 93/1983, S.79-84

WOODSIDE Arch G., RONKAINEN Ilkka A., Travel Advertising: Newspapers versus Magazines, in: JAR June/July 1982, Vol. 22, No.3, S.41-43

WOODSIDE Arch G., WILSON Elizabeth J., Effects of Consumer Awareness of Brand Advertising on Preference, in: JAR August/September 1985, Vol. 25, No.4, S.41-48

WOODSON Philip P., BUZZI Roberto, NIL Rico, BÄTTIG Karl, Effects of Smoking on Vegetative Reactivity to Noise in Women, in: Psychophysiology, Vol.23, No.3 May 1986, S.272-282

WOTTAWA Heinrich, Grundriß der Testtheorie, Juventa Verlag, München 1980

WUSST Christian, Ansätze zur Image- und Einstellungsmessung am Beispiel "Österreich", Band 1, Dissertation an der Wirtschaftsuniversität Wien, Wien 1987

YESAWICH Peter Charles, Psychological Complexity and Arousal Theory: An Investigation of the Applicability of Principles of Intrinsic Motivation to the Practice of Print Advertising, Ph.D., Cornell University, University Microfilms International, Ann Arbor 1976

ZAHN Theodore, SCHOOLER Carmi, MURPHY Dennis L., Autonomic Correlates of Sensation Seeking and Monoamine Oxidase Activity: Using Conformatory Factor Analysis on Psychophysiological Data, in: Psychophysiology, Vol.23, No.5 September 1986, S.521-531

ZALTMAN Gerald, PINSON Christian R.A., ANGELMAR R., Metatheory and Consumer Research, New York 1973

ZEIER Hans, Entspannung durch biofeedbackunterstützte Atemmeditation und autogenes Training, in: Zeitschrift für experimentelle und angewandte Psychologie 1985, Band XXXII, Heft 4, S.682-695

ZEITLIN David M., WESTWOOD Richard A., Measuring Emotional Response, in: JAR October/November 1986, Vol. 26, No.5, S.34-44

ZINKHAN George M, GELB Betsy D., What Starch Scores Predict, in: JAR August/September 1986, Vol. 26, No.4, S.45-50

ZSCHOCKE Jochen, Forscher auf Blickfang - Was die Blickregistrierung für die Werbung leistet (2), in: w&v Nr. 50/16.Dezember 1983, S.21

ZURAWSKI Raymond M., HOUSTON Kent B., The Jenkins Activity Survey Measure of Type A and Frustration-Induced Anger, in: Motivation and Emotion, Volume 7, No. 3, 1983, S.301-312

A N H A N G

Tabelle 1: Zusammenstellung von 10 Definitionen des Begriffes 'Theorie'

Achinstein:	"*T* is a theory, relative to the context, if and only if *T* is a set of propositions that (depending on the context) is (was, might have been, and so forth) not known to be true or to be false but believed to be somewhat plausible, potentially explanatory, relatively fundamental, and somewhat integrated."[a]
Brodbeck:	"A deductively connected set of laws"[b]
Hempel:	A scientific theory "may be considered as a set of sentences expressed in terms of a specific vocabulary."[c]
Bunge:	"Theory designates a system of hypotheses."[d] "A set of scientific hypotheses is a scientific theory if and only if it refers to a given factual subject matter and every member of the set is either an initial assumption (axiom, subsidiary assumption, or datum) or a logical consequence of one or more initial assumptions."[d]
Rudner:	"A theory is a systematically related set of statements, including some lawlike generalizations, that is empirically testable."[e]
Labovitz and Hagedorn:	"A scientific theory: a set of interrelated propositions that comprise a deductive system."[f]
Galtung:	"Theory, *T*, is a structure (*H*, *I*) where *H* is a set of hypotheses and *I* is a relation in *H* called 'implication' or 'deducibility' so that *H* is weakly connected by *I*."[g]
De Groot:	A theory is "a system of logically interrelated, specifically noncontradictory, statements, ideas, and concepts relating to an area of reality, formulated in such a way that testable hypotheses can be derived from them."[h]
Nagel:	"The distinction between experimental laws and theories is based on the contention that laws subsumed under the first of these labels, unlike the laws falling under the second one, formulate relations between observable (or experimentally determinable) traits of some subject matter."[i]
Caws:	A theory "is a set of universal propositions asserted by means of a corresponding set of universal sentences."[j]

[a] Peter Achinstein, *Concepts of Science:* A Philosophical Analysis, p. 129.
[b] May Brodbeck, "Models, Meaning and Theories," in May Brodbeck (ed)., *Readings in the Philosophy of the Social Sciences.*
[c] Carl G. Hempel, *Aspects of Scientific Explanation*, p. 182.
[d] Mario Bunge, *Scientific Research*, Vol. I, p. 387.
[e] Richard S. Rudner, *Philosophy of Social Science*, p. 10.
[f] Sanford Labovitz and Robert Hagedorn, *Introduction to Social Research*, p. 111.

Quelle: ZALTMAN/PINSON/ANGELMAR (1973, S.76)

WM

Abbildung 5: Darstellung des HOWARD-OSTLUND-Modells

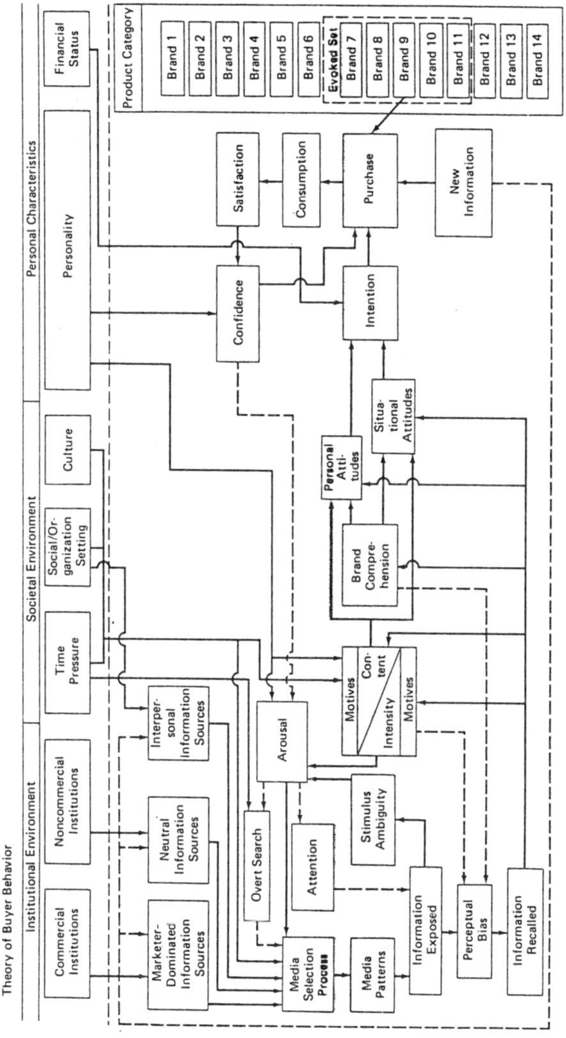

Quelle: STERNTHAL/CRAIG (1982, S.50)

WM

Abbildung 17: Anzeige der AUSTRIAN AIRLINES

WM

Abbildung 18: Anzeige für Österreichischen Wein

WM

Tabelle 2: Zusammenstellung verschiedener Stufenmodelle

Verfasser	Wirkungsgrößen
Behrens, K. Chr., 1963	Berührungserfolg/Beeindruckungserfolg/Gedächtnis- oder Erinnerungserfolg/Interesseweckungserfolg/Aktionserfolg
Bidlingmaier, J., 1975	Bedürfnisweckung/Verbesserung des Informationsstandes/Bildung von Präferenzen/Weckung von Kaufinteressen/Auslösung von Kaufhandlungen
Colley, R. H., 1961	Awareness/Comprehension/Conviction/Action
Fischerkoesen, H., 1967	Bekanntheit/Image/Nutzen/Präferenz/Handlung
Goldmann, H. M., 1953	Definitionsstufe/Identifikationsstufe/Beweisstufe/Annahmestufe/Begierdestufe/Abschlußstufe (DIBABA)
Hotchkiss, G. B., 1950	Aufmerksamkeit und Interesse/Überzeugung/Wunsch/Handlung
Junk, H., 1973	Bekanntheit/Verständnis/Einstellung/Motivation/Kaufakt
Kitson, H. D., 1940	Aufmerksamkeit/Interesse/Wunsch/Vertrauen/Entscheidung/Handlung/Zufriedenheit
Koch, W., 1958	Erregung der Aufmerksamkeit/Führung der erregten Aufmerksamkeit/Weitergabe des Werbeinhaltes/Schaffung einer günstigen Stimmung/Auslösung einer Kaufhandlung
Kotler, Ph., 1967	Awareness/Knowledge/Liking/Preference/Loyality
Lavidge, R. C. und Steiner, G. A., 1961	Awareness/Knowledge/Liking/Preference/Conviction/Purchase
Lewis, E. St., 1898	Attention/Interest/Desire/Action (AIDA)
Lisowsky, A., 1951	Sinnenergreifung/Seelengewinnung/Seelenformung/Seelenentladung
Maecker, E. J., 1953	Unbewußte Wahrnehmung/Bewußte Wahrnehmung/Erwünschte Gedankenverbindung/Verlust/Einstellung/Wunsch/Bedürfnis
Maecker, E. J., 1962	Sinneswirkung/Aufmerksamkeitswirkung/Vorstellungswirkung/Gefühlswirkung/Gedächtniswirkung/VerstandeswirkungAppell/Hinstimmung/Verkettung/Argumentation
Meyer, P., 1963	Bekanntmachung/Information/Hinstimmung/Handlungsanstoß
Montgomery D. B. und Urban, G. L., 1969,	Exposure/Awareness/Attitude/Sales/Profits
Rowse und Fish 1945	Attention/Interest/Desire/Confidence/Action (AIDCA)
Seyffert, R., 1966	Sinneswirkung/Aufmerksamkeitswirkung/Vorstellungswirkung/Gefühlswirkung/Gedächtniswirkung/Willenswirkung
Strong, E. K., 1938	want/solution/action/satisfaction
Wündrich-Meißen, H., 1953	Blickfang/Neugierweckung durch eine Schlagzeile/Die Moral aus der Story/Überleitung zur gebotenen Leistung/Weckung des Bedarfs nach der Leistung-/Gegenüberstellung von Dienst und Preis/Einwandwiderlegung/Antrieb zum Handeln
Howard, J. A. und Sheth, J. N., 1969	Attention/Brand Comprehesion/Attitude/Intention/Purchase

(in Anlehnung an Bender, 1976, S. 139)

Quelle: SIX (1983, S.367-369)

WM

Abbildung 24: Einteilung von Meßverfahren nach HOSSINGER

<table>
<tr><td colspan="4">W e r b e w i r k u n g s a n a l y s e</td></tr>
<tr><td colspan="2">ex-ante Analyse</td><td colspan="2">ex-post Analyse</td></tr>
<tr><td>ex-ante Analyse der ökonomischen Werbewirkung</td><td>ex-ante Analyse der psychischen Werbewirkung</td><td>ex-post Analyse der ökonomischen Werbewirkung</td><td>ex-post Analyse der psychischen Werbewirkung</td></tr>
<tr><td></td><td>Pretest im engeren Sinne</td><td></td><td>Posttest im engeren Sinne</td></tr>
<tr><td colspan="2">Pretest im weiteren Sinne</td><td colspan="2">Posttest im weiteren Sinne</td></tr>
</table>

Quelle: HOSSINGER (1982, S.56)

Tabelle 4: Qualitative Unterschiede verschiedener Gefühle

Items Constituting Scales for Anxiety, Sadness, Anger

	Corrected item-total correlation					
	Anxiety		Sadness		Anger	
	Females	Males	Females	Males	Females	Males
1. My face becomes hot[a]	–	–	.42	.49	.32	.38
2. My hands become cold	.42	.55	.39	.39	–	–
3. I perspire	–	–	.43	.59	–	.50
4. My mouth becomes dry	.34	.43	.43	–	.35	.50
5. I am aware of increased muscle tension in my body	–	–	.38	–	–	–
6. I get a headache	–	.40	.26	–	.34	.37
7. I breathe more shallowly	.45	.47	–	–	–	–
8. I feel my heart beat faster	.45	.43	.50	.63	.37	.38
9. The intensity of my heartbeat increases	.30	.31	.41	.57	–	.42
10. I am often aware of changes in my breathing	.45	–	.34	–	.32	.42
11. My breathing becomes more rapid	.44	.58	.37	.52	.31	.40
12. I am aware of changes in my heart action	.42	.30	.35	.55	.32	.35
13. I feel as if blood is rushing to my head	.31	.56	.49	.59	.34	.54
14. I get a lump in my throat or a choked-up feeling	.42	.41	–	.53	.54	.56
15. My stomach gets upset	.36	.41	.31	.51	.64	.55
16. I get a sinking or heavy feeling in my stomach	–	–	.30	.55	.52	.31
17. I have difficulty talking	–	.60	–	.55	.37	.49
18. I feel cold or chilly	.52	.56	.34	–	–	–
19. My eyes get moist or watery	.37	.49	.27	.44	.34	.40
20. I experience a dulling of my senses	–	.34	–	–	.29	–
21. I become weak and shaky on my feet	.43	–	.38	.52	.36	.37
22. I get nauseated	.46	.52	.37	.52	.55	.44
23. My palms get sweaty	.29	–	.41	.38	–	–
24. I get restless	–	–	–	.34	–	–
25. I urinate more frequently or have the urge to urinate more frequently	.37	.57	.39	.44	.32	.47
26. My face feels cold and pale	.45	.51	.29	–	–	–
27. I get a heavy feeling or knot in my chest	.33	.41	.31	.55	.50	.43
28. I get goosebumps	.33	.70	.41	–	.33	–
29. I feel faint or dizzy	.59	.53	.50	.45	.52	.47
30. I get a fluttering, light feeling in my chest	.34	–	–	.39	.23	.40
Number of items	22	21	24	21	21	21
$\bar{X}$	122.2	102.6	110.2	94.9	102.4	100.9
SD	26.7	28.0	27.0	27.1	23.5	23.5
Cronbach's alpha	.84	.88	.83	.89	.83	.86

[a]All items were cast in sentence form and began, "When I feel anxious (sad, angry), . . ."

Quelle: SHIELD (1984, S.16/17)

WM

Abbildung 32: Funktionsprinzip des Handhebels zur 'ereignissimultanen Erhebung' erlebter Gefühlsverläufe

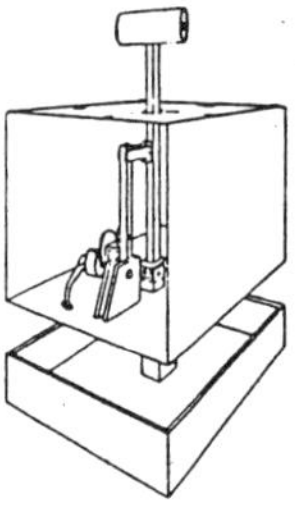

Handhebel zur ereignissimultanen Urteilsabgabe. Vorderfront geöffnet. Eine der vier kreuzförmig angeordneten Hebelmechaniken ist eingezeichnet

Quelle: VEHRS/ZSCHUPPE (1982, S.507)

WM

Tabelle 5: Definitionen des Begriffes 'Motivation' nach KLEINGINNA/KLEINGINNA

Source of Motivation Definitions

Area of psychology	Number of texts before 1970	Number of articles before 1970	Total before 1970	Number of texts since 1970	Number of articles since 1970	Total since 1970
Motivation	7	8	15	12	0	12
Introduction	5	0	5	18	0	18
Physiological	3	1	4	16	0	16
Animal behavior	4	0	4	9	0	9
Dictionary/ terminology	2	2	4	0	0	0
Motivation/ emotion	1	0	1	2	0	2
Work motivation	1	0	1	1	1	2
Educational	1	0	1	1	0	1
Social	1	0	1	1	0	1
Developmental	0	0	0	1	0	1
Emotion	0	0	0	1	0	1
Experimental	1	0	1	0	0	0
History and systems	0	0	0	1	0	1
Learning	0	0	0	1	0	1
Total	26	11	37	64	1	65

Quelle: KLEINGINNA/KLEINGINNA (1981, S.265)

WM

Tabelle 8: Einfluß chemischer Stoffe auf emotionale Vorgänge

Chemische Stoffe, die emotionale Vorgänge beeinflussen, und deren mögliche zentrale und periphere Wirkungsmechanismen.

Präparatgruppe	Beispiele für Präparate	Induzierte Emotion	Zentrales Nervensystem neurochemisch	Zentrales Nervensystem neurophysiologisch	Periphere Mechanismen
Psychopharmaka					
Tranquillantien	Diazepam (Valium[R])	Emotionale Entspannung, Angsthemmung	GABA-Verstärkung	Dämpfung von Erregung im limbischen System	Muskelentspannung
Sedativa/Hypnotika	Alkohol, Schlafmittel			Dämpfung von Erregung im ZNS	
Zentrale Analgetika	Morphium	Schmerzhemmung, allgemeines Wohlbefinden	Beeinflussung von Endorphinen	Dämpfung von Erregung in Schmerzleitungssystemen	
Neuroleptika	Haloperidol (Haldol[R])	Angsthemmung (bei Schizophrenien), Erregtheitshemmung	Hemmung von Dopaminverfügbarkeit	Dämpfung von Aktivierungssystemen (Formatio reticularis)	
Antidepressiva	Imipramin (Tofranil[R])	Stimmungsaufhellung (bei Depressiven)	Erhöhung der Verfügbarkeit von Noradrenalin oder Serotonin	Dämpfung und/oder Erregugng von ZNS-Strukturen	
Stimulantien	Methamphetamin (Pervitin[R]) Kokain Nikotin	Allgemeines Wohlbefinden bei niedrigen, Mißstimmung bei hohen Dosen	Erhöhung oder Erniedrigung der Verfügbarkeit von Noradrenalin	Erregung von Aktivierungssystemen	
Psychotomimetika (Halluzinogene)	LSD Meskalin	Positive oder negative Emotion je nach Person und Situation	Serotonin-Beeinflussung	Enthemmung und/ oder Erregung im ZNS	Sympathische Erregung
Vegetative Pharmaka					
vegetative Pharmaka: sympathikus-aktivierende	β-aktivierende Stoffe wie Orciprenalin (Alupent[R])	Angstverstärkung			Verstärkung vegetativer Vorgänge
vegetative Pharmaka: symphatikus-hemmende	β-Blocker wie Oxprenolol (Trasicor[R])	Angsthemmung bei Angspatienten und bei Vorliegen äußerer Hinweisreize bei Gesunden			Hemmung vegetativer Vorgänge, die emotionale Prozesse verstärken können
Muskuläre Pharmaka (Myopharmaka)					
Muskuläre Stoffe (Myopharmaka)	Carisoprodol (Sanoma[R])	Emotionale Entspannung	GABA-Verstärkung		Hemmung von Muskelspannung
Neurotrop wirkende Umweltstoffe					
Schwermetalle	Blei, Cadmium	Innere Erregtheit, Mißstimmung			Sympathische Erregung
Hormone					
Schilddrüsenhormone	Thyroxin	Innere Erregtheit, verstärkte emotionale Reagibilität	Noradrenalinverstärkung	Erregung oder Hemmung des ZNS (dosisabhängig	Sympathische Erregung
Keimdrüsenhormone					
– männliche	Testosteron	Allgemeines Wohlbefinden, Aggressivität bei bestimmten Personen	Noradrenalinverstärkung		Sympathische Erregung
– weibliche	Östrogene				
Nebennierenrindenhormone	Cortison	Allgemeine Erregung, Angst oder Ärger bei äußeren Hinweisreizen	Noradrenalinverstärkung		Sympathische Erregung
Nebennierenmarkhormone	Adrenalin	Allgemeine Erregtheit, Angst bei äußeren Hinweisreizen	Noradrenalinverstärkung		Sympathische Erregung

Quelle: JANKE (1983, S.134/135)

WM

Jetzt können Sie zwanglos und unkompliziert Blickreaktionsmessungen durchführen...

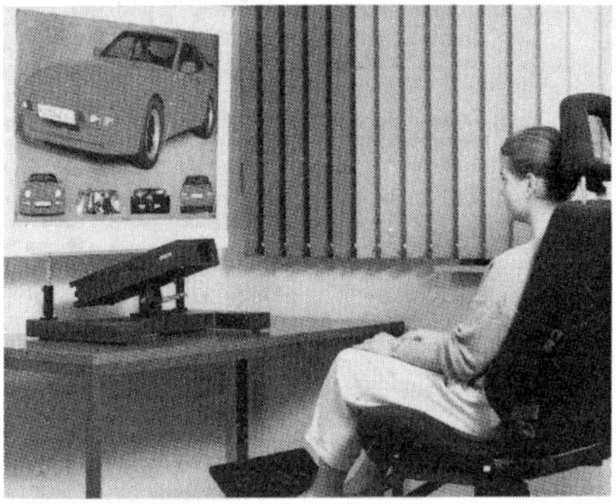

...und die Datenauswertung sofort vornehmen. Mit dem DEBIC 80 System.

Mit diesem System ist es erstmals möglich, unabhängig von Kopfjustiergerüsten und damit ohne Körperkontakt Blickreaktionstests durchzuführen. Der Probant sitzt bequem in einem Sessel, der eine Kopfruhigstellung ermöglicht und kann ganz gelassen auf Bilder oder Filme reagieren. Mit mobiler Peripherie können die Augenreaktionen festgestellt, gemessen, photografiert und ausgewertet werden. Stationär oder dort wo die Werte gebraucht werden.
Alle ermittelten Daten können über Monitoren abgelesen oder ausgewertet oder über eine Floppy-Disc-Einheit abgespeichert werden.
Und so funktioniert das DEBIC 80 System:
1. Optik. Die Optik des Blickmeßsystems besteht im wesentlichen aus drei Teilen:
a) einer Infrarotlichtquelle mit Kondensoroptik und einem halbdurchlässigen Spiegel, der Infrarotstrahlengang und Kamerastrahlengang zusammenführt.
b) Einer TV-Kamera mit infrarotempfindlichem Vidicon.
c) einer TV-Kamera zur Aufnahme der Szene.

2. Leistungsfähiger Polyprozessor. Dieser Polyprozessor hat folgende Aufgaben:
a) Erkennung verschiedener Grauwerte und Flächen in dem elektrischen Videosignal.
b) Selektion und eindeutige Erkennung von Pupille und Hornhautreflex in diesem Videosignal.
c) Berechnung des Mittelpunktes der Pupille und des Hornhautreflexes relativ zu den Kanten des Videobildes.
d) Bestimmung des Pupillendurchmessers. Der Pupillendurchmesser wird auch bei teilweise verdeckter Pupille exakt bestimmt.
e) Bestimmung des Abstandsvektors von Mittelpunktpupille zum Mittelpunkt des Hornhautreflexes. Dieser Abstandsvektor ist die Meßgröße für die Blickrichtung.
f) Korrektur der Meßgröße mit Hilfe der Eichwerte zur Bestimmung der wahren Blickrichtung.
g) Datenausgabe zur Floppy-Disc-Einheit und Anzeige auf den Monitoren.

3. Floppy-Disc-Speichereinheit. Die Floppy-Disc-Speichereinheit besteht aus zwei Laufwerken für 8" Disketten. Jede Diskette hat eine Speicherkapazität von 1 Mega Byte. Die Disketten sind IBM-kompatibel formatiert. Diese Speichereinheit dient zur Aufnahme der Meßdaten während der Messung. Die Speicherkapazität einer Diskette beträgt 1 Versuchspersonenstunde. Alternativ dazu eine 10 MB Festplatte, d. h. 10 Versuchspersonenstunden können fortlaufend gespeichert werden.
4. Monitoranzeigeeinheit. Die Monitoranzeigeeinheit dient zur Kontrolle des gesamten Versuchsablaufes. Die Monitoreinheit besteht aus zwei Monitoren. Auf dem linken Monitor ist das Infrarotbild des Auges zu sehen. Der Computer kennzeichnet auf diesem Monitor die erkannten grauen Flächen mit einer hellen Kontur. Der rechte Monitor dient zur Wiedergabe der Szene. In das Szenenbild kann eingeblendet werden:
a) das Fadenkreuz, das die momentane Blickrichtung der Versuchsperson wiedergibt.
b) der Name der Versuchsperson.
c) die Zeit in 1/100 Sekunden Auflösung.
d) der Pupillendurchmesser.
Beide Monitorsignale können auf Videorecorder aufgezeichnet werden.
5. Drucker. Mit Hilfe von Auswertungsprogrammen werden die Blickrichtungsdaten lokal und zeitlich untersucht und die Auswertung ausgedruckt. Diese Auswertungsprogramme laufen auf dem eingebauten, leistungsfähigen Polyprozessor, der die Daten von der Floppy-Disc liest, verarbeitet und auf dem Drucker ausgibt.
6. Erweiterung zur Kopfnachführung. Das DEBIC 80 Blickmeßsystem erhält bei Verwendung einer Kopfnachführung eine zusätzliche Komponente. Diese zusätzliche Komponente ist ein computergesteuerter Spiegel, der in Abhängigkeit von den Kopfbewegungen der Versuchsperson gesteuert wird. Dadurch wird auch bei größeren Kopfbewegungen (kleiner als 50 cm in X-, Y- und Z-Richtung) gewährleistet, daß die Blickrichtung permanent gemessen werden kann.

DEBIC 80 System

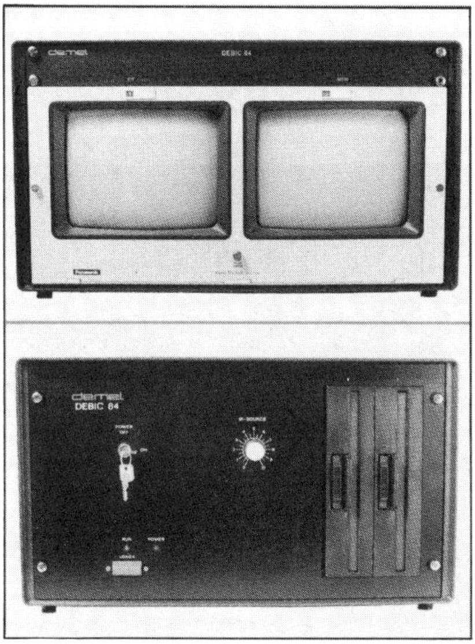

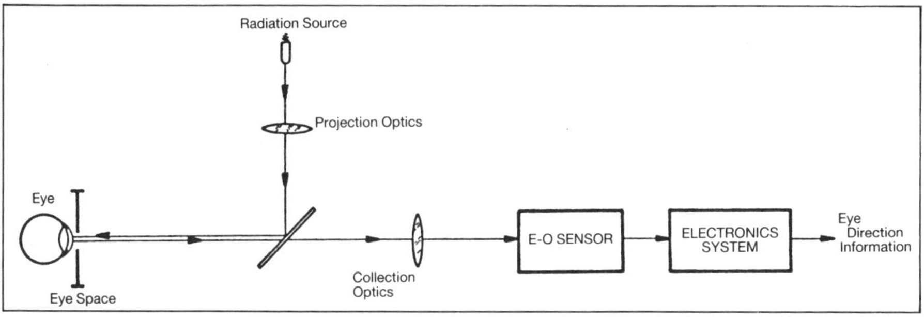

Technische Daten

1. Kopfbewegungsfreiheit
   a) ohne Kopfnachführungseinrichtung: 2,5 bis 5,0 cm (abhängig von eingestellter Abbildung)
   b) mit Kopfnachführungseinrichtung: bis zu 50 cm
2. Genauigkeit: bis zu 0,5 Grad
3. Pupillendurchmesser: 2 – 10 mm
4. Max. Augenbewegung: bis zu 60 Grad
5. Zeitauflösung: 20 ms

Abbildung 67: Die NAC IV Brille zur Blickregistrierung

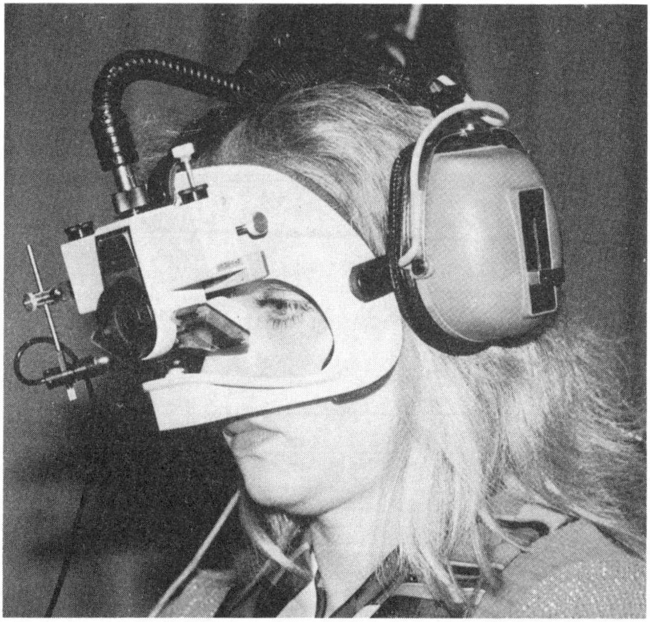

Quelle: w & v

EYE MARK
RECORDER
AXIS
AXIS
nac EYEMARK
RECORDER
MODEL V